ANTONI KĘPIŃSKI

Schizofrenia

WL

ANTONI KĘPIŃSKI

Schizofrenia

Posłowie
Wojciech Eichelberger

Wydawnictwo Literackie

Tekst oparto na wydaniu:
A. Kępiński, *Schizofrenia*, Warszawa 1972, PZWL

Projekt okładki i stron tytułowych
Marek Pawłowski

Redaktor prowadzący
Lucyna Kowalik

Redaktor techniczny
Bożena Korbut

Wszystkie książki oraz bezpłatny katalog
Wydawnictwa Literackiego
można zamawiać:
ul. Długa 1, 31-147 Kraków
bezpłatna linia telefoniczna: 0 800 42 10 40
księgarnia internetowa: www.wydawnictwoliterackie.pl
e-mail: ksiegarnia@wydawnictwoliterackie.pl
fax: (+48-12) 430 00 96
tel.: (+48-12) 619 27 70

ISBN 978-83-08-04046-1

Przedmowa

Schizofrenia jest chorobą społeczną, co setny człowiek bowiem choruje na nią. Wszyscy znają ten termin. Natomiast tylko nieliczni specjaliści uświadamiają sobie, na czym polega ten typ choroby psychicznej, najdziwniejszy spośród zespołów zaburzeń psychicznych. Schizofrenia — to choroba tajemnicza, nazywana przez psychiatrów delficką wyrocznią psychiatrii, gdyż koncentrują się w niej najważniejsze zagadnienia psychiki ludzkiej. Psychoza ta — dzięki bogactwu przeżyć chorych — jest też określana jako choroba królewska.

Zasługiwała ona na tę osobną książkę choćby dlatego, że problematyka schizofrenii, aczkolwiek raczej hermetyczna i trudna do przedstawienia, nie powinna być wiedzą ograniczoną tylko do wąskiego kręgu specjalistów. Podkreślenia wymaga, że zgłębienie psychopatologii schizofrenii wprowadza czytelnika także w podstawowe zagadnienia życia człowieka.

Przez długie lata w piśmiennictwie polskim można było znaleźć informacje naukowe na temat tej psychozy w wydawnictwach specjalistycznych. Teraz — po raz pierwszy — ukazała się polska odrębna książka przeznaczona schizofrenii. Dzięki temu liczni czytelnicy, nie tylko psychiatrzy, lecz także lekarze innych specjalności oraz socjolodzy, psycholodzy, prawnicy, jak też młodzież studiująca niektóre dziedziny, zainteresują się osobliwym światem psychopatologii.

Mimo bogactwa objawów chorobowych w schizofrenii opisy tej psychozy, często bardzo wycinkowe i jednostronne, których bibliografowie mogliby wyliczyć dziesiątki tysięcy, są zazwyczaj dość stereotypowe. Rzadkie są monografie, które tę barwną i niezwykłą pod względem nozografii chorobę opisują oryginalnie i plastycznie, a jednak prawdziwie. Do takich prac należy ta monografia prof. dra Antoniego Kępińskiego, kierownika Kliniki Psychiatrycznej Akademii Medycznej w Krakowie, autora podobnie ujętej książki pt. *Psychopatologia nerwic* (PZWL 1972).

Co jakiś czas należy odświeżać tematykę psychiatryczną, korygować, a nawet przełamywać kostniejące poglądy, schematy i zastarzałe sposoby interpretacji zjawisk psychopatologicznych. Tutaj prof. dr Kępiński wywiązał się z bardzo skomplikowanego zadania, gdyż technicznie nie jest możliwe napisanie książki, która by dawała całość istotnej wiedzy o schizofrenii, a ponadto wiedzę tę bardzo trudno jest komunikatywnie przekazać nie tylko laikom, ale nawet adeptom psychiatrii.

Autor poszedł w swych rozważaniach jakby dwoma nurtami. Uwzględnił opis obrazu klinicznego, który spotykamy w klasycznych pracach psychopatologicznych. Po wtóre, opierając się na własnym wieloletnim doświadczeniu praktycznym, w nowatorski sposób rozwinął swe obserwacje i spostrzeżenia na gruncie filozoficzno-estetycznym, a jednak zarazem przyrodniczym. Sprzeciwił się ogólnemu mniemaniu o wyłączeniu chorych na schizofrenię poza nawias społeczny. Uzasadnił, że chorzy ci są bardzo inni, ale nie wyklęci. Ukazał bogactwo, oryginalność, a nawet piękno myśli, fantazji i postawy chorych na schizofrenię. Wyszedł poza banalne opisy kliniczne i poruszył dogłębnie zagadnienia często pomijane i nie znane, klasyfikując objawy schizofrenii według ich tematyki, struktury i kolorytu; autor analizuje m.in. stosunek chorych do ludzi, do świata, do własnej roli społecznej, do siebie samych, do życia erotycznego itd.

„Metafizyka" schizofrenii jest w tej książce mocno oparta na konkretnych, materialnych obserwacjach. Kojarzenia zjawisk i porównania — np. między przeżywaniami chorych a każdemu dostępnymi doznaniami sennymi — zbliżają czytelnikowi obraz tej przedziwnej choroby. Aby wprowadzić czytającego w świat przeżyć chorego na schizofrenię, autor posłużył się w tekście książki pojęciami potocznymi i opisami angażującymi słownictwo wzięte z języka ogólnego i ze znanego zasobu terminologicznego psychologii w szerokim znaczeniu tego określenia. Są także użyte pojęcia z różnych innych dziedzin, gdy mowa np. o izolacji i amplitudzie uczuć, o aspekcie charyzmatycznym, o heroizmie, o stosunku do prawdy i kłamstwa, o problemie decyzji i władzy; są więc np. takie ujęcia, jak ektoderma nerwowa jako system władzy itp.

Książka prof. dra Kępińskiego — o czym czytelnik winien z góry wiedzieć — nie wyczerpuje całości problematyki, np. autor celowo pominął problematykę biochemiczną. Monografia ta jest bowiem podporządkowana określonej koncepcji filozoficzno-biologicznej.

Spotykamy się tutaj nie tylko z przesunięciami znaczeń terminów znanych skądinąd, lecz także z propozycjami nowych określeń. Do nich należy np. węzłowy w tej książce termin „metabolizm informacyjny". Wiąże się on z koncepcją poglądów autora. Mianowicie uważa on, że zasadniczą cechą życia jest wymiana energetyczna żywego ustroju z jego otoczeniem. Żaden atom w ustroju nie pozostaje ten sam. Stała jest tylko struktura, określony plan genetyczny, który steruje ustawicznym procesem wymiany z otoczeniem.

Aby ustrój człowieka mógł wejść w wymianę energetyczną ze swym otoczeniem, musi się w nim orientować. Dlatego już we wczesnych etapach filogenezy obok metabolizmu energetycznego pojawia się wymiana informacyjna, czyli tak zwany przez autora metaforycznie metabolizm informacyjny. U człowieka rozwój układu nerwowego stwarza sytuację wyjątkową i dla człowieka swoistą. W sytuacji tej metabolizm informacyjny niewątpliwie zdecydowanie przeważa nad metabolizmem energetycznym.

Schizofrenię traktuje autor jako zaburzenie metabolizmu informacyjnego. W przedchorobowym okresie życia chorych na schizofrenię często obserwuje się przewagę tzw. postawy „od" otoczenia. Nieraz od dzieciństwa, a zwykle od okresu pokwitania przyszli chorzy źle się czują w swoim otoczeniu, uciekają w świat marzeń, czują się inni niż ich rówieśnicy, nie wchodzą w kontakt zabawowy z nimi, szczególnie ważny dla normalnego rozwoju człowieka. Postawa autystyczna, jak uważa prof. dr Kępiński, polega w istocie na osłabieniu metabolizmu informacyjnego z otoczeniem.

O niezmienności żywego ustroju i o jego indywidualności decyduje struktura metabolizmu energetyczno-informacyjnego; jest ona utrzymana przez układy sterujące: genetyczny, endokrynny i nerwowy. Istnieje ścisła korelacja między intensywnością wymiany ze środowiskiem zewnętrznym (metabolizmem) a wewnętrznym porządkiem ustroju. Osłabienie metabolizmu prowadzi do naruszenia porządku, o którym mowa. Np. przed zaśnięciem słabnie metabolizm informacyjny, jednocześnie rozprzęża się określony porządek tegoż metabolizmu, myśli i uczucia stają się jakby rozkojarzone. W czasie snu metabolizm informacyjny spada prawie do zera, a struktury czynnościowe, zamknięte w granicach ustroju, wytwarzają nowy porządek — mechanizm marzenia sennego. W ujęciu autora tej książki dwa opisane ongiś przez E. Bleulera osiowe objawy schizofrenii: autyzm i rozszczepienie — można więc traktować jako zaburzenia metabolizmu informacyjnego. Prof. dr Kępiński dostrzegł w tym klucz do lepszego rozumienia przeżyć chorego na schizofrenię.

Innym z wielu poruszonych problemów jest ekspresja chorych na schizofrenię — temat zaniedbany w piśmiennictwie polskim. Ekspresja ta często utrudnia kontakt chorych ze społeczeństwem i ze środowiskiem, ale też zdarza się, iż wznosi ich ona na wyżyny osiągnięć artystycznych lub naukowych. Część tego zagadnienia, dotyczącą ekspresji słownej tych chorych i ich twórczości plastycznej, opracowali J. Mitarski i J. Masłowski z kliniki krakowskiej. Okazuje się, że nawet w tzw. defekcie schizofrenicznym trudno wielu spośród tych chorych uważać tylko za inwalidów.

Księgozbiór psychopatologiczny wzbogaciła książka o wysokim poziomie, oryginalnie i wnikliwie ujęta. Pozwala ona spojrzeć na schizofrenię, którą powierzchownie traktuje się jak „raka psychiki", w sposób nieszablonowy, niejednostronny i humanitarny.

Prof. dr Eugeniusz Brzezicki

Tym, którzy więcej czują
i inaczej rozumieją
i dlatego bardziej cierpią,
a których często nazywamy
schizofrenikami.

Obraz kliniczny

Uwagi historyczne

Już w piśmiennictwie starożytnym znajdują się trafne opisy schizofrenii. Na przykład w Piśmie św. można znaleźć następujący opis, w którym wyraźnie uwydatniają się dwa osiowe objawy schizofrenii, autyzm i rozszczepienie:

„... zabiegł mu z grobów człowiek opętany duchem nieczystym, który miał mieszkanie w grobach, a nie mógł go już nikt i łańcuchami związać, bo często będąc w pęta i łańcuchy związany, łańcuchy rozrywał i kajdany kruszył, i nie mógł go nikt ukrócić. A zawsze we dnie i w nocy był w grobach i w górach, krzycząc i tłukąc się kamieniami... I spytał go: jak ci na imię? I rzekł mu: na imię mi wojsko, albowiem nas jest wielu" (św. Marek, 5, 3–10).

Jeśli padaczka i depresja (melancholia) były już w starożytności traktowane jako wyodrębnione choroby, to schizofrenia najdłużej zatrzymała znamię opętania przez moce tajemne. Niejasne i ogólnikowe pojęcie szału i obłąkania (*vesania*) dopiero w drugiej połowie ubiegłego stulecia poddano próbom klasyfikacyjnym; Kahlbaum opisał katatonię i *vesania typica*, charakteryzującą się omamami słuchowymi i urojeniami prześladowczymi, jego uczeń, Hecker — hebefrenię, aż wreszcie Kraepelin ujął różnorodne zespoły w całość. Dla ich określenia użył pojęcia, stworzonego przez Morela w r. 1860, *dementia praecox* — otępienie wczesne. Obrazem przewodnim, który pozwolił mu złączyć w jedność różnorodne objawy, był stan zejściowy choroby, który charakteryzowało uczuciowe otępienie. W ten sposób zarysował się jednocześnie podział form schizofrenii (*dementia praecox*) na paranoidalną (odpowiadającą Kahlbaumowskiej *vesania typica*), katatoniczną, hebefreniczną i prostą (*simplex*). Ta ostatnia polegałaby w istocie na tym, że obraz charakterystyczny dla stanu zejściowego pojawia się już na początku choroby. Sama nazwa (otępienie) wskazuje, że Kraepelinowski sposób oceny schizofrenii był raczej pesymistyczny, Kraepelin patrzył na nią jakby od końca — poprzez pryzmat „przypadków" chronicznych, przebywających latami w zakładzie („schizofrenia zakładowa").

W r. 1911 Eugeniusz Bleuler[1] stworzył pojęcie schizofrenii od greckiego *schizo* — rozszczepiam, rozłupuję, rozdzieram, i *fren* — przepona, serce, umysł, wola. W przeciwieństwie do Kraepelina spojrzał on na schizofrenię jakby od jej początku. Uważał, że proces chorobowy może się zatrzymać na różnych stadiach rozwoju i że niekoniecznie prowadzi do otępienia. Charakter choroby nie zawsze jest przewlekły, czasem może ona trwać tylko kilka dni, a nawet godzin i nie pozostawiać po sobie uchwytnych zmian psychicznych (tzw. ubytków schizofrenicznych). Za objawy osiowe schizofrenii Bleuler uznał autyzm, czyli odcięcie się od świata otaczającego i życie światem własnym, dalekim od obiektywnej rzeczywistości (dereizm), oraz rozszczepienie (*schizis*), czyli używając modnego dziś słowa, dezintegracja wszystkich funkcji psychicznych. W przeciwieństwie też do Kraepelina nie traktował on schizofrenii jako jednostki chorobowej, lecz mówił o schizofreniach lub o grupie schizofrenii, podkreślając tym samym możliwości odmiennej etiologii i patogenezy procesu chorobowego.

Mimo niesłychanej rozbieżności poglądów na istotę schizofrenii we współczesnej psychiatrii oba podstawowe poglądy Bleulera (charakter objawów osiowych i wieloczynnikowa etiologia) nie straciły aktualności i stanowią dotychczas główny czynnik integrujący przeciwstawne poglądy na schizofrenię.

W ostatnich latach wśród niektórych psychiatrów obserwuje się tendencję do ponownego posługiwania się ogólnikowym

[1] E. Bleuler jest autorem jednego z podstawowych podręczników psychiatrii (*Lehrbuch der Psychiatrie*), ukazującego się w kolejnych wydaniach (Berlin, Springer-Verlag), po śmierci autora opracowywanych i uzupełnianych przez jego syna, Manfreda.

pojęciem *vesania*. Chcą oni w ten sposób podkreślić, że w psychiatrii trudno jest operować jednostkami chorobowymi, a znacznie bezpieczniej — zespołami objawowymi (jest to tradycyjne stanowisko psychiatrii francuskiej). Stanowisko tego typu jest słuszne z terapeutycznego punktu widzenia i stąd może jego pewna popularność. Metody leczenia dobiera się bowiem według zespołu objawów, a nie według nozologicznych rozpoznań.

W ten sposób po upływie z górą stu lat cykl rozwojowy diagnostycznych zapatrywań na schizofrenię wrócił do punktu wyjściowego.

Schizofrenię nazywa się czasem chorobą królewską. Nie chodzi tu tylko o to, że trafia ona nieraz umysły wybitne i subtelne, lecz też o jej niesłychane bogactwo objawów, pozwalające ujrzeć w katastroficznych rozmiarach wszelkie cechy ludzkiej natury. Dlatego opis objawów schizofrenicznych jest niezmiernie trudny i jest zawsze najwyższym i najbardziej ryzykownym sprawdzianem wnikliwości psychiatrycznej.

Dane ogólne

Wiek

Schizofrenia jest chorobą ludzi młodych. Najczęściej występuje między pokwitaniem a pełną dojrzałością, tj. mniej więcej między 15 a 30 rokiem życia. Fakt, że właśnie w tym okresie są największe szanse rozbicia osobowości, nie jest, jak się zdaje, bez znaczenia. Przy wszystkich blaskach młodości jest to okres życia bardzo trudny, nieraz tragiczny w spięciu między marzeniem a rzeczywistością, w dążeniu do sprawdzenia siebie, w łamaniu się młodzieńczych ideałów.

Wprawdzie większość psychiatrów przyjmuje występowanie schizofrenii we wcześniejszych i późniejszych okresach życia — schizofrenia dziecięca i schizofrenia późna — lepiej jednak ostrożnie stawiać to rozpoznanie poza okresem młodości i wczesnej dojrzałości. We wcześniejszym okresie życia struktura osobowości nie jest jeszcze w pełni zarysowana, trudno więc mówić o jej rozbiciu, a w późniejszym jest już na tyle utrwalona, że jej rozszczepienie staje się zgoła niemożliwe. Warto wspomnieć, że urojeniowa forma schizofrenii ze względnie dobrze zachowaną strukturą osobowości najczęściej występuje pod koniec okresu zapadalności na tę chorobę.

W dzieciństwie spotyka się zwykle tylko poszczególne fragmenty schizofrenii, jak autyzm, dziwaczności zachowania się lub mowy, ataki lęku z omamami, epizody zachowania hebefrenicznego itd. Fragmenty te nie tworzą jednak pełnego obrazu schizofrenii, toteż lepiej w takich wypadkach ograniczać się do rozpoznania zespołu zasadniczych objawów chorobowych.

Schizofrenia, która pojawia się po raz pierwszy w okresie pełnej dojrzałości lub starości, okazuje się nierzadko nawrotem; przebyty w młodości epizod chorobowy mógł minąć niepostrzeżenie albo wyraźnie wiąże się ona z okresem przejściowym, zwłaszcza u kobiet, czy też z organicznym uszkodzeniem mózgu.

Płeć

Częstość występowania schizofrenii u mężczyzn i kobiet jest taka sama. Również obraz chorobowy nie przedstawia istotnych różnic. Może u kobiet częściej spotyka się tematykę erotyczną, a u mężczyzn heroiczną.

Częstość występowania

Blisko 1% ogólnej populacji w społeczeństwach cywilizowanych zapada na schizofrenię. Około jednej czwartej do połowy pacjentów szpitali psychiatrycznych stanowią chorzy na schizofrenię. Jest więc ona poważnym problemem społecznym, tym boleśniejszym, iż dotyczącym młodych ludzi, wchodzących dopiero w życie.

Dziedziczność[1]

Nawet nie zainteresowany genetyką psychiatra może z łatwością zauważyć pewne fakty, które mają znaczenie dla ustale-

[1] Dane według pracy A. Kępińskiego i M. Susułowskiej: *Zagadnienie genetyki w psychologii i psychiatrii*. W: *Materiały do nauczania psychologii*. Seria IV; t. 3. PWN, Warszawa 1969, str. 11–60. Tamże obszerna bibliografia.

nia wpływów genetycznych w schizofrenii. Pierwszy z nich pozornie przeczy istnieniu tych wpływów, ponieważ stosunkowo rzadko spotykamy się z obciążeniem dziedzicznym w rodzinie chorego. Typowy wywiad podaje, że w rodzinie nie było chorób psychicznych. Zgadza się to z badaniami statystycznymi, gdyż w około 90% przypadków rodzice chorych na schizofrenię są to ludzie psychicznie zdrowi. Prawdopodobieństwo wystąpienia schizofrenii wynosi u rodziców około 10%, a u dziadków 4% (według Kallmanna). Dopiero zastosowanie metod genetyki statystycznej (tzw. metoda probanta, badanie bliźniąt) pozwala na właściwszą ocenę znaczenia dziedziczności w schizofrenii. Mimo różnic w wynikach otrzymanych przez poszczególnych badaczy, widać wyraźnie, jak możliwość zachorowania na schizofrenię wzrasta ze stopniem pokrewieństwa w stosunku do probanta i jak duża jest różnica zgodności między bliźniętami jednojajowymi a dwujajowymi. Różnice jednak w wynikach są dość znaczne, i tak np. prawdopodobieństwo wystąpienia schizofrenii u dziecka, gdy oboje rodzice są nią dotknięci, wynosi według Elsässera (1939) — 50%, a około 40% na podstawie jego badań z 1952 r.; wg Schultza (1940) — 31%, a 41%, gdy oboje rodzice mają typową formę schizofrenii; wg Luxenburgera (1928) i Kallmanna (1946) — 68%. Różnica w zgodności między bliźniętami dwu- a jednojajowymi co do występowania schizofrenii wynosi wg Luxenburgera (1928) 3%–67%, a wg Kallmanna (1953) 15%–86%. Wszystkie więc badania przemawiają za znaczeniem czynnika dziedzicznego w schizofrenii. Wyjątek stanowią tylko badania Pollocka i Malsberga (1940), którzy przebadali rodziny 175 chorych na schizofrenię i stwierdzili, że wśród krewnych występowanie schizofrenii było tylko nieznacznie częstsze niż w ogólnej populacji. Ten brak zgodności z wynikami innych autorów można wyjaśnić stosunkowo małą liczbą zbadanych przez nich osób. Jeśli chodzi o schizofrenię dziecięcą, to mimo że nie stanowi ona jednostki o sprecyzowanym obrazie klinicznym i dotychczas jej istnienie budzi wątpliwość niektórych psychiatrów, to jednak badania genetyków psychiatrycznych (Kallmann i Roth, 1956; Bender i Grugget, 1956) wskazują na to, że ma ona ścisły związek ze schizofrenią osób dorosłych. U rodzeństwa bliźniaczego, u zwykłego rodzeństwa i u rodziców chorych na schizofrenię dziecięcą spotyka się rozpoznania schizofrenii w późniejszym okresie życia i ryzyko zachorowalności jest podobne jak w schizofrenii dorosłych. Wybitny psychiatra dziecięcy Kanner (1954) ma jednak zastrzeżenia zarówno co do genetycznej etiologii schizofrenii dziecięcej, jak i jej związku ze schizofrenią dorosłych.

Drugą obserwacją, którą łatwo można poczynić w praktyce psychiatrycznej, jest to, że kiedy istnieje wyraźne obciążenie dziedziczne, przebieg schizofrenii jest zwykle łagodny i nietypowy. Obserwacja ta znalazła potwierdzenie w badaniach Manfreda Bleulera (1930) i Leonharda (1936). Niezależnie od siebie stwierdzili oni, że schizofrenie o przebiegu nietypowym, często cyklicznym i nie prowadzącym do otępienia, mają wyraźne podłoże genetyczne, natomiast przebiegające typowo takiego podłoża nie mają. Można by wyjaśnić to w ten sposób, że chorzy dotknięci ciężką — „typową" formą schizofrenii znacznie rzadziej zostawiają po sobie potomstwo niż ci, u których przebieg choroby był lekki, „nietypowy". Można by też przyjąć, że u chorych na schizofrenię, u których nie da się stwierdzić obciążenia dziedzicznego, ma się do czynienia ze świeżą mutacją, a to ma większą siłę penetracji, tj. ujawnienia się w fenotypie niż wówczas, gdy zmutowany gen przechodzi przez kilka pokoleń. Przychylając się natomiast do koncepcji środowiskowych, należałoby uważać, że decydujący wpływ na powstanie ciężkich form prowadzących do stępienia schizofrenicznego ma środowisko. W genezie degradacji schizofrenicznej we współczesnej psychiatrii podkreśla się rolę monotonii reżimu szpitalnego i niekorzystnej dla chorego atmosfery rodzinnej.

Trzecia obserwacja dotyczy struktury i atmosfery rodziny, w której wzrastają przyszli chorzy na schizofrenię. Jest to często rodzina rozbita, w której istnieją duże napięcia emocjonalne między rodzicami, wzajemna wrogość i uczuciowa izolacja. Dziecko rozwija się w niej w poczuciu uczuciowej pustki i niepewności.

Od czasu badań Lidza (1949) wiele prac poświęcono badaniom rodzin chorych na schizofrenię. Popularne stało się pojęcie „schizofrenogennej" matki, która przez swą tajoną wrogość do dziecka, brak właściwych macierzyńskich uczuć, maskowanych niejednokrotnie przesadną troskliwością i tendencją do dominacji, sprawia, iż dziecko odcina się od związków uczuciowych z otoczeniem lub kształtuje je w sposób ambiwalentny.

Zupełnie inny obraz przedstawia rodzina cyklofreników, jest ona zwarta, posiada żywe i szczere związki uczuciowe; składa się zwykle z wielu członków, w przeciwieństwie do rodziny schizofrenicznej, która na ogół jest nieliczna. Ten typ rodziny jakoby sprzyja rozwinięciu się żywego stosunku uczuciowego do otoczenia, z drugiej jednak strony ustalony schemat stosunków wzajemnych w rodzinie może rodzić tendencje do wyłamania się spod jej rygorów. Tego rodzaju reakcje w formie chorobowej przybierają postać manii lub wzmagają poczucie winy, co z kolei prowadzi do depresji.

Powyższe koncepcje dotyczące wpływu środowiska rodzinnego na kształtowanie się patologicznego stereotypu uczuciowego, który może doprowadzić do schizofrenii lub cyklofrenii, znajdują pewne potwierdzenie w statystycznych badaniach genetycznych osób dotkniętych schizofrenią. Wśród rodziców Kallmann (1946) stwierdził blisko 35% schizoidów, a więc ludzi mających trudności z nawiązywaniem ciepłego stosunku uczuciowego z najbliższym otoczeniem. Patologia stosunków uczuciowych częściej występuje w rodzinach składających się z osób schizoidalnych niż u osób z kręgu przeciwnego, cykloidalnego.

Klinicyści od dawna zwracali uwagę na zadziwiającą nieraz odporność schizofreników na ból, urazy, rany czy zabiegi chirurgiczne oraz odporność na takie substancje jak: histamina, tyroksyna, insulina, a prawdopodobnie też na choroby zakaźne, z wyjątkiem gruźlicy, na którą łatwiej zapadają niż ogół ludności. Opierając się na tej obserwacji, niektórzy autorzy przyjmują (Huxley, Mayer, Osmond i Hoffer, 1964) działanie heterozji[1] w utrzymaniu częstotliwości genu schizofrenicznego w popula-

---

[1] Mianem heterozji określa się zjawisko większej sprawności biologicznej heterozygotów ze zmutowanym genem, który w formie homozygotycznej może okazać się dla organizmu szkodliwy, a nawet śmiertelny. Błąd w planie, który w dużej dawce (homozygotycznej) może okazać się zgubny, w małej dawce (heterozygotycznej) może ułatwić przystosowanie do specyficznych warunków środowiskowych i może stać się motorem ewolucji.

cji. Biorąc bowiem pod uwagę, że chorzy na schizofrenię zostawiają około 30% mniej potomstwa niż ogólna populacja, należałoby się liczyć ze stopniowym wygasaniem tej choroby. Gdyby przyjąć, że przeciwdziała temu występowanie genu zmutowanego, to i tak choroba występowałaby znacznie rzadziej niż obecnie. Jeśliby jednak nosiciele genu schizofrenicznego, tzn. ci, którzy nie manifestując objawów schizofrenii, gen ten posiadają, pozostawili więcej od tamtych potomstwa, wówczas wyrównałyby się straty poniesione przez obniżoną płodność chorych na schizofrenię. Kwestia, na czym polegałaby lepsza przystosowalność biologiczna nosicieli genu schizofrenicznego, pozostaje nie rozstrzygnięta. Nie można jednak wykluczyć, że może nią być zwiększona odporność na urazy i choroby zakaźne, która cechuje ludzi chorych na schizofrenię.

Można też snuć domysły co do cech psychicznych nosicieli genu schizofrenicznego, a zwłaszcza, czy oznaczają one to, co określa się pojęciem osobowości schizoidalnej. Przyszli schizofrenicy często od dziecka wykazują pewne charakterystyczne cechy osobowości odróżniające ich od reszty rodzeństwa.

Są to takie cechy, jak nieśmiałość, trudność nawiązywania kontaktów z otoczeniem, poczucie niższości kompensowane skłonnością do marzeń, przesadna uległość itp. Zdaniem psychiatrów nastawionych genetycznie, cechy te są uwarunkowane działaniem genu schizofrenicznego, który w pełni manifestuje się w momencie wybuchu psychozy.

Forma manifestacji genu schizofrenicznego zależy zarówno od wpływów otoczenia genetycznego, tj. działania innych genów, jak i od otoczenia zewnętrznego, przede wszystkim społecznego, które odgrywa zasadniczą rolę w rozwoju człowieka.

Dane statystyczne z badań nad dziedzicznością schizofrenii należałoby uzupełnić przypuszczalnym modelem dziedziczenia. Do wyboru możliwe są dwa zasadnicze modele: jedno- lub kilkugenowy i wielogenowy. Pierwszy model wybiera się zwykle, gdy ma się do czynienia z cechą jakościową, tj. taką, jaka występuje według zasady „wszystko lub nic"; drugi zaś, gdy cecha ma charakter ilościowy i rozkłada się w populacji według krzywej Gaussa (na przykład wzrost, ciężar ciała, poziom intelektualny). Ponieważ schizofrenię traktuje się jako chorobę, która istnieje albo nie istnieje, wszyscy autorzy zajmujący się nią z genetycznego punktu widzenia wybierali pierwszy model, tj. jedno- lub kilkugenowego dziedziczenia cech. Należy jednak zaznaczyć, że w świetle genetyki biochemicznej rozkład według krzywej Gaussa jest możliwy także przy jednogenowym dziedziczeniu danej cechy. Uwarunkowane bowiem genetycznie powstawanie określonego enzymu (na przykład katalizującego przemianę fenyloalaniny w tyrozynę), może się wahać od zera do jakiegoś maksimum; największa liczba osób w populacji będzie miała wartości średnie, patologia będzie występować natomiast na obu końcach krzywej. Cechy więc ilościowe mogą być równie dobrze dziedziczone monogenicznie jak cechy jakościowe. Nie jest też dotychczas pewne, czy w schizofrenii istnieje ostra granica między normą a chorobą. Na stanowisku stopniowego przejścia od schizoidii do schizofrenii stał Kretschmer, a Eysenck, na podstawie analizy czynnikowej, przyjmuje czynniki nerwicowości i psychotyczności, które rozkładają się w populacji według krzywej Gaussa.

Przyjmując model monogenicznego dziedziczenia, należy jeszcze rozstrzygnąć, czy ma się do czynienia z formą dziedziczenia recesywną, dominantną, czy też pośrednią. Fakt, że schizofrenia wybucha najczęściej niespodziewanie, kojarzy się z formą dziedziczenia recesywnego, gdyż w tej formie heterozygoci, będąc wolni od objawów chorobowych, mogą niepostrzeżenie przenosić patologiczny gen z pokolenia na pokolenie, a działanie jego może ujawnić się dopiero po połączeniu się dwóch heterozygotów.

Hipoteza recesywnego dziedziczenia schizofrenii w różnych modyfikacjach miała najwięcej zwolenników — poczynając od badaczy szkoły monachijskiej, a kończąc na Kallmannie. Modyfikacje były potrzebne do wyjaśnienia, dlaczego dane empiryczne nie zgadzają się z danymi teoretycznymi. Tak na przykład prawdopodobieństwo zachorowania na schizofrenię u dzieci obojga rodziców schizofreników powinno wynosić 100%, a w rzeczywistości wynosi tylko od 31% do 68%; u rodzeństwa powinno wynosić przynajmniej 25%, a wynosi około 14%; u bliźniaków jednojajowych ma wynosić 100%, a wynosi według różnych badaczy od 67 do 86%.

Aby wyjaśnić tę niezgodność, Kallmann (1948, 1953, 1959) przyjmuje tezę, że obok głównego genu recesywnego, który wywołuje jakiś niedobór enzymatyczny prowadzący do schizofrenicznych zmian w zachowaniu, istnieje poligeniczny system obronny, nie dopuszczający do ujawnienia się genu patologicznego w fenotypie.

Spośród współczesnych badaczy koncepcję dominantnego dziedziczenia schizofrenii reprezentują Böök (1953) i Slater (1958), przyjmując niepełną penetrację genu wynoszącą 70% (jest to właściwie forma dziedziczenia pośrednia między recesywną a dominantną). Slater, zakładając częstość występowania genu schizofrenicznego w ogólnej populacji na 0.015, jego manifestowanie się u homozygotów na 100%, a u heterozygotów na 26%, obliczył wartości teoretyczne ryzyka wystąpienia schizofrenii w różnych stopniach pokrewieństwa. Wartości te zgadzały się z danymi empirycznymi uzyskanymi przez różnych badaczy. Hipoteza niepełnej penetracji genu jest bardzo wygodna, gdyż za pomocą metody statystycznej można dla każdych empirycznych danych liczbowych znaleźć model genetyczny, zmieniając tylko odpowiednio stopień penetracji genu.

Czynniki cywilizacyjne i ekonomiczne

Psychiatrzy pracujący wśród ludów tzw. pierwotnych na ogół zgodnie podkreślają, że odsetek zachorowalności na schizofrenię jest wśród nich znacznie niższy niż w społeczeństwach cywilizowanych. Obraz psychozy jest nieco odmienny, przeważają formy ostre — zbliżone do katatonii, często połączone z zamąceniem, rzadko prowadzące na ogół do schizofrenicznej degradacji. Przy wejściu tubylców w krąg cywilizacji zachodniej liczba przypadków schizofrenii wzrasta, a obraz chorobowy upodabnia się do spotykanego w naszej kulturze.

W ocenie powyższych danych należy zachować krytycyzm, jakiego zawsze wymagają w psychiatrii fakty o charakterze statystycznym. Nawet w społeczeństwach o wysokim poziomie opieki psychiatrycznej ustalenie liczby chorych na poszczególne zespoły chorobowe napotyka duże trudności związane bądź z różnicami w kryteriach diagnostycznych, bądź z niemożnością zarejestrowania wszystkich chorych. Trudności te oczywiście wzrastają w rejonach o niskim poziomie opieki psychiatrycznej.

Ryzyko wystąpienia schizofrenii, cyklofrenii (według Kallmanna, 1946, 1950) i gruźlicy (według Planansky'ego i Allena, 1953) w zależności od stopnia pokrewieństwa (w %)

Stopień pokrewieństwa	Schizofrenia	Cyklofrenia	Gruźlica
Niekrewni			
ogólna populacja	0,9	0,4	
współmałżonkowie	2,1		7,1
rodzeństwo przybrane	1,8		
Krewni			
bracia stryjeczni i cioteczni	2,6		
bratankowie i siostrzeńcy	3,9		
dziadkowie	3,9		
wnuki	4,3		
rodzeństwo przyrodnie	7,1		11,9
rodzice	9,2	23,4	16,9
rodzeństwo	14,2	23,0	25,5
bliźnięta dwujajowe	14,5	23,6	25,6
bliźnięta dwujajowe tej samej płci	17,6		
dzieci, gdy jedno z rodziców dotknięte chorobą	16,4		
dzieci, gdy oboje rodzice dotknięci chorobą	68,1		
bliźnięta jednojajowe	86,2	92,6	87,3
bliźnięta jednojajowe żyjące osobno przez przynajmniej 5 lat	77,6		
bliźnięta jednojajowe żyjące razem	91,5		

Zdaniem niektórych autorów (Hollingshead i Redlich)[1] schizofrenia najczęściej występuje w niższych warstwach społecznych. Twierdzenie to spotkało się ze słusznym, jak się zdaje, zarzutem, że psychiatrzy łatwiej na ogół rozpoznają schizofrenię u pacjentów, z którymi trudniej im ze względu na różnicę poziomów społecznych nawiązać kontakt, poza tym starają się niekiedy zaoszczędzić pesymistycznie nastrajającego rozpoznania pacjentom rekrutującym się z warstw wyższych.

---

[1] A. B. Hollingshead, F. C. Redlich: *Social Class and mental illness.* Wiley, New York 1958.

Co się tyczy najmniejszej grupy społecznej, jaką jest rodzina, to w ostatnich kilkunastu latach prowadzi się rozległe badania nad rodzinami schizofreników, a nawet w niektórych ośrodkach próbuje się zbiorowej psychoterapii całej rodziny.

Jako hipotezę roboczą badań epidemiologicznych nad schizofrenią — zarówno w dużych, jak i małych grupach społecznych — można przyjąć twierdzenie, że zachorowalność na tę chorobę wzrasta w miarę dezintegracji grupy społecznej, z której chory się wywodzi.

W związku z powszechnie panującym przeświadczeniem o kryzysie kultury zachodniej byłoby interesujące porównać częstość występowania schizofrenii w obecnym okresie z okresami o większej stabilizacji i integracji. Brak jednak do tego dostatecznie pewnych danych.

Przed przeszło dwudziestu laty na jednym z posiedzeń Krakowskiego Oddziału Towarzystwa Lekarskiego Maurycy Bornsztajn mówił o schizofrenizacji współczesnego społeczeństwa. Po latach jego przewidywania okazały się trafne. Rzeczywiście coraz częściej obserwuje się narastanie postawy autystycznej w stosunku do otaczającego świata technicznego. Ludzie czują się w nim samotni, obcy, nie zrozumiani, znudzeni. Jednocześnie integracja staje się coraz trudniejsza. Ludzie odczuwają dotkliwie chaos panujący w otaczającym świecie i w nich samych. Wśród młodzieży, zwłaszcza w krajach o wysokiej stopie ekonomicznej, coraz częściej zdarzają się tendencje do uciekania w świat psychotyczny za pomocą środków halucynogennych (przede wszystkim delizydu, czyli LSD).

Oczywiście schizofrenizacja nie jest schizofrenią. Termin ten wskazuje tylko na pewne tendencje kulturowe, przypominające niektóre objawy schizofreniczne.

Początek choroby

Początek choroby nagły

Schizofrenia może zacząć się nagle, dramatycznie, nie pozostawiając wątpliwości, że ma się do czynienia z chorobą umysłową, lub skrycie, gdy miesiącami, a nawet latami najbliższe otoczenie nie orientuje się w rozwijającym się procesie chorobowym, dopiero nagłe zaostrzenie czy też postępująca degradacja sygnalizuje psychozę[1].

W pierwszym wypadku uderza nagła zmiana w zachowaniu się. Może to być atak szału — silne podniecenie z dominującym zwykle uczuciem lęku, ostry stan zamącenia, osłupienie, dziwaczności, rozkojarzenie, nieusystematyzowane urojenia, omamy, ucieczka, próby samobójstwa czy samookaleczenia. Gwałtowny wybuch, jak pęknięcie dotychczasowej struktury, sygnalizuje początek choroby.

POCZĄTEK CHOROBY POWOLNY

W drugim wypadku fasada jest zachowana, chory pozornie się nie zmienił, zachowuje formy towarzyskie, pracuje. Zmianę raczej wyczuwa się niż zauważa. Coś nieuchwytnego dzieli go od najbliższych, jakby był z innego świata, a nie stąpał po tej samej ziemi. Czasem zdradzi się ze swoich urojeniowych podejrzeń, dziwnych myśli, chaosu lub pustki w głowie. Czasem zastanowi otoczenie zbyt częste wyłączenie się z toku rozmowy, zapatrzenie się w dal, dziwny wyraz twarzy, nie odpowiadający aktualnej psychologicznej sytuacji, przelotny grymas nienawiści, ekstazy, wybuch śmiechu, apatia, brak inicjatywy, unikanie towarzystwa, szukanie samotności, zaniedbywanie codziennych obowiązków, nawet najprostszych, dotyczących higieny ciała, nadmierna pobożność, porzucenie dawnych zainteresowań itd.

Zmiana bywa czasem tak dyskretna, iż epizod schizofreniczny mija niepostrzeżony i dopiero nawrót choroby w ostrzejszej formie po kilku lub kilkunastu miesiącach, czy nawet latach, przypomina otoczeniu, że już kiedyś chory zachowywał się dziwnie.

Rozpoznanie schizofrenii w takich wypadkach bywa trudne i dyskusyjne. Często z powodu braku bardziej dramatycznych

---

[1] Zagadnienie, jak chory na schizofrenię trafia do szpitala i ile czasu upływa między wystąpieniem pierwszych objawów a rozpoczęciem leczenia, zostało szczegółowo opracowane przez A. Tretera: *The first hospitalization of schizophrenic patients*. „Acta Medica Polona", 1969, nr 2, str. 175–185. Zob. też A. Treter: *Czynniki społeczno-środowiskowe a zagadnienie pierwszego leczenia chorych na schizofrenię*. „Psychiatria Polska", 1970, nr 2, str. 187–192.

objawów rozpoznaje się nerwicę lub zaostrzenie psychopatii. Dopiero dalszy rozwój choroby uwidacznia pomyłkę diagnostyczną.

Początek choroby nerwicowy

Istnieją zresztą tzw. „pseudonerwicowe” formy schizofrenii, w których na pierwszy plan wysuwają się objawy hipochondryczne, neurasteniczne, anankastyczne lub histeryczne. Wprawdzie w rozmowie z chorym często odczuwa się, że ma się do czynienia z głębszym zaburzeniem niż z nerwicą, trudno jednak uzasadnić swoje przeświadczenie.

Poza bliżej nie określonym poczuciem inności i dziwności pewne szczegóły pozwalają czasem odróżnić nerwicową formę schizofrenii od zwykłej nerwicy. W przeciwieństwie do chorego nerwicowego schizofrenik na ogół niechętnie szuka pomocy lekarskiej, zwłaszcza gdy jeszcze lekarza nie zna i nie zdążył go polubić. Rozmowa z chorym ujawnia niekiedy pozorność objawów nerwicowych. Pod objawami neurastenicznymi kryje się poczucie pustki, nienawiści do życia, apatia. Skargi hipochondryczne przybierają formę dziwaczną — ciało zamienia się w skomplikowaną maszynę, z którą dzieją się tajemnicze, magiczne sprawy. Wielki teatr histeryczny ze zwykłej, codziennej tematyki wkracza w świat niezwykły, dziwny, metafizyczny. Myśli natrętne, czynności przymusowe i fobie stają się coraz bardziej dziwaczne, niekiedy makabryczne. A przy tym zanika stopniowo krytyczna ich ocena, tak że z czasem przekształcają się w urojenia.

Istotnym jednak momentem diagnostycznym w wątpliwych wypadkach pozostaje odczucie inności i dziwności, to co w niemieckiej terminologii psychiatrycznej określa się pojęciem *Präcoxgefühl* (wyczucie schizofrenii). Nie jest to wprawdzie metoda naukowa, lecz jak się zdaje, trafiająca w istotę specyfiki ekspresji schizofrenicznej.

Paragnomen

Zdarza się, że wybuch choroby jest na kilka tygodni czy miesięcy poprzedzony krótkim epizodem niezwykłego zachowania się, niezgodnego z charakterem i dotychczasową linią życiową chorego. Brzezicki określił tego rodzaju wyskok jako paragnomen, czyli *actio praeter expectationem*[1], a więc rodzaj zachowania się wykraczającego poza granice przewidywalności zarówno w ocenie otoczenia, jak i samego działającego. Zachowanie paragnomeniczne należy odróżnić od czynów impulsywnych, które są w zasadzie przewidywalne, gdy odrzuci się powłokę hamulców społecznych.

Jeśli czyn niespodziewany, pozbawiony motywów, ma charakter przestępstwa i jeśli, jak się później okazuje, [jest] pierwszym zwiastunem schizofrenii, wówczas określa się go jako *delictum initiale* (Spett)[2].

Cztery postacie schizofrenii

Powszechnie rozróżnia się cztery formy schizofrenii — prostą, hebefreniczną, katatoniczną i paranoidalną. Postacie te często się mieszają i przechodzą jedna w drugą. Niekiedy nawet trudno jest określić, która z nich dominuje. Sam jednak fakt, że podział ten ogólnie się przyjął, świadczy o jego użyteczności. Pozwala on scharakteryzować za pomocą jednego terminu obraz schizofrenii, co przy różnorodności i bogactwie objawów schizofrenicznych jest dużym ułatwieniem.

Schizofrenia prosta

Forma prosta (*schizophrenia simplex*) charakteryzuje się stopniowo narastającym zobojętnieniem, apatią, obniżeniem nastroju. Chory przestaje się interesować losem najbliższych i swoim własnym. Tak radosne, jak smutne wydarzenia spływają po nim bez śladów. Nawet śmierć najbliższej osoby przyjmuje nieraz z zadziwiającą obojętnością. Natomiast drobne przy-

---

[1] E. Brzezicki: *Faza ultraparadoksalna w postaci paragnomen jako początkowe stadium schizofrenii*. „Neurologia, Neurochirurgia i Psychiatria Polska", 1956, nr 6, str. 669–680. Tegoż autora: *Action inattendue (paragnomen) chez les nevrotiques et comme prodrome schizophrenique*. „Annales Medico-Psychologiques", 1957, z. 5, str. 695–705.

[2] M. Cieślak, K. Spett, W. Wolter: *Psychiatria w procesie karnym*. Wydawn. Prawnicze, Warszawa 1968, str. 295–297. Zob. też K. Spett: *Zabójstwo — pierwszy objaw choroby*. „Prawo i Życie", 1956, nr 6, str. 4.

krości mogą wywoływać gwałtowne wybuchy złego humoru, złości czy przygnębienia. Początkowo chory nie zaniedbuje swoich obowiązków, ale wykonuje je w sposób stereotypowy, bez inicjatywy, jak automat. Wyniki w nauce czy w pracy są coraz gorsze. Nauczyciele i rodzice dziwią się, że taki dobry i zdolny uczeń ma coraz gorsze noty, mimo że godzinami siedzi nad książką. Niekiedy chory spędza czas na bezsensownych zajęciach w rodzaju zapisywania grubych zeszytów słowami bez związku, cyframi, tajemniczymi znakami, planami, rysunkami.

Chory stroni od towarzystwa, czasem miesiącami nie wychodzi z domu, by nie stykać się z ludźmi. Zmuszony do kontaktu towarzyskiego, zamyka się w sobie, nie bierze udziału w rozmowie, siedzi ponury w kącie. Zapytany, daje zdawkowe odpowiedzi lub zbywa pytania milczeniem. Nie ma jednak na tyle inicjatywy, by opuścić nużące go towarzystwo, tkwi w nim jak obce ciało, samotny i opuszczony. Wobec najbliższych też staje się coraz bardziej daleki i obcy. Mówi się o nim, iż zmienił się, jest zimny, obojętny, nic go nie obchodzi.

Brak inicjatywy, normalnej ruchliwości, posłuszne trzymanie się utartych stereotypów zachowania się są traktowane niekiedy przez otoczenie jako cechy dodatnie. Mówi się o chorym: „jakie to dobre, grzeczne dziecko", choć już dzieckiem dawno być przestał. Czasem tylko to wyrośnięte dziecko przerazi rodziców wybuchem wściekłości, ordynarnego zachowania, wrogości, nie umotywowanego śmiechu, dziwnym grymasem twarzy, próbą ucieczki lub samobójstwa.

Ale na ogół jest dobry, posłuszny, wykonuje polecenia bez oporu, nie wyrywa się z domu jak jego rówieśnicy, jest cichy, spokojny. Rodziców, zwłaszcza trochę despotycznych, cieszy takie dobrze ułożone dziecko. Taki cichy typ schizofrenii jest z punktu widzenia lekarskiego najniebezpieczniejszy, gdyż zwykle wiele czasu upływa, nim najbliżsi zorientują się, iż chory wymaga psychiatrycznej opieki.

Czasami upór wysuwa się na plan pierwszy. Chory kurczowo trzyma się pewnych stereotypów zachowania, wpada w gniew, gdy próbuje się je naruszyć, jakby z ich obaleniem wszystko w gruzy miało się obrócić. Nie można go nakłonić, by zmienił styl ubierania się, czesania, jedzenia, porządku dnia itd.

W innych przypadkach schizofrenii prostej ponurość i drażliwość dominują w obrazie chorobowym. Chory jest stale nadąsany, byle głupstwo wyprowadza go z równowagi, swoją zagniewaną miną jakby broni się przed zetknięciem się z otoczeniem.

Dość często własne ciało staje się centralnym tematem zainteresowań chorego. Wypełnia ono pustkę jego życia. Chory koncentruje się na zewnętrznym wyglądzie ciała lub na jego wewnętrznej strukturze. Przegląda się godzinami w lustrze, robiąc przy tym dziwne miny, martwi się jakimś szczegółem swego wyglądu lub rzekomym złym funkcjonowaniem jakiegoś narządu. Snuje fantastyczne koncepcje budowy i pracy swego organizmu i stosuje fantastyczne pomysły lecznicze. Maurycy Bornsztajn[1] wyodrębnił jako osobną formę hipochondryczną postać schizofrenii prostej, określając ją mianem somatopsychicznej. Skargi hipochondryczne w schizofrenii różnią się od tego typu skarg spotykanych w nerwicach tym, że cała koncepcja ciała zostaje w nich zmieniona, jest dziwna i fantastyczna, nie odpowiada poglądom panującym w otoczeniu chorego.

Hipochondryczne nastawienie łatwo zmienia się w myśli nadwartościowe lub urojenia. Chory jest np. przekonany, że ma za długi nos lub oczy zbyt wypukłe, wstydzi się z tego powodu wychodzić na ulicę, bo wydaje mu się, że ludzie z niego się śmieją, domaga się operacji plastycznej. Jej wynik jest krótkotrwały, bo znów znajdzie coś rażącego w swej twarzy[2]. Chory może uważać, że jego jelita źle funkcjonują, że skutkiem tego wydaje przykrą woń, ludzie wokół niego pociągają nosem i odsuwają się ze wstrętem. Niekiedy genitalia stają się ośrodkiem hipochondrycznego nastawienia, chory stwierdza u siebie cechy płci przeciwnej (jeden z chorych krakowskiej kliniki twierdził, że w odbycie ma pochwę) lub niezwykły kształt narządów płciowych (inny chory z tejże kliniki nosił obcisłe majteczki, gdyż wstydził się swych rzekomo zbyt wielkich jąder).

---

[1] M. Bornsztajn: *Wstęp do psychiatrii klinicznej dla lekarzy, psychologów i studentów*. Wyd. II uzupełnione. Księgarnia Ludowa, Łódź 1948.

[2] W terminologii psychopatologicznej poczucie zmiany zewnętrznego wyglądu ciała określa się pojęciem depersonalizacji, rezerwując nazwę hipochondrii dla wnętrza ciała.

Czasem schizofrenia prosta przybiera postać „filozoficzną" — chory rozważa nad bezsensem życia, ludzkich zainteresowań i zabiegów, marzy o tym, by zasnąć i więcej się nie zbudzić, prowadzi czasem, gdy czuje się raźniejszy, jałowe dyskusje nad „istotnym", „zasadniczym" sensem tego, co go otacza.

Otoczenie odczuwa wokół chorego atmosferę pustki. Najbliżsi starają się przez nią przebić, „rozruszać" chorego, zmusić go do aktywności i żywszej reakcji uczuciowej, a gdy się to nie udaje, sami się od niego odsuwają, traktują go z litością jako „biednego dziwaka".

Z czasem dziwactwa się mnożą. Ciszę pustki zakłócają epizody podniecenia lub osłupienia katatonicznego, elementy hebefreniczne czy paranoidalne.

Postać hebefreniczna

Pozornym przeciwieństwem formy prostej jest postać hebefreniczna. Jeśli w schizofrenii prostej uderza apatia i bezczynność chorego, to tu — nadmiar inicjatywy i ruchliwości, które są jednak specyficznego rodzaju, przypominają wygłupianie się lat „cielęcych". Stąd też pochodzi nazwa: greckie słowo *hébe* oznacza młodość, siłę, krzepkość, uciechę, wesołość, łono. W języku polskim używano dawniej pojęcia *hebes* dla nieco lekceważącego określenia młodego człowieka.

Hebefrenik jest ruchliwy, ma różne pomysły, które bez skrępowania wprowadza w czyn, szokując tym nieraz swe otoczenie. Tu zrobi głupią minę lub pokaże język dostojnej osobie, tam wybuchnie śmiechem w poważnej chwili, czasem coś popsuje lub zniszczy po prostu dla kawału. Wszystkich zaczepia, nie uznaje dystansu, stawia głupie pytania, śmieje się bez powodu. Nawet będąc sam, śmieje się czasem do siebie lub robi głupie miny. Polecenia spełnia na opak. Odpowiedzi daje niedorzeczne, nie związane z pytaniem. Mówi często dużo, ale nie zawsze zrozumiale, przeskakując z tematu na temat, kojarząc według przypadkowego podobieństwa słów, powtarzając te same frazy, tworząc neologizmy.

Dla najbliższych chory wkrótce staje się uciążliwy, poza tym w przeciwieństwie do schizofrenii prostej tu zmiana zachowania rychło rzuca się w oczy. Dzięki temu trafia on szybko do psychiatry, co w przypadku formy prostej jest raczej rzadkością.

Ruchliwość i wesołkowatość chorego przypominają niekiedy fazę maniakalną czy hipomaniakalną cyklofrenii. Dynamika hebefreniczna jest jednak monotonna — powtarzają się te same „kawały", grymasy twarzy, gesty. Rytm perseweracyjny — powtarzanie się tych samych form zachowania — nie jest związany z tym, co wokół się dzieje, ale z wewnętrznym, oderwanym od zewnętrznej rzeczywistości stanem chorego.

Pod wesołkowatością hebefreniczną wyczuwa się pustkę i niechęć do życia, przypomina ona „humor wisielczy" tych, którzy już nic nie mają do stracenia. Wesołość maniakalna jest związana z życiem — cieszy chorego słońce, kolor, kompania do zabawy, erotyka. Konkretność w sensie zrośnięcia się z otaczającą rzeczywistością uniemożliwia oderwanie się od niej.

Najlepiej wyraża się to w mowie. Chory w stanie maniakalnym przeskakuje z tematu na temat, bo wciąż coś nowego w otoczeniu go interesuje. Nie mówi „od rzeczy", bo jest z nią, tj. z rzeczywistością, związany. Trudno za jego myślą nadążyć, ale wiadomo, o co mu w danym momencie chodzi, do czego zmierza, tylko tempo jest tak szybkie, że pozornie powstaje wrażenie chaosu. Hebefrenik mówi „od rzeczy", bo jest od rzeczywistości oderwany. Przeskakiwanie z tematu na temat jest u niego wyrazem rozbicia wewnętrznej struktury, mowa jego stanowi luźne, nie tworzące zwartej całości fragmenty, nie wiążące się z otaczającą rzeczywistością.

Nadmierna aktywność i wesołkowatość hebefreniczna są abstrakcyjne — oderwane od życia. Ich koloryt jest często ponury, a nawet tragiczny. Nie są one wynikiem radości życia i dążenia do złączenia się z otoczeniem, ale wzrastającego napięcia między światem własnym a otaczającym, są wyładowaniem pogmatwanych i sprzecznych uczuć i myśli. Są często paradoksalną reakcją na poczucie pustki i beznadziejności własnego życia. Jest w nich odcień katastroficzny — „śmiejmy się i szalejmy, bo wszystko jest bez sensu".

Efekt komiczny powstaje niekiedy na zasadzie nieprzewidzialności. Gdy np. zobaczymy niespodziewanie własną twarz w krzywym zwierciadle, to niezwykłość obrazu pobudza nas do śmiechu. Gdyby jednak okazało się, że twarz nasza naprawdę się zmieniła, śmiech zmieniłby się w uczucie grozy. Efekt komiczny w chorobach psychicznych powstaje na skutek nieprzewidzialności zachowania się chorego, czyli na skutek zaskoczenia wywołanego zderzeniem świata rzeczywistego ze światem chorego, tj. na zasadzie niezwykłości. W schizofrenii katatonicznej czy paranoidalnej zaskoczenie niezwykłością daje czasem efekt grozy. W manii zaskoczenie jest wynikiem nadmiaru różnorodnych form aktywności i przyspieszonego tempa psychicznego, w otępieniu organicznym i w niedorozwojach umysłowych jest ono następstwem ubóstwa i niedostosowania form zachowania się. Komizm maniakalny jest konkretny, wiąże się ściśle z otaczającym życiem, ono jest dla niego pożywką, przygasa w izolacji z otoczeniem, poza tym jest związany z nadmierną dynamiką życiową i radością życia, toteż jest to prawdziwy humor życia. Komizm hebefreniczny jest abstrakcyjny, rodzi się na zasadzie oderwania się od życia. Zaskakuje swoją niezrozumiałością. Zwykle nie łączy się z podwyższonym nastrojem, lecz z obniżonym, nie jest to więc prawdziwy humor, ale sztuczny.

Z czterech postaci schizofrenii mimo pozornych różnic największe podobieństwo zachodzi między formą prostą i hebefreniczną. Niektórzy psychiatrzy zresztą (zwłaszcza amerykańscy) używają obu terminów jako synonimów. Prognoza w obu formach jest na ogół mniej optymistyczna niż w pozostałych postaciach schizofrenii. Schizofrenia przewlekła lub tzw. „defekt" schizofreniczny przybiera nierzadko formę schizofrenii prostej lub hebefrenicznej.

Istotnym momentem wiążącym obie postacie schizofrenii jest wrażenie pustki, jakie one wywierają na otoczeniu. Sami chorzy zresztą często skarżą się, że uczucie pustki jest ich osiowym przeżyciem, że coś się w nich wypaliło. Najlepiej ten fakt oddaje wprowadzone przez Mazurkiewicza[1] pojęcie schizofrenicznej abiotrofii, tj. wygaśnięcia energii życiowej.

Nie można jednak zapominać, że nigdy ekspresja nie odpowiada w pełni stanowi subiektywnemu. W schizofrenii rozbieżność ta bywa szczególnie ostra, co zresztą stanowi jeden z obja-

---

[1] Zob. J. Mazurkiewicz: *Wstęp do psychofizjologii normalnej*. T. I: *Ewolucja aktywności korowo-psychicznej*. PZWL, Warszawa 1950. T. II: *Dyssolucja aktywności korowo-psychicznej*. PZWL, Warszawa 1958.

wów rozszczepienia (*schizis*). Ekspresja pustki i braku dynamiki życiowej może kryć niezwykłe przeżycia. Za Minkowskim[1] określa się taki stan mianem autyzmu pełnego, w przeciwstawieniu do autyzmu pustego, w którym pustka zewnętrzna odpowiada wewnętrznej.

Uczucie pustki nie jest zjawiskiem specyficznym dla schizofrenii. Występuje ono w nerwicach, w depresji, niekiedy w organicznym otępieniu, a także u ludzi zdrowych psychicznie. Najczęściej jest ono związane z obniżeniem dynamiki życiowej — człowiek wówczas jest „zgaszony" i wewnętrznie czuje się pusty i jałowy. Takie stany występują normalnie po gwałtownej aktywności psychicznej, pustka jest wówczas jakby stanem odprężenia. Obniżenie nastroju, będąc subiektywnym wyrazem obniżenia dynamiki życiowej, nieraz łączy się z uczuciem wewnętrznej pustki. Uczucie to powstaje też przy negatywnym stosunku uczuciowym do otoczenia. Typowym przykładem jest nuda. Chęć wyłączenia się od interakcji z otoczeniem jest zwykle pierwszą reakcją na negatywne nastawienie do niego; człowiek wtedy chce uciec od aktualnego otoczenia, nie chce więcej z nim się „bawić", staje się ono nudne i puste. Analogicznie uczucie wewnętrznej pustki występuje przy negatywnym nastawieniu uczuciowym do samego siebie. Człowiek wówczas sam dla siebie staje się pusty i nudny. Schizofreniczna pustka zapewne różni się od normalnej tylko stopniem nasilenia i utrwalenia. Mimo na ogół niekorzystnego rokowania w wypadku, gdy stała się ona głównym objawem schizofrenii, udaje się chorego z niej wydobyć, jeśli zdoła się go pobudzić do aktywności i do uczuciowego w niej zaangażowania.

Postać katatoniczna

Gdy pustka jest główną cechą prostej i hebefrenicznej postaci schizofrenii, to dynamika ruchu wyróżnia formę katatoniczną. W świecie zwierzęcym — a także u człowieka — obserwuje się dwie skrajne formy ekspresji ruchowej — zastygnięcie

---

[1] Jednym z podstawowych dzieł E. Minkowskiego jest *Traité de psychopathologie*. Presses Universitaires de France, Paris 1966. O autyzmie zob. tamże rozdział II, str. 535–542.

w bezruchu — *Totstellreflex* — oraz gwałtowne wyładowanie ruchowe w postaci chaotycznych, bezcelowych ruchów. Obie formy reakcji ruchowych występują w sytuacjach zagrożenia życia i subiektywnym ich odpowiednikiem, przypuszczalnie też u zwierząt, jest gwałtowny lęk. Obie te formy są najbardziej charakterystycznym, zewnętrznym wyrazem schizofrenii katatonicznej. W wypadku zahamowania ruchowego mówi się o postaci hipokinetycznej, która może przejść w całkowite osłupienie (*stupor katatonicus*), a w wypadku pobudzenia ruchowego — o postaci hiperkinetycznej, której szczyt stanowi szał katatoniczny (*furor katatonicus*).

Na podstawie obserwacji ekspresji ruchowej, reakcji wegetatywno-hormonalnych, a przede wszystkim z wypowiedzi samych chorych, którzy *ex post* opisują swoje przeżycia z okresu katatonii, można przyjąć, że zarówno zahamowaniu ruchowemu, jak i podnieceniu towarzyszy niesłychanie silne uczucie lęku. Może się ono mieszać z innymi uczuciami — ekstazy religijnej czy seksualnej, nienawiści, obezwładnienia czy niezwykłej mocy, pozostaje jednak osiowym objawem subiektywnym schizofrenii katatonicznej. Lęk ten można określić jako dezintegracyjny, związany jest bowiem z gwałtownym rozbiciem struktury świata chorego.

Między obu skrajnymi obrazami ekspresji ruchowej (*furor et stupor*) — szału i osłupienia — mieszczą się różne stopnie pobudzenia i zahamowania ruchowego. Nierzadko obraz choroby jest oscylujący — fazy podniecenia przeplatają się z fazami zahamowania. Niekiedy katatoniczne zaburzenia ruchowe są tylko częściowe, tj. nie obejmują całej ekspresji ruchowej, lecz jej fragment. Może więc wystąpić zahamowanie mowy — mutyzm, osłabienie ekspresji mimicznej (hipomimia), gestykulacyjnej itp., podobnie pobudzenie ruchowe może ograniczać się sektorowo do mowy, mimiki, gestykulacji. Dalej jeszcze posunięta redukcja polega na ograniczeniu pobudzenia czy zahamowania do jednej tylko formy ruchowej.

Pobudzenie przejawia się wówczas powtarzaniem tych samych słów, tego samego grymasu twarzy lub tego samego gestu. Określa się je jako schizofreniczną persewerację. Jest to zjawisko w pewnym sensie podobne do występującego w stanie niepokoju u ludzi zdrowych psychicznie wyładowania ruchowego w formie stereotypowego powtarzania jakiejś zwykle bezcelowej aktywności — np. wtrącanie w tok wypowiedzi bezsensownej frazy w rodzaju „panie dziejku", „prawda", „właśnie" — lub robienia jakiegoś grymasu twarzy czy automatycznego wykonywania jakiegoś ruchu, jak bębnienie palcami po stole, kołysanie nogi itd.

Częściowe zahamowanie ruchowe polega na utrwaleniu się określonej postawy ciała, jakiegoś gestu czy grymasu twarzy, które wskutek samego faktu, że są utrwalone, nie harmonizują z aktualną ekspresją ruchową. Chory np. się śmieje, ale część twarzy jest nieruchoma, zastygła w innym wyrazie mimicznym, smutku czy gniewu, lub chory biegnie czy szybko się porusza np. w czasie jakieś gry sportowej, ale część ciała pozostaje usztywniona. Czasem trudno odróżnić usztywnienie katatoniczne od parkinsonoidalnego. Przy stosowaniu dużych dawek neuroleptyków mogą wystąpić objawy parkinsonoidalne, jakby nakładając się na objawy katatoniczne.

Zarówno osłupienie, jak i podniecenie katatoniczne wywiera silne wrażenie na otoczeniu. Trudno opanować uczucie lęku w kontakcie z chorym, który z dzikim, wystraszonym wyrazem twarzy miota się, rzuca się na otoczenie, przeraźliwie krzyczy, wykazując przy tym tak niezwykłą siłę, że często kilka osób nie może go obezwładnić. W chaotycznych, bezcelowych i niezwykle gwałtownych ruchach chorego dominuje tendencja do uwolnienia się od skrępowania i ucieczki ślepo przed siebie. Wykrzykiwane słowa wyrażają najczęściej lęk, rzadziej — ekstazę. Słowa są nie powiązane w zdania, chory czasem silnym głosem je wyśpiewuje, powtarzając ten sam fragment melodii.

W osłupieniu chory z szeroko otwartymi oczyma, zapatrzony w dal, stoi w bezruchu jak posąg. Na twarzy maluje się kamienny spokój, lęk lub zachwyt. Źrenice są niekiedy maksymalnie rozszerzone i czasem słabo reagują na światło. Ma się wrażenie, że nic do chorego nie dociera, że został zerwany normalny rytm interakcji z otoczeniem, chory jakby zastygł w jednym punkcie czasu, nie wiadomo co za chwilę nastąpi. Podobne nieco wrażenie niesamowitości odbiera się, gdy nagle wyświetlany film zatrzyma się na jednej klatce. Twarze zastygają w tym samym grymasie, a ciała w połowie nie dokończonego ruchu.

Chory nie reaguje na pytania, uwagi i polecenia. Gdy próbuje się go czynnie zmusić do jakiejś aktywności, stawia opór (negatywizm czynny) lub biernie się poddaje (negatywizm bierny). W drugim wypadku chory może nadaną pozycję ciała — np. uniesioną rękę lub nogę — utrzymywać przez długi czas, znacznie przekraczający granice wytrzymałości człowieka zdrowego psychicznie (jest to tzw. gibkość woskowa — *flexibilitas cerea*). Chory zresztą sam nieraz utrzymuje godzinami jakąś niewygodną pozycję ciała, np. leży godzinami z głową uniesioną nad poduszką (tzw. „poduszka psychiczna"). Wrażenie obserwatora, że chory w osłupieniu katatonicznym nie odbiera bodźców otoczenia, gdyż na nie wcale nie reaguje, jest złudne. Chorzy tacy po wyjściu z ostrego osłupienia niekiedy szczegółowo opowiadają, co w tym czasie wokół nich się działo, przy czym ich przeżycia z tego okresu mogą odpowiadać obiektywnej rzeczywistości lub wiązać się wyłącznie z ich subiektywną rzeczywistością omamowo-urojeniową. Niekiedy jednak okres ten jest pokryty całkowitą lub częściową niepamięcią (amnezja).

W podnieceniu czy osłupieniu katatonicznym chory jakby wcale nie odczuwa potrzeby picia, jedzenia, snu. Nie zmuszany do przyjmowania pokarmów, łatwo może dojść do stanu skrajnego wyniszczenia. Często stawia silny opór przy próbach karmienia, toteż trzeba uciekać się do podawania pożywienia zgłębnikiem przez nos. Jeszcze przed kilkunastu laty problem sztucznego karmienia był jedną z poważnych trudności opieki psychiatrycznej. Zdarzali się chorzy, których miesiącami, a nawet latami trzeba było karmić za pomocą sondy żołądkowej.

Długotrwałe stany podniecenia czy osłupienia katatonicznego należą do rzadkości. Zawdzięcza się to w dużej mierze wstrząsom elektrycznym i neuroleptykom. Natomiast łagodniejsze formy katatonii hiperkinetycznej czy hipokinetycznej, określane jako stany subkatatoniczne, nie należą do rzadkości. Objawy są tu mniej dramatyczne. Częściej spotyka się stany zahamowania niż podniecenia. Chorzy tacy są spowolniali, nieruchawi, twarze mają maskowate, mówią mało, głosem cichym, słabo modulowanym. Wypowiedzi ich często ograniczają się do lakonicznego „tak" lub „nie". Czas spędzają bezczynnie, leżąc w łóżku, spacerując bez celu tam i z powrotem, wyglądając godzinami przez okno.

Cisza katatonicznego zahamowania bywa nieraz przerwana przejściowym stanem podniecenia. Chory nagle staje się zbyt ruchliwy, wielomówny, a nawet agresywny. Nie jest to jednak pobudzenie ruchowe typu maniakalnego, wynikające ze zwiększonej dynamiki życiowej, w którym interakcja z otoczeniem zostaje przyspieszona, a nie zerwana. Dlatego ruchliwość maniakalna ma charakter płynny i celowy w sensie powiązania z konkretną sytuacją. Natomiast nadmierna ruchliwość katatoniczna przedstawia się dla obserwatora jako szereg nie powiązanych ze sobą, bezcelowych ruchów, oderwanych od aktualnej sytuacji otoczenia. Grymasy twarzy, gesty rąk, chód nie zmierzają do jakiegoś celu, są jakby wyrzucone w próżnię, nie łączą się z tym, co wokół chorego się dzieje, stąd ich dziwaczność. Nie wiadomo, dlaczego chory wykonuje jakiś gest, krzywi twarz itd. Trzeba by wejść w świat przeżyć chorego, by móc zrozumieć jego ruchową ekspresję. Czasem te same gesty, grymasy twarzy, słowa czy krótkie zdania powtarzają się z ornamentalną regularnością, niezależnie od sytuacji zewnętrznej (wspomniana już perseweracja).

Chaotyczność, bezcelowość i brak powiązania z aktualną sytuacją są również widoczne w najwyższej formie ruchu, tj. w mowie. Schizofreniczne rozbicie struktury mowy określa się mianem rozkojarzenia (*dissociatio*). Jest to jeden z osiowych objawów schizofrenii, typowy nie tylko dla postaci katatonicznej, lecz też dla form pozostałych. W katatonii jako najostrzej przebiegającej postaci schizofrenii dezorganizacja (*schizis*) obejmuje niższe formy ruchu, natomiast mowa, stanowiąca formę ruchu najwyższą i najdelikatniejszą, ulega również rozszczepieniu w postaciach schizofrenii mniej gwałtownie przebiegających. Stopień rozkojarzenia może być różny — od nieznacznego, gdy rozumie się poszczególne zdania, w sumie nie wiadomo, o co choremu chodzi i trudno jego wypowiedź streścić, do tzw. „sałaty słownej", w której mowa składa się z luźnych słów, nie powiązanych w strukturę zdania, składających się głównie z neologizmów i persewerowanych wyrazów czy okrzyków, a nawet poszczególnych sylab[1].

[1] Zob. też str. 70 i nast.

W katatonii obserwuje się znacznie więcej zaburzeń endokrynno-wegetatywnych niż w innych formach schizofrenii. Wspomniano już o rozszerzeniu źrenic. Dłonie i stopy są często sine i zimne — co nie tłumaczy się tylko trzymaniem ich w jednej pozycji, gdyż zmiany te wystąpić mogą już w pierwszym okresie osłupienia, lecz też zaburzeniami naczynioruchowymi. Skóra twarzy bywa tłusta wskutek wzmożonego łojotoku, podobnie jak zdarza się to w zapaleniach mózgu. Typowe dla schizofrenii zatrzymanie menstruacji najczęściej występuje w formie katatonicznej. Zaburzenia snu i łaknienia demonstrują się tu też najdramatyczniej. Badania laboratoryjne pozwalają wykryć bardziej dyskretne objawy rozchwiania równowagi fizjologicznej i biochemicznej. Rozchwianie jest tu większe niż w innych formach, toteż przypadki schizofrenii katatonicznej stanowią najwdzięczniejszy materiał do badań tego typu.

Gwałtownie przebiegająca psychoza typu katatonicznego może skończyć się zejściem śmiertelnym[1], przypadki takie na szczęście należą do rzadkości. Cechą ich charakterystyczną jest brak zmian anatomopatologicznych, które można by przyjąć za przyczynę zgonu. Najczęściej wynik sekcji jest negatywny. Najprawdopodobniej przyczyną śmierci jest zbyt gwałtowne wyładowanie układu endokrynno-wegetatywnego, podobnie jak to się zdarza w śmierci z przestrachu (śmierć „wudu" wg Cannona)[2].

Trudności diagnostyczne sprawia odróżnienie katatonii od ostrej psychozy organicznej (np. w przebiegu zapalenia mózgu, zatrucia, choroby gorączkowej), od psychozy padaczkowej (stany pomroczne, padaczka skroniowa), od cyklofrenii (formę hiperkinetyczną można pomylić z fazą maniakalną, a formę hipokinetyczną z fazą depresyjną) i wreszcie od psychozy reaktywnej, zwłaszcza typu histerycznego, przebiegającej gwałtownie, ze zwężeniem świadomości.

Dokładny wywiad od otoczenia chorego i dokładne badanie somatyczne, zwłaszcza neurologiczne, łącznie z odpowiednimi

[1] D. Laskowska: *Essai d'explication des mécanismes pathophysiologiques ménant au développement du syndrome confuso-catatonique aigu („catatonique mortelle" de Stauder) au cours de la schizophrénie*. „Annales Medico-Psychologiques", 1967, t. I. nr 4, str. 549–559.

[2] W. B. Cannon: *The wisdom of the body*. Norton, New York 1939.

badaniami pracownianymi (badanie moczu i krwi na przypuszczalne czynniki toksyczne, badanie płynu mózgowo-rdzeniowego, badanie elektroencefalograficzne) pozwalają na ogół na ustalenie rozpoznania.

Rokowanie w katatonii jest zazwyczaj lepsze niż w formie hebefrenicznej, prostej i paranoidalnej przewlekłej. Prognoza w schizofrenii jest w ogóle trudna i ryzykowna, gdyż zależy ona od zbyt wielu czynników nie dających się przewidzieć. Na ogół jednak przyjmuje się, że im burzliwszy jest początek choroby i tematyka świata chorobowego bogatsza — więcej produkcji niż destrukcji — tym prognoza jest korzystniejsza.

Natomiast w postaci katatonicznej częściej niż w innych formach schizofrenii zdarzają się nawroty; przebieg choroby bywa więc cykliczny, co może stwarzać trudności w wyłączeniu cyklofrenii.

Mimo pewnej grozy, jaką chory katatoniczny budzi w otoczeniu, nie przedstawia on większego niebezpieczeństwa dla porządku prawnego. W ataku furii może on wprawdzie coś zniszczyć lub kogoś poturbować, ale cała jego aktywność ruchowa jest zbyt chaotyczna i bezcelowa, by mogła być zasadniczo szkodliwa. Zresztą odpowiednie podejście do chorego, bez lęku i agresji, może łatwo uspokoić. Natomiast w postaciach zarówno hiperkinetycznej, jak i hipokinetycznej istnieje zawsze niebezpieczeństwo samobójstwa lub samouszkodzenia.

Postać urojeniowa

Istotną cechą postaci urojeniowej jest zmiana struktury własnego i otaczającego świata. Jest to zasadniczo cecha każdej postaci schizofrenii. Wybitny współczesny psychiatra francuski, Ey[1], nawet urojenie uważa za osiowy objaw schizofrenii. Lecz w innych postaciach zmiana struktury, którą najlepiej może wyraża odczucie chorego, że sam stał się inny, a z nim cały świat, jest przesłonięta ekspresją pustki, jak w formie prostej i hebefrenicznej lub dramatycznego wyładowania ruchowego —

[1] H. Ey: *Études psychiatriques*. Desclée de Brouyer, Paris 1954. — Tegoż autora: *Les problems cliniques des schizophrenies*. „L'évolution psychiatrique", 1958, nr II, str. 149–211.

jak w postaci katatonicznej. Poza tym struktura jest w tych formach mniej zwarta, bardziej rozbita, a wskutek tego trudniejsza do opisania. Dochodzi do tego trudność kontaktu; chory nie umie wyrazić tego, co przeżywa i ucieka się do coraz większego zamknięcia się w sobie lub wyładowania w prymitywniejszych niż słowo formach ruchu.

Postać urojeniowa występuje zazwyczaj później niż inne formy schizofrenii. Pod koniec okresu młodości osobowość jest bardziej skonsolidowana, a sposoby ekspresji lepiej utrwalone niż na jej początku i dlatego prawdopodobnie w schizofrenii urojeniowej przeważają werbalne sposoby wyrażania swych przeżyć; „fasada" osobowości jest bardziej zachowana. Zdarza się, że chory swym zachowaniem nie budzi zastrzeżeń u otoczenia, dopóki nie zacznie opowiadać o swoich najbardziej osobistych przeżyciach.

Trudności kontaktu wynikają też niekiedy z winy lekarza, gdy nie umie on pozyskać zaufania chorego i wniknąć w świat jego przeżyć, a zadowala się określeniem najłatwiej uchwytnych zmian w jego zachowaniu się. Fakt, że w ostatnich kilkunastu latach rozpoznanie schizofrenii urojeniowej stało się częstsze niż dawniej (około 70% wszystkich przypadków schizofrenii), wynika w pewnej mierze stąd, iż dzięki stosowaniu neuroleptyków kontakt z chorymi stał się lepszy. To co dawniej imponowało głównie ekspresją katatoniczną czy hebefreniczną, dziś imponuje przede wszystkim zmianą struktury świata własnego i otaczającego.

Słowo *paranoia* pochodzi od greckiego *pará* — obok, wbrew, na przekór, fałszywie, i *noÿs* lub *nóos* — umysł, rozum, sens. Temu terminowi odpowiada polski wyraz „obłęd", rosyjski *sumasszedszyj* itp., a więc coś, co zeszło z ogólnej ludzkiej drogi umysłu, co z kolei jest równoznacznikiem tego, co Grecy określali jako *nóos*, czyli abstrakcyjnego modelu ludzkiej myśli.

Model taki jest abstrakcyjny, gdyż sposób myślenia każdego człowieka jest inny, zależnie od jego cech osobniczych, historii życia, środowiska, w którym żyje itd. Niemniej jednak w widzeniu siebie i otaczającego świata istnieją pewne cechy ponadindywidualne i ponadczasowe, które sprawiają, że zasadnicza struktura ludzkiego umysłu pozostaje ta sama, niezależnie od epok i kręgów kulturowych. Wyjście poza tę strukturę, określaną przez Greków jako *nóos*, nazywa się urojeniem, gdy chodzi o strukturę pojęciową, a omamem (halucynacją), gdy o zmysłową.

W schizofrenii urojeniowej zwykle spotyka się zarówno urojenia, jak i omamy, choć jedne z nich mogą wyraźnie przeważać.

W tworzeniu się struktury urojeniowej można wyodrębnić trzy fazy — oczekiwania, olśnienia i uporządkowania.

Faza oczekiwania, opisana przez Jaspersa[1] jako *Wahnstimmung* — nastrój urojeniowy, charakteryzuje się stanem dziwnego napięcia, niepokoju, poczucia, że coś musi nastąpić, przerwać poczucie niepewności, rozjaśnić ciemność, która chorego otacza.

Moment ten przychodzi w fazie olśnienia. Nagle jakby wszystko staje się jasne. Jest to olśnienie — w zasadzie podobne, choć bez porównania silniejsze, niż przeżywane wtedy, gdy nagle zrozumie się coś, czego dotychczas nie można było pojąć. Odpowiednikiem w angielskiej terminologii psychologicznej jest *aha feeling*. Podobne olśnienie przeżywa się w procesie twórczym, gdy koncepcja dzieła nagle staje przed oczyma. Są to jednak wszystko słabe odpowiedniki przeżyć chorego. Nowy sposób widzenia, który tworzy się w olśnieniu urojeniowym, dotyczy bowiem całego życia; wszystko widzi się od pewnej chwili inaczej. Najbardziej może odpowiadałby temu stanowi ekstatyczny przełom nawrócenia — dawny człowiek przestaje istnieć, rodzi się nowy, który widzi świat innymi już oczyma.

Jeśli w pierwszej fazie dominuje nastrój niepewności, lęku, że wokół chorego i w nim samym dzieje się coś, czego nie może on zrozumieć, to w drugiej fazie przeżywa on stan odkrywczego zachwytu; wreszcie doszło się do istoty rzeczy, niepewność została zastąpiona pewnością, choćby ta pewność miała się okazać zgubna. Obraz nowego świata jest jeszcze chaotyczny i mglisty; zna się już prawdę, ale nie wszystko trzyma się logicznej całości.

Dopiero w trzeciej fazie wszystko zaczyna się porządkować w logiczną całość (*rationalisme morbide* Minkowskiego). Kon-

---

[1] Swe poglądy w zakresie psychopatologii K. Jaspers wyłożył w znanym dziele pt. *Allgemeine Psychopathologie* (kilka kolejnych wydań niemieckich).

cepcja urojeniowa staje się jakby kryształem w nasyconym roztworze, wszystkie fakty życia porządkują się według jej struktury. Potwierdzają ją bliskie, jak i odległe w czasie i przestrzeni wydarzenia. Nie ma nic, co z nią by się w jakiś sposób nie wiązało (*overinclusion* — „zbytnie włączenie" — według współczesnej terminologii psychologicznej). Chory z najdrobniejszymi szczegółami opowiada historię swego życia, szczegóły te w sposób aż nazbyt logiczny udowadniają jego urojeniową rację.

Pamięć chorego jest niekiedy zdumiewająca. Pamięta on dokładnie, co ktoś przed laty powiedział, jak się zachował, kiedy skrzywił się lub uśmiechnął. Nikt nie byłby w stanie tak dokładnie odtworzyć przebiegu przeszłych wydarzeń. Ta nadzwyczajna pamięć (hipermnezja) dotyczy tylko przypadków mieszczących się w obrębie systemu urojeniowego; w tzw. obiektywnych badaniach testowych nie stwierdza się polepszenia pamięci, raczej jej pogorszenie. Ale poza urojeniową konstrukcją nic już dla chorego nie jest ważne.

Również spostrzeganie jest zaostrzone; chory zauważa przypadkowe gesty, grymasy twarzy, urywki rozmowy przechodniów na ulicy, wszystko to jego dotyczy, nie ma rzeczy bez znaczenia; sposoby zapalania papierosa, podawania ręki, położenia jakiegoś przedmiotu itp. nabierają znaczenia wskutek samego faktu, że zostają wciągnięte w tworzącą się konstrukcję urojeniową.

Czasem, nim jeszcze chory poruszy tematykę urojeniową, już sam sposób przedstawiania faktów, zbyt pedantyczny i drobiazgowy, wskazujący na hiperfunkcję spostrzegawczości, pamięci i logicznego wiązania, nasuwa podejrzenie zespołu paranoidalnego.

Nowy świat, który w olśnieniu otwiera się przed chorym, ma różnorodną tematykę i strukturę. Nim zagadnienie to podda się dokładniejszej analizie, wystarczy na razie zwrócić uwagę na dwa kryteria klasyfikacyjne: pozycję, jaką chory przyjmuje w stosunku do nowego świata, i na „materiał", z którego świat ten jest zbudowany.

Jedną z zasadniczych cech budowy świata ludzkiego, a prawdopodobnie też zwierzęcego, jest jego egocentryczny układ. Centralnym punktem odniesienia, wokół którego wszystko dzieje się i obraca, jest określony człowiek lub inna żywa istota, której świat przeżyć chcemy zbadać. Struktura urojeniowa polega między innymi na tym, że egocentryczność układu zostaje jeszcze silniej podkreślona. Znika normalna perspektywa, która pozwala oddzielić „to, co mnie dotyczy", od „tego, co mnie nie dotyczy". Chorego wszystko dotyczy, wszystko do niego się odnosi. Następuje zbliżenie świata otaczającego — jego „fizjognomizacja" (według terminologii psychiatrii egzystencjalistycznej)[1]. Nacisk świata otaczającego jest tak silny, że traci się zdolność swobodnego w nim poruszania. Zaostrzona spostrzegawczość i pamięć wynika z poczucia niezwykłego znaczenia tego, co wokół się dzieje; każdy szczegół jest dla chorego ważny, bo osobiście go dotyczy.

W tym świecie o skróconej perspektywie można zajmować pozycję „na górze" lub „na dole"; rządzi się światem lub jest się przez niego rządzonym.

W pierwszym wypadku mówi się o urojeniach wielkościowych — chory czuje się wszechmocny, może odczytywać cudze myśli, nadawać na odległość rozkazy ludziom, zwierzętom, rzeczom, czuje się bogiem, szatanem, świętym, bohaterem, wielkim odkrywcą itd. W drugim zaś wypadku mówi się o urojeniach prześladowczych — chory czuje się śledzony, myśli jego są odczytywane, jak automat jest z zewnątrz sterowany, nie ma własnej woli, jest najgorszy i na nic korzystnego nie zasługuje, czeka go tylko sąd i potępienie.

Zwykle obraz urojeniowy oscyluje między obu biegunami wzmożonego i obniżonego samopoczucia. W początkowym zwłaszcza okresie schizofrenii urojenia wielkościowe przeplatają się z prześladowczymi. Chory czuje się wszechwładny, ma wielką misję do spełnienia, a jednocześnie jest śledzony, prześladowany, grozi mu zagłada. Wskutek skrócenia perspektywy świata psychotycznego punkt centralny układu odniesienia — „ja" — może łatwiej oscylować między górną a dolną pozycją. Oscylacja taka, tylko znacznie słabsza, istnieje też u ludzi zdrowych psychicznie: raz czują się oni „na górze", a raz „na dole"

---

[1] Egzystencjalistyczny, dość jednostronny kierunek psychiatrii mimo swego obiektywnego wkładu w naukę jest poddawany silnej krytyce (A. Kępiński: *„Pro" i „contra" psychiatrii egzystencjalistycznej.* „Neurologia, Neurochirurgia i Psychiatria Polska", 1963, nr l, str. 111–115).

wobec otaczającego świata. Od typu osobowości zależy częstotliwość i amplituda oscylacji.

W późniejszych okresach schizofrenii dochodzi zazwyczaj do większej stabilizacji; jeden typ urojeń wyraźnie przeważa. Na ogół urojenia prześladowcze są częstsze niż wielkościowe. Trudno tu jednak ustalić jakąś prawidłowość, wymagałoby to statystycznej analizy zjawiska w możliwie dużej populacji i przez długi okres czasu. W pewnych okresach przeważają bowiem urojenia prześladowcze, w innych wielkościowe. Obraz zaburzeń psychicznych jest w ogóle zmienny i w pewnym stopniu zależy od atmosfery danej epoki czy kręgu kulturowego.

Dwubiegunowość schizofrenii urojeniowej — forma prześladowcza i wielkościowa — odpowiada dwubiegunowości spotykanej też w innych formach schizofrenii: forma prosta i hebefreniczna, hipokinetyczna i hiperkinetyczna, a w cyklofrenii — faza depresyjna i maniakalna. Byłaby to zasadnicza oscylacja między wzmożeniem a obniżeniem dynamiki życiowej, występująca u każdego człowieka, tylko w znacznie słabszym nasileniu. Ze wzmożoną dynamiką życiową i dobrym samopoczuciem wiąże się uczucie górowania nad światem otaczającym, a z obniżoną dynamiką życiową i złym samopoczuciem — uczucie przytłoczenia przez świat otaczający.

„Materiał", z którego jest zbudowany świat schizofreniczny, może być bardziej zmysłowy lub bardziej myślowy. Normalnie też ludzie przeżywają otaczający ich świat więcej zmysłami lub więcej myślami (pawłowowski typ artystyczny i myślicielski)[1]. Zależnie od tego, czy chorobowa zmiana struktury własnego świata dotyczy przede wszystkim „materiału" zmysłowego czy pojęciowego, przeważają w schizofrenii omamy lub urojenia. Rzadko ma się do czynienia wyłącznie z jednym tylko zespołem objawów, urojeniowym czy omamowym; najczęściej schizofrenia urojeniowa jest zespołem urojeniowo-omamowym.

---

[1] O podziale typologicznym zob. m.in. M. Cieślak, K. Spett, W. Wolter: *Psychiatria w procesie karnym.* Wydawn. Prawnicze, Warszawa 1968, s. 101, i następne; także I. P. Pawłow: *Wybór pism*, s. 266–291 i 407–412. Nadto E. Brzezicki: *Rozbudowa typologii konstytucjonalnej jako podstawa badań nad charakterologią kliniczną.* „Przegląd Lekarski", 1947, nr 13/14, str. 491–496.

W analizie „materiału" bierze się pod uwagę jego stopień analogii z rzeczywistością, rozumiejąc przez rzeczywistość to, co w indywidualnym i niepowtarzalnym świecie ludzkich przeżyć jest wspólne i tym samym dla każdego jasne i zrozumiałe (*koinós kósmos* Heraklita)[1]. Skala odchyleń od rzeczywistości jest w schizofrenii bardzo duża — od fałszywej interpretacji (nastawienie urojeniowe, idee nadwartościowe), gdy świat chorego jest w zasadzie taki sam jak innych ludzi, tylko jakby inaczej oświetlony, inne sprawy są w nim najistotniejsze — aż do całkowitego oderwania się od rzeczywistości i przeniesienia się w świat bliższy marzeniu sennemu niż temu, co wokół się dzieje. W tym ostatnim wypadku w przeżyciach chorego trudno doszukać się analogii z rzeczywistością, wszystko staje się inne, jego świat jest zbudowany prawie wyłącznie z omamów i urojeń.

Tę postać schizofrenii określa się jako onejroidalną (*oneiros* — sen). Przeważają w niej halucynacje wzrokowe, podobnie jak w marzeniu sennym. Najczęściej jednak w schizofrenii spotyka się omamy słuchowe słowne, przekształcony jest więc ten rodzaj percepcji, który dotyczy kontaktu z innymi ludźmi i najbliższy jest myśleniu. Nieco rzadziej występują omamy węchowe, smakowe, wzrokowe, dotykowe i pochodzące z wnętrza ciała. To samo dotyczy złudzeń, czyli iluzji. W nich przekształcenie rzeczywistości zmysłowej nie jest pełne, jak w halucynacjach, lecz tylko częściowe, np. chory słyszy obelżywe słowa wypowiedziane pod jego adresem, gdy w rzeczywistości jest to obojętna rozmowa obcych osób lub szum dochodzący z gwarnej ulicy.

Na ogół prognoza w schizofrenii urojeniowej jest tym lepsza, im burzliwszy jej przebieg, im bogatszy świat psychotyczny i bardziej odległy od otaczającej rzeczywistości, tj. zbliżony więcej do marzenia sennego, a jego struktura niezbyt utrwalona.

W porównaniu z innymi postaciami schizofrenii w formie urojeniowej konflikt z prawem zdarza się najczęściej. „Fasada" osobowości jest tu bowiem często zachowana, chory dzięki temu

---

[1] *Kósmos* — porządek, ład, kształt, ustrój, świat. *Koinós* — wspólny, powszechny, ogólny, zwykły, pospolity.

sprawia na otoczeniu wrażenie normalnego i nie od razu jest z życia społecznego wykluczony. Poza tym system urojeniowy jest nierzadko skierowany przeciw otoczeniu, co może prowadzić do ataków obrony, zemsty czy spełnienia swej urojeniowej misji. Nie należy jednak zapominać, że traktując zjawisko przestępczości statystycznie, można zauważyć, iż nie jest ono większe w społeczności ludzi chorych psychicznie niż w społeczności zdrowych.

TRZY FAZY SCHIZOFRENII

Można rozróżnić trzy etapy rozwoju procesu schizofrenicznego — owładnięcia, adaptacji i degradacji. Nie znaczy to, by zawsze wszystkie trzy okresy musiały w każdym przypadku schizofrenii wystąpić; czasem po pierwszym lub po drugim okresie chory wraca całkowicie do zdrowia i trudno doszukać się w nim śladów degradacji. Różny jest też czas trwania poszczególnych okresów. Niekiedy pierwsze dwa etapy trwają bardzo krótko i mijają niepostrzeżenie, chory jakby od razu wkracza w stadium degradacji; bywa tak w formie prostej i hebefrenicznej. Należy w ogóle zaznaczyć, że przeciętny czas trwania procesu schizofrenicznego jest trudny do ustalenia. Niekiedy trwa on latami aż do śmierci chorego, w innych przypadkach kończy się po kilku miesiącach, tygodniach czy dniach, a zdaniem Eugeniusza Bleulera[1] nawet po kilku godzinach. Nierzadko schizofrenia, zwłaszcza katatoniczna, przebiega cyklicznie; co jakiś czas występują skoki choroby, a w przerwach między nimi chory jest zdrów lub wykazuje nieznaczne ślady degradacji, których trudno jest nieraz się dopatrzyć, nie wiedząc, że przechodził schizofrenię.

[1] E. Bleuler pierwszy próbował ściślej określać rokowania w poszczególnych postaciach schizofrenii, zależnie od jej przebiegu, w swym podstawowym dziele (*Lehrbuch der Psychiatrie*; liczne kolejne wydania niemieckie, uzupełniane i przerabiane po jego śmierci przez syna — M. Bleulera). Oczywiście należy pamiętać, że takie przewidywania dalszego przebiegu schizofrenii zależą w dużej mierze od kryteriów jej rozpoznania, a stopnia prawdopodobieństwa rokowania nie da się z dostateczną pewnością ustalić.

Faza owładnięcia

Cechą pierwszego etapu jest mniej lub bardziej gwałtowne przejście ze świata tzw. normalnego w schizofreniczny. Chory zostaje owładnięty przez nowy sposób widzenia samego siebie i tego, co go otacza. Gdy owładnięcie jest gwałtowne, chory nagle znajduje się w innym świecie — wizji, ekstaz, koszmarów, zmienionych proporcji i barw. Sam też staje się kimś zupełnie innym — odkrywa prawdziwego siebie, zrzuca dawną maskę, która go krępowała i hamowała, jest prawdziwym sobą, bohaterski, sam przeciw całemu światu, z przekonaniem o misji do spełnienia lub z poczuciem wyzwolenia się od dawnego siebie, odczuwa chaos, pustkę, własne zło i nienawiść do siebie i całego świata. Gdy zmiana dokonuje się stopniowo, koloryt otaczającego świata staje się coraz bardziej tajemniczy i złowrogi, ludzie zaś coraz mniej zrozumiali, budzą lęk i chęć ucieczki. Chory zamyka się w sobie, rezygnuje ze wszystkiego (postać prosta), przyjmuje postawę na przekór, „wygłupia" się, robi na złość niezrozumiałemu i złowrogiemu światu (postać hebefreniczna), traci władzę nad swymi ruchami, ciało jego zastyga w bezruchu lub wykonuje dziwne, gwałtowne nieraz ruchy, jakby z zewnątrz sterowane (postać katatoniczna); chory odkrywa prawdę, wie, dlaczego ten człowiek dziwnie się uśmiechnął, a ten znów tak uporczywie mu się przypatruje; nie może już uciec przed śledzącym go okiem i podsłuchującym uchem; odczytują już jego myśli, niszczą go promieniami lub gdy prawda jest radosna, widzi swe posłannictwo, chce uszczęśliwić innych ludzi, odczuwa swą boską wszechmoc itd. (postać urojeniowa).

Trudno wczuć się w atmosferę okresu owładnięcia; mimo momentów ekstatycznego nieraz szczęścia dominuje w niej groza wywołana samym faktem, że zostało się owładniętym przez coś zupełnie nowego i niezwykłego. Napięcie psychiczne w tym okresie jest tak silne, że chorzy zupełnie nie odczuwają bólu, kalecząc nieraz bardzo dotkliwie swe ciało, nie odczuwają też często potrzeby jedzenia, picia, snu.

Faza adaptacji

W okresie adaptacji burza ucisza się. Chory przyzwyczaja się do nowej roli. Nie przerażają go już jego własne dziwne myśli, uczucia, twory wyobraźni. Urojenia i omamy nie zaskakują go swą niezwykłością. „Inne oblicze świata" staje się czymś zwykłym i codziennym. Dzięki temu traci ono swą atrakcyjność, przestaje być jedynym i prawdziwym, a staje się tylko prawdziwsze niż rzeczywiste. Z powrotem zaczyna się wyłaniać świat dawny, rzeczywisty. W języku psychiatrycznym określa się ten stan jako „podwójną orientację". Chory może uważać otaczających go ludzi za aniołów lub diabłów, ale jednocześnie wie, że są lekarzami, pielęgniarkami itp. Może uważać siebie za Boga, co mu jednak nie przeszkadza przychodzić do lekarza po receptę. Może podejrzewać swą matkę lub żonę o trucie, lecz bez oporu spożywa sporządzone przez nią posiłki. Chory jakby jedną nogą stał na ziemi rzeczywistej, a drugą na swej własnej, schizofrenicznej.

Podwójna orientacja

Podwójna orientacja jest objawem powrotu do normalnego, probabilistycznego myślenia. W miejsce pewności schizofrenicznego olśnienia wraca normalna, ludzka niepewność, wyrażająca się w kartezjańskim *cogito ergo sum*; gdzie *cogito* oznacza nie tyle „myślę", co „wątpię", „waham się", „wątpię, więc jestem". Patologia podwójnej orientacji polega na tym, że w miejsce „lub" postawione jest „i". Człowiek zdrowy dokonuje wyboru rzeczywistości na zasadzie „lub", w mroku nocy może on uznać krzak za czyhającego nań człowieka, uśmiech nieznajomego może interpretować jako przyjazny lub ironiczny. W obu jednak wypadkach musi dokonać wyboru, krzak „lub" bandyta, przyjaciel „lub" wróg. Nie przyjmuje on możliwości jednoczesnego istnienia obu ewentualności. W podwójnej orientacji obie przeciwstawne możliwości nie wykluczają się, krzak jest krzakiem „i" bandytą, uśmiech jest przyjazny „i" wrogi.

Trudno jednak żyć w dwóch światach jednocześnie. Dlatego w podwójnej orientacji zwykle jedna z rzeczywistości przeważa. Z terapeutycznego punktu widzenia środowisko chorego w tym okresie powinno być takie, by rzeczywistość „rzeczywista" bardziej przyciągała chorego niż rzeczywistość schizofreniczna. Dlatego ważne jest stworzenie ciepłej, swobodnej atmosfery wokół chorego; obronić go to może przed utrwaleniem się w stereotypie rzeczywistości schizofrenicznej, co prowadzi do stopniowej degradacji.

Dalszym krokiem w drodze do „normalnego" świata jest uzyskanie krytycyzmu, przez co rozumie się przekreślenie przez chorego rzeczywistości chorobowej; przestaje ona być dla niego rzeczywistością, a staje się przeżytym, chorobowym majakiem. Wśród psychiatrów panuje opinia, że krytycyzm wobec własnych objawów chorobowych stanowi kryterium wyjścia z psychozy. Formułując to kryterium ze stanowiska chorego, określiłoby się, że może on wrócić do „normalnego" świata po wyrzeczeniu się i stanowczym zaprzeczeniu rzeczywistości świata psychotycznego. To żądanie nie jest łatwe do spełnienia, gdyż przeżycia w czasie psychozy są niesłychanie silne, a poczucie realności w dużej mierze zależy od siły przeżycia.

Trudno powiedzieć, iż było fikcją to, co najsilniej wryło się w psychikę. Jeśli z łatwością odrzuca się rzeczywistość marzenia sennego, w którym siła przeżyć jest niekiedy duża, choć nigdy w tym stopniu, co w psychozie, to dzieje się tak dzięki temu, że pamięć o majaku sennym zwykle się zaciera i że wskutek codziennego powtarzania się utrwala się przekonanie o jego nierealności.

W ostrych psychozach, również typu schizofrenicznego, spotyka się często niepamięć okresu chorobowego, co oczywiście ułatwia uzyskanie krytycyzmu. Poczucie rzeczywistości rośnie z siłą przeżycia tylko do pewnych granic. Po ich przekroczeniu przed zbyt silnym przeżyciem broni utrata pamięci, a jeszcze dalej — utrata przytomności. Miarą siły przeżycia jest uczuciowe zaangażowanie i zmiany wegetatywne nieodłącznie z nim związane. Gdyby udało się zmierzyć siłę przeżycia, stopień świadomości oraz dokładność i trwałość zapisu pamięciowego, to prawdopodobnie korelacja między pierwszym zjawiskiem a dwoma pozostałymi układałaby się w ten sposób, że do pewnego punktu zjawiska przebiegałyby zbieżnie, tj. korelacja między nimi byłaby dodatnia, ze wzrostem siły przeżycia wzrastałby stopień świadomości i siła zapisu pamięciowego, a po przekroczeniu punktu krytycznego przebiegałaby rozbieżnie, tj. korelacja między nimi byłaby ujemna, ze wzrostem siły przeżycia malałby stopień świadomości i siła zapisu pamięciowego, a w związku z tym malałoby też poczucie realności.

Gdy pamięć przeżyć chorobowych jest zachowana, zaprzeczenie ich realności nie jest zadaniem łatwym. Przeżycia chorobowe dają takie samo, a niekiedy nawet silniejsze niż zwykłe przeżycia, przekonanie o ich realności. Świat przeżyć chorobowych jest, jak to określił jeden z chorych krakowskiej Kliniki Psychiatrycznej, światem „czwartego wymiaru"; póki przyjmował on w okresach powrotu do zdrowia jego nierealność, odczuwał stale niepokój, wynikający prawdopodobnie stąd, iż będąc w jednym ze światów, musiał odrzucać drugi; gdy był zdrowy, zaprzeczał realności świata chorobowego, a gdy był chory — realności świata rzeczywistego. Odzyskał on spokój dopiero wówczas, gdy przyjął realność obu światów; nawroty choroby stały się od tego czasu rzadsze i znacznie słabsze.

Perseweracja

W życiu ludzkim, podobnie jak w dziele sztuki, można znaleźć wiele motywów ornamentalnych, tzn. takich, które kiedyś były pełne treści, a z czasem stały się ozdobą powtarzaną stereotypowo. W okresie pierwszej miłości pewne słowa są naładowane treścią uczuciową, której symbolem się stają, a której inaczej wyrazić się nie umie; gdy jednak uczucia ochłodną, słowa te są już tylko pustymi ozdobami, stereotypowo powtarzanymi.

W psychopatologii zjawisko wiernego powtarzania się jakiegoś fragmentu ruchu czy mowy, niezależnie od sytuacji, nazywa się, jak wspomniano, perseweracją. Objaw ten jest charakterystyczny dla otępienia organicznego, padaczki, natręctw i schizofrenii. Tendencja do powtarzania tych samych struktur czynnościowych jest zjawiskiem ogólnym wśród żywych ustrojów; na niej opiera się tworzenie odruchów, nawyków itp. Należy ją traktować jako objaw rytmiczności, charakterystyczny dla samego życia. Im mniej istnieje potencjalnych struktur czynnościowych, tym większe są szanse stereotypowości. U zwierząt pozbawionych układu nerwowego lub o niskim stopniu jego rozwoju można spotkać częściej stereotypowe powtarzanie się tych samych aktywności niż u zwierząt wyższych. A u zwierząt wyższych i u człowieka aktywności sterowane przez rdzeń lub pień mózgowy są znacznie uboższe w swej różnorodności niż te, którymi kierują najwyższe poziomy integracyjne ośrodkowego układu nerwowego i w aktywnościach tych łatwiej prześledzić rytm perseweracyjny. Liczba bowiem potencjalnych struktur czynnościowych, którymi dysponuje rdzeń czy pień mózgowy, jest bez porównania niższa od tej, którą rozporządza kora mózgowa. Podobnie owad ma ich mniej od ssaka, a ssak — od człowieka. Obok ubóstwa potencjalnych struktur czynnościowych w powstawaniu perseweracji odgrywa też rolę moment uporu (*perseverare* znaczy „trwać przy czymś", „dalej coś czynić"). W tym znaczeniu perseweracja jest wyrazem dążenia żywego ustroju do utrzymania własnej struktury czynnościowej wbrew przeciwnościom otoczenia. Dążenie do zachowania własnego, indywidualnego porządku jest zasadniczą cechą życia.

Ubóstwo potencjalnych struktur może być uwarunkowane różnymi przyczynami. Przyczyną może być uszkodzenie ośrodkowego układu nerwowego. W afazji motorycznej chory powtarza to samo słowo lub sylabę w celu wyrażenia różnych treści, nie dysponuje bowiem innymi strukturami czynnościowymi mowy. W otępieniu organicznym chory z błahego powodu w stereotypowy sposób płacze lub śmieje się (*incontinentia emotionalis*), bo inne struktury mimiczne dla wyrażenia smutku czy radości zostały wytarte, powtarza te same frazesy, powiedzonka, poszczególne słowa i sylaby, gdyż innych znaleźć już nie może. W wyładowaniu padaczkowym, a w mniejszym stopniu w każdym silnym wzburzeniu uczuciowym zostają chwilowo wyłączone z normalnej aktywności duże części ośrodkowego układu nerwowego, następuje przejściowa redukcja potencjalnych struktur czynnościowych; poza strukturą zaangażowaną w wyładowaniu padaczkowym czy emocjonalnym tworzy się pustka. To, co zostało, jest powtarzane w sposób stereotypowy, np. jakieś słowo czy gest w uniesieniu miłości czy też gniewu.

Inaczej sprawa przedstawia się w natręctwach; tu powtarzana struktura czynnościowa (myśl, czynność, natrętny lęk) ma charakter rytuału. Rytuał jest swoistą obroną przed nieznanym. Powtarzając pewne czynności czy zaklęcia, które mogą się wydać niewtajemniczonemu obserwatorowi bezsensowne, toruje się drogę wśród tajemniczego świata, który mógłby grozić zagładą, gdyby z tej drogi się zeszło (łacińskie *ritus* pochodzi z sanskryckiego *ri* — iść, płynąć). W życiu społecznym obserwuje się stosowanie rytuału w tych sytuacjach, w których człowiek styka się z nieznanym, wobec bóstwa, władcy, w obliczu śmierci, a nawet w miłości. U podstaw rytuału tkwi magiczne myślenie, że idąc wyznaczoną, zgodną z nim drogą, nic złego się nam nie stanie. Zamiast bać się nieznanego, boimy się przekroczenia rytuału.

W nerwicy natręctw nerwicowy niepokój krystalizuje się w określonych sytuacjach, pozornie lub naprawdę nie mających nic wspólnego z jego istotą. Gdy młodą matkę prześladuje myśl, że może coś złego zrobić swemu dziecku i chowa ostre przedmioty, by myśli swej przypadkiem nie urzeczywistnić, to w tej bezsensownej roli Medei, przerażającej dla jej świadomości, zamyka ona jak w magicznym kole wszystkie swe lęki i niepokoje, ambiwalentne uczucia, niepewność siebie, związane z macierzyństwem. Gdy ktoś przed wyjazdem sprawdza po raz setny, czy ma bilet w kieszeni, to w tej czynności przymusowej krystalizuje się jego lęk przed zmianą sytuacji, czyli przed nieznanym, lęk wyzwolony przez konieczność podróży. Chory, prześladowany natrętnym lękiem przed zabrudzeniem, myjąc co chwila ręce, by lęk ten zmniejszyć, w tym rytuale ablucji oczyszcza się przynajmniej na moment od cielesności kontaktów ze światem otaczającym, które napawają go lękiem, gdyż na zasadzie nie wyładowanego popędu seksualnego każde dotknięcie jest przesycone cielesnością i grzechem.

Perseweracja schizofreniczna występuje w postaci powtarzania tych samych gestów, min, postaw ciała, słów, zwykle nie wiążących się zupełnie z aktualną sytuacją. Chory np. co chwila dumnie wyprostowuje się lub wybucha śmiechem, przybiera groźny wyraz twarzy lub znacząco pochrząkuje, powtarza bez związku ten sam wyraz lub frazę. Perseweracje pozwalają często od razu na sklasyfikowanie produkcji pisemnych czy rysunkowych jako schizofrenicznych. Ten sam wyraz powtarza się w różnych miejscach tekstu; często cała strona jest nim zapisana, a w rysunku powtarza się ten sam motyw. Jeden z chorych krakowskiej Kliniki Psychiatrycznej, plastyk, stale powtarzał w różnych, często nieoczekiwanych, miejscach swych rysunków tę samą charakterystyczną figurę przypominającą pionka; miała ona według niego oznaczać „urzędnika", tj. symbol porządku i organizacji, przeciwstawiający się dezorganizacji. We wszystkich rysunkach Edmunda Monsiela[1] przewija się ten sam motyw: twarze wąsatych mężczyzn, intensywnie, a może nawet groźnie wpatrujących się w oglądającego rysunek. Z motywu tego zbudowany jest cały rysunek.

Bezsensowny gest, słowo, grymas twarzy itp., nierzadko, gdy lepiej pozna się chorego, nabierają sensu; co więcej, stają się jakby kwintesencją jego przeżyć, a nawet całego życia. Pionki chorego plastyka wyrażają jego tęsknotę za porządkiem; groźne twarze Monsiela — jego poczucie, że zewsząd patrzą na niego oczy ojca czy Boga, sprawdzając surowo, jak wywiązuje się ze swego zadania[2]. Czasem jakiś persewerowany ruch ręki czy skrzywienie twarzy jest dla chorego jakby rytualnym symbolem jego stosunku do świata i jego w nim misji. Sprawa w pewnej przynajmniej mierze przedstawia się podobnie jak z życiorysami wybitnych ludzi; ich całe życie zamyka się w jednym dziele, heroicznym czynie, sławnym powiedzeniu. W końcu zapomina się o ich życiu, pamięta tylko o tym właśnie jednym fakcie, który staje się jakby symbolem ich całego życia.

Dziwaczność

Chorego na schizofrenię można by porównać do artysty, który w drugiej fazie swej choroby powtarza fragmenty swej wielkiej niegdyś twórczości z okresu wybuchu choroby. Monotonnie powtarzające się grymasy twarzy, gesty, dziwaczne postawy ciała, które kiedyś wyrażały niezwykłe napięcie uczuciowe, obecnie są pustymi manieryzmami. Opowiadania o myślach samobójczych, urojeniach, omamach, najcięższych momentach życia

[1] Bliższe szczegóły o tym chorym artyście samouku są podane na str. 85 i nast.

[2] Charakterystyczna treść grafiki Monsiela jest znana z wystaw rysunków (zob. J. Mitarski: *Psychiatryczne aspekty twórczości Edmunda Monsiela*. W: *Świat samotnych wizji Edmunda Monsiela z Wożuczyna. Wystawa rysunków z lat 1942–1962*. Wyd. Stowarzyszenie Historyków Sztuki, Kraków 1963).

itp. powtarzane nieraz każdemu chętnemu słuchaczowi bez najmniejszego oporu w sposób stereotypowy, jakby nagrane na taśmie magnetofonowej, były niegdyś treściami najgłębiej przeżywanymi, najbardziej osobistymi. Odcięcie od kontaktu i ciągłej wymiany informacji z otaczającym rzeczywistym światem sprawia, że świat schizofreniczny, choć nieraz imponujący z początku swym bogactwem, gdyż wyzwala się w nim to, co w realnym świecie nigdy by wyzwolić się nie mogło, w miarę swego trwania ubożeje. Jego elementy, niegdyś stanowiące integralną część jakby wspaniałego dzieła sztuki, na skutek powtarzania stają się banalnymi ornamentami. Z góry można przewidzieć, jak chory się zachowa, jakie manieryzmy i stereotypie u niego wystąpią. Nieprzewidzialność — *actio praeter expectationem* Brzezickiego[1] — odczuwana przez otoczenie jako dziwność, na skutek powtarzania się zmienia się w przewidzialną dziwaczność. Dziwaczność jest bowiem powtarzającą się dziwnością, która przez to, że się powtarza, nie wywołuje już reakcji zaskoczenia w otoczeniu; zamiast lęku i grozy wywołuje tylko uśmiech politowania.

Mówi się, że człowiek jest niewolnikiem swoich nawyków. Podobnie chory na schizofrenię nie może wyzwolić się ze swoich stereotypowych aktywności — urojeniowych nastawień, omamów, manieryzmów, dziwactw itp.

Utrwalenie się stereotypów schizofrenicznych otoczenie odczuwa jako upór i dziwactwo. Trudno chorego „sprowadzić" na normalną drogę życia. A nawet, gdy się to uda, to zwykle po pewnym czasie chory znów wraca do swych starych stereotypów. Chory, mając do wyboru rzeczywistość „rzeczywistą" i swoją własną, schizofreniczną, wybiera tę ostatnią jako silniej przeżytą. Chory zwykle nie ma się o co oprzeć w obiektywnej rzeczywistości. Przed chorobą często otaczała go pustka, a jeszcze gorsza, bo z piętnem chorego psychicznie, czeka go po ukończeniu leczenia. Nie dysponując dostateczną ilością stereotypów zachowania się ludzi psychicznie zdrowych, łatwo wraca on do stereotypów chorobowych. Pewniej, a nawet bezpieczniej czuje się w świecie schizofrenicznym niż w normalnym. Dlatego po

---

[1] E. Brzezicki: *Paragnomen ou actio praeter expectationem*. „Annales Médico-Psychologiques", 1960, t. 2, nr 2.

wejściu w fazę adaptacji chory trudniej wraca do pełnego zdrowia psychicznego i nawroty zdarzają się częściej niż w fazie pierwszej.

FAZA DEGRADACJI

UWAGI HISTORYCZNE

Trzeci etap, degradacji, charakteryzujący się przede wszystkim otępieniem uczuciowym, budzi najwięcej kontrowersji wśród psychiatrów i jest niejednokrotnie źródłem ich poczucia winy. Od opisu tego właśnie etapu zaczęło się scalanie odmiennych zespołów objawowych: katatonii, hebefrenii i paranoi we wspólną jednostkę chorobową, określaną jako „otępienie wczesne" (*dementia praecox*)[1]. Przypuszczano, że otępienie, początkowo tylko uczuciowe, a z czasem również intelektualne, jest osiowym objawem tej choroby. Występuje ono już na początku jej trwania w postaci prostej i hebefrenicznej, a na końcu — w formie paranoidalnej i katatonicznej. Dopiero Eugeniusz Bleuler dzięki swej wnikliwości psychopatologicznej potrafił wykazać, że nie otępienie, lecz autyzm i rozszczepienie są osiowymi objawami. Dotychczas jednak niektórzy psychiatrzy, stojąc na stanowisku kraepelinowskim, traktują otępienie uczuciowe jako zasadnicze kryterium diagnostyczne schizofrenii; tam gdzie je stwierdzają, mówią o schizofrenii „prawdziwej" w odróżnieniu od schizofrenii „rzekomej" lub psychoz schizofrenopodobnych, nie prowadzących do otępienia.

Ta ostrożność w rozpoznawaniu schizofrenii ma swoje ujemne strony, gdyż dopiero negatywny wynik leczenia w postaci

---

[1] Nazwy *dementia praecox* po raz pierwszy użył w r. 1860 Morel; „coś w rodzaju jednostki nozologicznej pod nazwą *dementia praecox*" stworzył w r. 1896 Kraepelin dopiero w piątym wydaniu swojego podręcznika psychiatrii; kraepelinowskie pojęcie *dementia praecox* Bleuler nazwał grupą schizofrenii, *Gruppe der Schizophrenie* (zob. T. Bilikiewicz: *Psychiatria kliniczna*. PZWL. Wyd. 4, Warszawa 1969, str. 525). Warto wskazać między innymi na pracę analizującą zagadnienie degradacji schizofrenicznej z punktu widzenia psychofizjologicznej teorii Mazurkiewicza (M. Kaczyński: *O dyssolucyjnej psychice elementarnej w przebiegu przewlekłej schizofrenii*. „Psychiatria Polska", 1967, nr 5, str. 533–539).

wystąpienia objawów otępienia schizofrenicznego potwierdza rozpoznanie. W pewnej przynajmniej mierze psychiatra oczekuje u swego chorego otępienia, by udowodnić, że miał rację, rozpoznając u niego schizofrenię. Przy dużej podatności tych chorych na maskowane nawet i nie uświadomione nastawienia uczuciowe otoczenia do nich, tego typu „oczekiwanie" może wpływać ujemnie na wynik leczenia.

Pewne podobieństwo w obrazie klinicznym między zaawansowanym otępieniem schizofrenicznym a otępieniem organicznym skłania niektórych psychiatrów do przyjęcia organicznej etiologii, przynajmniej w wypadku „prawdziwej" schizofrenii.

Otępienie szpitalne

Z drugiej jednak strony coraz większą popularność wśród psychiatrów zyskuje przeciwna opinia, że otępienie schizofreniczne jest następstwem zbyt aktywnego leczenia i monotonnego reżimu szpitalnego. Jak już wspomniano, psychiatrzy pracujący wśród społeczeństw tzw. pierwotnych[1] na ogół zgodnie podkreślają, że schizofrenia ma tam zazwyczaj przebieg ostry i rzadko spotyka się otępienie schizofreniczne. Fakt, że otępienie to występuje także u chorych, którzy w ogóle nie zetknęli się z reżimem szpitalnym, lub okres leczenia był u nich krótki, można tłumaczyć w ten sposób, że nie zawsze nawet najtroskliwsza opieka rodzinna jest dla chorego korzystna.

Wśród czynników etiologicznych prowadzących do schizofrenii wymienia się między innymi patologiczną atmosferę domu rodzinnego. Chory na skutek swojej choroby jest często skazany na opiekę rodziny, nie może się z niej wyzwolić, a tym samym jest narażony na stałe działanie czynników emocjonalnych, które w pewnej przynajmniej mierze przyczyniły się do wybuchu choroby. Degradacja schizofreniczna niejednokrotnie zmniejsza się lub nawet znika, gdy chory zostanie wyrwany ze swego środowiska, jak np. w czasie wojny.

Stopień degradacji schizofrenicznej waha się od bladości afektywnej, apatii i zobojętnienia do rozpadu osobowości i otę-

[1] Zob. *Magic, faith and healing. Studies in primitive psychiatry today.* (Praca zbiorowa, red. A. Kiev). The Free Press of Glencoe, Collier, Macmillan Ltd., London 1964.

pienia nie tylko już uczuciowego, lecz także intelektualnego, przypominającego w pewnej mierze otępienie organiczne.

Trójfazowy przebieg chorób somatycznych

Trójfazowy przebieg schizofrenii odpowiada przebiegowi ciężkich chorób somatycznych; pierwszy okres jest zwykle burzliwy, zostają zmobilizowane wszystkie siły obronne ustroju; w drugim okresie dochodzi do pewnej równowagi, organizm jakby „przyzwyczaja się" do choroby; w trzecim wreszcie dochodzi do niewydolności czynnościowej poszczególnych narządów i dezorganizacji ich funkcji, kończącej się całkowitą dezintegracją, tj. śmiercią. W pierwszej fazie dynamika życiowa[1] osiąga swój szczyt; w drugiej spada do poziomu, na którym może utrzymać się przez dłuższy czas; natomiast w trzeciej opada stopniowo aż do punktu zerowego.

Selye[2] mówi o trójfazowym zespole stressu (reakcja alarmowa, stadium odporności, stadium wyczerpania). Przebieg schizofrenii porównuje się czasem do pożaru, który wybucha w pierwszej fazie, pali się spokojniej w drugiej i wygasa w trzeciej, zostawiając po sobie popioły i zgliszcza.

Wygasanie

Trzeci okres schizofrenii można określić jednym słowem: wygasanie. Objawy choroby bledną, tak że poszczególne postacie schizofrenii zlewają się w nieokreśloną całość, która przypomina najbardziej postacie prostą i hebefreniczną. Utrzymują się niepowiązane ze sobą fragmenty urojeń, halucynacji, manieryzmy (te ostatnie jako pozostałość po katatonicznej ekspresji ruchowej). Nie tylko obraz chorobowy, ale też sylwetka psychiczna chorego zaciera się; składa się ona z nie powiązanych fragmentów. Indywidualność, która mimo rozbicia (*schizis*) osobowości jest zarysowana dość wyraźnie w pierwszej, a nawet

[1] To, wprawdzie niejasno sprecyzowane, pojęcie dynamiki życiowej jest często używane, także w postaci synonimów („siły obronne organizmu", „mobilizacja rezerw ustroju" itp.).

[2] H. Selye: *Stress życia*. PZWL, Warszawa 1960.

w drugiej fazie, w trzeciej zatraca się; jeden chory przypomina drugiego, trudno ich od siebie odróżnić, o każdym można powiedzieć to samo: „otępiały", „bez życia", „zdziwaczały".

Rozpad

Warunkiem indywidualności każdego układu, żywego czy martwego, jest określony porządek. Cegły, ułożone w określonym porządku, tworzą indywidualną budowę; bezładnie rozrzucone, są tylko kupą gruzu; jeśli jest w niej jakikolwiek porządek, to tylko statystyczny, a nie twórczy, wymagający wysiłku. Rozpad osobowości, który jest cechą charakterystyczną trzeciej fazy schizofrenii, polega właśnie na utracie indywidualności na skutek rozbicia określonego dla danego człowieka porządku. Dezintegracja — jeden z dwóch osiowych objawów schizofrenii — występuje w jej wszystkich fazach, ale w trzeciej rozszczepienie zmienia się w rozpad. Nie można scharakteryzować sylwetki chorego, gdyż przedstawia ona zbiór nie powiązanych w całość gestów, min, reakcji uczuciowych, słów. Mowa nie składa się już z luźnych zdań, nie tworzących logicznej całości (rozkojarzenie), ale z poszczególnych słów, w tym wielu tworów własnych (neologizmów), nie tworzących już logicznego zdania (sałata słowna). Podczas gdy w rozkojarzeniu poszczególne zdania są zrozumiałe, trudno natomiast zrozumieć całość wypowiedzi, gdyż nie ma ona logicznej konstrukcji, to tu zatraca się już sens nawet pojedynczego zdania[1].

Charakterystyczny dla przyrody ożywionej porządek twórczy, wymagający wysiłku związanego z samym faktem życia, zostaje zastąpiony porządkiem statystycznym, tendencją do rytmizacji. W trzeciej fazie schizofrenii porządek ten polega na stereotypowym powtarzaniu przypadkowych form zachowania się. Chory godzinami wykonuje ten sam bezcelowy ruch, powtarza to samo słowo lub zdanie, krzywi w ten sam sposób twarz, uporczywie onanizuje się lub kaleczy swoje ciało itp. Jeśli perseweracja w drugiej fazie wyraża się często syntezą treści przeżyć chorego, to w trzeciej persewerowana struktura czynnościowa jest najczęściej przypadkowa. Nie chodzi tu już o symboliza-

[1] Por. str. 71 i nast.

cję przeżyć, lecz o sam rytm, który będąc jakąś formą porządku, zastępuje porządek twórczy.

W trzeciej fazie na pierwszy plan wysuwają się rozpad i otępienie lub jedno z nich. Są one zejściowymi postaciami dwóch osiowych objawów schizofrenii: rozszczepienia i autyzmu. Długotrwały autyzm — odcięcie się od otaczającego świata i od wymiany z nim informacji (metabolizm informacyjny) — prowadzi w końcu do wyjałowienia: schizofrenicznej pustki. Bogactwo pierwszej fazy wynika stąd, że to, co normalnie jest stłumione przez presję otaczającej rzeczywistości i najwyżej ujawnia się w marzeniach sennych lub w formie szczątkowej w przelotnych myślach czy uczuciach na jawie, zostaje wyrzucone na zewnątrz i dzięki tej projekcji nabiera cech rzeczywistości, wypierając rzeczywistość „rzeczywistą". Nie zasilane z zewnątrz, to wewnętrzne bogactwo z czasem wyczerpuje się. Z pożaru zostaje pogorzelisko.

Oderwanie się od rzeczywistości

Oderwanie się od rzeczywistości umożliwia „realizację" tych struktur czynnościowych, które normalnie zostają odrzucone jako nierealne. Działanie staje się niepotrzebne, wystarcza sama myśl (podobnie jak w „eksperymencie myślowym" fizyków teoretycznych). Świat zewnętrzny zapełnia się tworami świata wewnętrznego, fantazji, uczuć, myśli; one stają się rzeczywistością. Świat zewnętrzny nie znosi pustki. Gdy nie ma dostatecznego dopływu informacji z zewnątrz, jak np. w czasie snu lub w długotrwałej izolacji, wypełnia się on tworami świata wewnętrznego.

Rzeczywistością staje się to, co nią nie jest, a jest tylko tworem umysłu.

Należałoby przyjąć, że w procesie wymiany informacyjnej (metabolizm informacyjny) ze światem otaczającym obraz rzeczywistości tworzy się na styku żywego ustroju i jego otoczenia, a więc w ustawicznym odbieraniu bodźców otoczenia i reagowaniu na nie. Morfologicznym reprezentantem tego styku jest ektoderma nerwowa, a fizjologicznym — łuk odruchowy. Poczucie realności tworzy się, rzec można, przy zaangażowaniu końcówek łuku odruchowego, tj. narządów zmysłowych i narządu ruchu.

Rzeczywistość otaczającego świata jest rzeczywistością zmysłów i działania. Wprawdzie myśli, marzenia, uczucia wpływają na percepcję i na działanie i je kształtują, to jednak pozostają w sferze nierzeczywistości, póki percepcja i działanie nie są ich udziałem. Stół pozostaje stołem, który można widzieć, dotknąć, poruszyć itd., a nie zbiorem elementarnych cząsteczek energii, pozostających we frenetycznym ruchu, oddzielonych od siebie w stosunku do swej wielkości kosmicznymi przestrzeniami pustymi, mimo że taki obraz jest z naukowego punktu widzenia prawdziwszy.

Jeśli powstał inny obraz stołu niż ten, który dają nam zmysły i codzienna aktywność, to stało się to dzięki dążności człowieka do przekroczenia własnych możliwości percepcyjnych i ruchowych. Tę dążność do wyjścia poza świadectwo codziennego doświadczenia zmysłów i własnego działania można fizjologicznie tłumaczyć niestosunkiem między końcówkami łuku odruchowego a jego częścią ośrodkową. Tylko znikoma część struktur czynnościowych tworzących się w centralnej części łuku odruchowego ma szansę bezpośredniego zetknięcia się ze światem otaczającym przez wyjście receptoryczne lub efektoryczne.

Przerwanie metabolizmu informacyjnego, jak np. w czasie snu lub w długotrwałej izolacji, prowadzi do zjawiska projekcji. Polega ono na rzutowaniu się struktur czynnościowych, powstających w centralnej części łuku odruchowego, w otoczenie zewnętrzne, tzn. zachowują się one tak, jakby przechodziły przez wyjścia receptoryczne i efektoryczne. Subiektywnie są one przeżywane jako rzeczywistość, czyli nie znajdują się wewnątrz granicy oddzielającej świat wewnętrzny od zewnętrznego, lecz na zewnątrz. Np. w marzeniu sennym rzecz rozgrywa się na zewnątrz, a nie wewnątrz tej granicy.

Można przypuszczać, że w takich stanach (w marzeniu sennym, w omamach, w urojeniach) struktura czynnościowa powstająca w centralnej części łuku odruchowego irradiuje ku jego końcówkom i znajduje się bliżej wyjść receptorycznych i efektorycznych niż w normalnej wymianie informacji z otoczeniem. Przemawiają za tym niektóre — wprawdzie nieliczne — fakty fizjologiczne, np. w czasie marzenia sennego występują ruchy gałek ocznych, wywołane najprawdopodobniej śledzeniem wzrokowego obrazu powstałego w czasie snu. W omamach słuchowych obserwowano już przed wielu laty ruchy mięśni związanych z mową, co każe przypuszczać, że chory sam jest twórcą swoich halucynowanych głosów.

W trzecim stadium schizofrenii dochodzi prawdopodobnie do wyczerpania się centralnej części łuku odruchowego; już nie powstają w niej nowe struktury czynnościowe, chory żyje śladami tego, co powstało w pierwszym okresie. Świat staje się szary i pusty. Czas rozpływa się, chory nie nudzi się ani nie spieszy, nic się nie dzieje, niczego nie oczekuje, przeszłość, przyszłość i teraźniejszość zlewają się w bezkształtną nieskończoność. Dawne urojenia i omamy bledną; na skutek stereotypowego powtarzania się tracą swą uczuciową dynamikę. Zmniejszają się możliwości ekspresji; chory posługuje się resztkami ekspresji z pierwszego okresu choroby, a na skutek odcięcia od otoczenia nie jest w stanie stworzyć nowych form wyrazowych. Tym samym grymasem twarzy reaguje na wszystkie sytuacje, powtarza stereotypowo te same słowa; wybuch podniecenia — niegdyś współmierny do niezwykłego napięcia uczuciowego — obecnie występuje z powodów nieraz błahych.

DEMENTIA EX INACTIVITATE

Pewne cechy przypominają otępienie organiczne. Przede wszystkim są nimi osłabienie pamięci i obniżenie poziomu intelektualnego. Jest to jednak raczej *dementia ex inactivitate,* powstała na skutek zerwania kontaktu z otoczeniem i osłabienia czynności integracyjnych, koniecznych do prawidłowego spostrzegania, myślenia i tworzenia zapisów pamięciowych. Podobnie jak w przewlekłych zespołach psychoorganicznych, zainteresowania chorych koncentrują się nieraz na funkcjach fizjologicznych. Stają się oni łakomi, a nawet żarłoczni, lubią spać lub drzemać, interesują się defekacją. Czasem bawią się i smarują ekskrementami. Można w tym zachowaniu doszukiwać się pewnych analogii z zainteresowaniem małych dzieci funkcjami wydalniczymi w okresie uczenia się społecznych form tych aktywności — jest to dla nich jakby „akt twórczy", swoim „dziełem" chwalą się przed otoczeniem.

W trzeciej fazie schizofrenii może występować uporczywa masturbacja, która sprawia wrażenie nie tyle chęci wyładowania seksualnego, co stereotypii ruchowych.

Z innych cech przypominających organiczne otępienie należy wymienić zbieractwo. Chorzy chowają różne niepotrzebne rzeczy, papierki, gałganki, resztki jedzenia, strzegą ich jak skarbów, wpadają we wściekłość, gdy próbuje się im je odebrać. Zdarza się, że zbieractwo ma ukryty, symboliczny sens[1]. Jedna z chorych (ze szpitala im. Babińskiego w Krakowie), starsza już kobieta, latami zbierała z ziemi piórka; jedno piórko przyciskała stale do serca. Zapytana przez lekarkę, po co to robi, wyjawiła jej w sekrecie, że piórko — to jej ptaszek, narzeczony. Przed kilkudziesięciu laty porzucił ją narzeczony; chora wówczas po raz pierwszy zachorowała.

W trzeciej fazie spotyka się zaburzenia wegetatywne, analogiczne jak w formie katatonicznej, a czasem dyskretne zmiany neurologiczne, jak leniwa reakcja źrenic na światło i zbieżność, nieznaczna nieokrągłość źrenic, zwiewne objawy deliberacyjne, np. odruch dłoniowo-bródkowy, nierówność odruchów głębokich lub skórnych, ślad ośrodkowego niedowładu nerwu twarzowego itp. Nie wiadomo, czy dyskretne i zwiewne zmiany neurologiczne są następstwem uszkodzenia ośrodkowego układu nerwowego, wywołanego intensywnym i często wielokrotnie powtarzalnym leczeniem somatycznym (wstrząsy elektryczne, śpiączki insulinowe, duże dawki neuroleptyków), czy też samym procesem chorobowym. W tym ostatnim wypadku można by przyjąć, że dezintegracja czynności ośrodkowego układu nerwowego, która w początkach schizofrenii dotyczy wyłącznie centralnej części łuku odruchowego, w fazie końcowej sięga również do jego aferentnych i eferentnych zakończeń.

Rokowanie w trzeciej fazie schizofrenii nie jest korzystne. Przy odpowiednio ustawionej terapii pracy, tj. takiej, która mo-

[1] Zagadnienie kolekcjonerstwa opracował z psychopatologicznego punktu widzenia J. Mitarski z Kliniki Psychiatrycznej AM w Krakowie; praca ta, przedstawiona w skrócie na jednym z posiedzeń krakowskiego oddziału Polskiego Towarzystwa Lekarskiego w r. 1968, nie była opublikowana; w druku ukazał się tylko wybór niektórych spostrzeżeń (J. Mitarski: *Pasja zbierania*. „Dziennik Zachodni", 1969, nr 259).

bilizuje zainteresowania chorego, udaje się częściowa przynajmniej rehabilitacja, toteż chory może pracować i zarabiać na swe utrzymanie, a nawet przy mniejszym stopniu degradacji prowadzić samodzielne życie. Należy dodać, że tacy chorzy są zwykle bardzo sumiennymi i ofiarnymi pracownikami i nierzadko pod względem wydajności w pracy przewyższają pracowników zdrowych psychicznie. W pracy koncentrują oni bowiem wszystkie swoje zainteresowania życiem, staje się ona ich jedynym łącznikiem ze światem zewnętrznym. Tendencja do stereotypowości zachowania, charakterystyczna dla tej fazy schizofrenii, staje się zjawiskiem korzystnym, jeśli chodzi o wydajność w pracy zwłaszcza monotonnej. Otoczenie traktuje takich chorych najczęściej jako poczciwych dziwaków.

Zdarza się, choć niezbyt często, że chory wyzwala się ze schizofrenicznej degradacji, wraca do normalnego życia, czasem na krótko, a czasem już trwale. Zwykle momentem wyzwalającym jest silny wstrząs emocjonalny. Wypadki spontanicznej remisji obserwowano w czasie ostatniej wojny. Otępiali chorzy w obliczu wypadków wojennych, niebezpieczeństw życiowych, zachowywali się nie tylko normalnie, lecz nawet nierzadko przemyślnie i bohatersko.

Szary i smutny obraz trzeciej fazy schizofrenii może nie całkiem odpowiada prawdzie. Wrażenie szarości wynika niejednokrotnie z nieumiejętności dopatrzenia się indywidualnych cech, które nadają obrazowi barwy. Krajobraz barwny z bliska, staje się szary na horyzoncie. Ludzie, na których patrzy się z daleka, stają się szarym tłumem. Dedyferencjacja, czyli zanik indywidualnego zróżnicowania, prowadzący do ubóstwa form zachowania się, charakterystyczny dla trzeciej fazy schizofrenii, może wynikać też z winy obserwatora, gdy patrzy on na dane zjawisko ze zbyt dużego dystansu.

Tzw. „defekt" schizofreniczny

Przez defekt schizofreniczny rozumie się trwałą zmianę osobowości na skutek przebytej choroby. Zmiana ta może być dyskretna: oziębłość uczuciowa, obniżenie inicjatywy, brak energii, brak radości życia, nieufność, drażliwość itp., lub bardziej wyraźna: nastawienie posłannicze, prześladowcze, pieniacze, wynalazcze, hipochondryczne, manieryzmy, dziwactwa, otępienie uczuciowe, izolowanie się od ludzi itp. Nie znając historii życia chorego, można utrwaloną zmianę osobowości traktować jako cechę psychopatyczną, a nie poschizofreniczny „defekt".

Samo słowo „defekt" nie jest szczęśliwie dobrane, ponieważ sugeruje ono jakiś brak, ubytek czy wadę w sensie technicznym, powodującą mniejszą sprawność lub bezużyteczność maszyny, w tym wypadku — człowieka. Brzezicki[1] pierwszy zwrócił uwagę na okoliczność, że „defekt" schizofreniczny może mieć charakter społecznie dodatni (*schizophrenia paradoxalis socialiter fausta).* Dawny *bon viveur* zmienia się w społecznika (np. Brat Albert), wyzwala się lub wzbogaca twórczość artystyczna (np. u wspomnianego już uprzednio Monsiela, u de Nervala, u Strindberga)[2]. Przykładów tego typu można znaleźć wiele, zarówno wśród ludzi wybitnych, jak i przeciętnych. Tzw. defekt polega w tych przypadkach na poświęceniu się bez reszty jakiejś idei: pracy społecznej, naukowej, artystycznej.

Czy zawsze schizofrenia zostawia trwały ślad po sobie? Zdania psychiatrów są tu podzielone. Jeśli jako kryterium braku defektu przyjąć cofnięcie się ewidentnych objawów chorobowych i zdolność zajęcia poprzedniej roli społecznej (tzw. pełna remisja), to należy stwierdzić, że w wielu przypadkach schizofrenia nie zostawia po sobie trwałego śladu. Warto podać, że dane liczbowe dotyczące pełnej remisji w zależności od kryteriów diagnostycznych i stosowanych metod leczniczych wahają się od około 30% do 50% chorych. Gdy za defekt będzie się jednak uważać nawet najmniejszą trwałą zmianę osobowości, wówczas odsetek pełnej remisji spada do zera.

Dyskretny „defekt", niedostrzegalny nieraz w rutynowym badaniu psychiatrycznym, przejawia się najczęściej w trzech sektorach: w dynamice życiowej, w stosunku do ludzi i w zdol-

[1] E. Brzezicki: *Über Schizophrenien, die zu einem sozialen Aufstieg führen.* I. Mitteilung: *Positive Wandlung der ganzen Persönlichkeit.* II. Mitteilung: *Positive Wandlung der ethischen Haltung.* „Confinia Psychiatrica", 1962, t. 5, nr 2/3, str. 177–187, i nr 4, str. 233–242. Tegoż autora: *Schizophrenia paradoxalis socialiter fausta.* „Folia Medica Cracoviensia", 1961, t. 3, z. 2, str. 267–288.

[2] Tamże. Zob. też str. 66 oraz str. 84 i nast.

nościach do hamowania się lub maskowania. Dynamika życiowa obniża się. Odnosi się wrażenie, że w chorych coś „się załamało", „wygasło", że żyją tylko z poczucia obowiązku, zwykłe ludzkie radości już ich naprawdę nie cieszą, śmiech ich jest często sztuczny. Choć zwykle wstydzą się przebytej choroby i starają się o niej zapomnieć, to jednak pozostaje ona najsilniejszym przeżyciem w ich historii życia i zasadniczym punktem odniesienia, wobec którego inne przeżycia bledną. Uodparnia to ich czasem na ciężkie sytuacje życiowe, np. byli schizofrenicy na ogół łatwiej znosili okropności ostatniej wojny i obozów koncentracyjnych niż ludzie bez psychotycznej przeszłości.

Gdy obniżenie dynamiki życiowej występuje wyraźniej, wówczas ma się do czynienia z utrwalonym zespołem depresyjno-apatycznym. Chorzy skarżą się, że „coś w nich umarło", „nie czują w sobie życia", tylko „pustkę w sobie i wokół siebie", „wszystko im zobojętniało", „nie potrafią kochać ani nienawidzić", są apatyczni, bez inicjatywy, niezdolni do decyzji (*abulia*).

Stosunek do ludzi zmienia się w kierunku izolowania się, nieufności i podejrzliwości. Zaciera się normalna perspektywa środowiska społecznego, dzięki której jedni są nam bliżsi, a inni dalsi i bardziej obojętni. Dawny chory dla wszystkich ma twarz jednakową. Zaciera się skomplikowana tonacja stosunków uczuciowych. Najbliższe otoczenie skarży się na zwiększenie dystansu, chłód i obojętność, natomiast obcy są zaskoczeni brakiem dystansu, nieoczekiwaną serdecznością czy życzliwością.

Analogiczne zakłócenie perspektywy obserwuje się w stosunku do różnych ludzkich wartości. Ich hierarchia się zmienia. Dawny chory może się przejmować jakimiś błahymi lub odległymi sprawami, a przechodzić obojętnie wobec spraw bliskich i dla niego ważnych. Martwi się on np. losem przyszłych pokoleń lub ludzi żyjących w odległych częściach globu, a przechodzi obojętnie wobec tragedii osób najbliższych i własnych spraw życiowych. Jedną z charakterystycznych cech procesu schizofrenicznego jest zburzenie przedchorobowej struktury związków uczuciowych z otoczeniem. Rzadko struktura ta w pełni się odbudowuje. Jako pozostałość po jej destrukcji utrzymuje się zwykle zwiększenie dystansu („nic mnie naprawdę nie obchodzi") i zmniejszenie zróżnicowania („wszyscy i wszystko jednakowo ważne").

Trzeci typ zmiany poschizofrenicznej polega na wzroście drażliwości, impulsywności i niewspółmiernych do sytuacji napięć emocjonalnych i zmian nastroju. Chory z błahych powodów wybucha, wpada w przygnębiony nastrój, reaguje niewspółmierną nienawiścią i wrogością. Przeważają reakcje negatywne, gdyż kontakt ze światem otaczającym jest na ogół przykry. Rzadziej spotyka się niewspółmierne reakcje uczuciowe o znaku przeciwnym — wybuchy nieumotywowanej radości, serdeczności, miłości. Niewspółmierność reakcji uczuciowych przypomina niekiedy histeryczną labilność uczuciową i neurasteniczną drażliwość.

Ten brak opanowania czy też zdolności maskowania własnych stanów uczuciowych można by tłumaczyć osłabieniem procesów hamowania w ośrodkowym układzie nerwowym. Procesy te, jak wiadomo, łatwiej ulegają zakłóceniu niż procesy pobudzenia, są delikatniejsze. Mają one, jak się zdaje, duże znaczenie dla utrzymania stabilności pracy układu nerwowego; dzięki nim zostaje wyłączone to, co zbędne, co przerywa jego aktualną aktywność. Z punktu widzenia psychologicznego należałoby odpowiedzieć na pytanie, w jakim stopniu zdolność panowania nad sobą przyczynia się do konsolidacji struktury osobowości, w jakim stopniu maska, która pokrywa oscylacje uczuć i nastrojów, broni przed rozchwianiem równowagi psychicznej, stając się sama w końcu istotną częścią tejże struktury.

Warto wspomnieć, że analogiczny typ zmian osobowości — depresyjny, paranoidalny, impulsywny — obserwowano u byłych więźniów obozów koncentracyjnych[1] i zasadniczym punktem odniesienia był dla nich „lager” hitlerowski. Podobnie punktem odniesienia dla byłych schizofreników pozostaje zawsze okres choroby. Wskazana zbieżność, jak się wydaje, nie

[1] R. Leśniak: *Poobozowe zmiany osobowości byłych więźniów obozu koncentracyjnego Oświęcim-Brzezinka.* „Przegląd Lekarski”, 1965, nr 1, str. 13–20. — M. Orwid: *Socjopsychiatryczne następstwa pobytu w obozie koncentracyjnym Oświęcim-Brzezinka.* Tamże, 1964, nr 1, str. 17–23. — A. Szymusik: *Astenia poobozowa u byłych więźniów obozu koncentracyjnego w Oświęcimiu.* Tamże, 1964, nr l, str. 23–29. — A. Teutsch: *Reakcje psychiczne w czasie działania psychofizycznego stressu u 100 byłych więźniów w obozie koncentracyjnym Oświęcim-Brzezinka.* Tamże, 1964, nr l, str. 12–17.

jest przypadkowa. Zarówno przebywanie w obozie koncentracyjnym, jak i schizofrenia są przeżyciami przekraczającymi granice ludzkiej wytrzymałości i dlatego ślad, jaki po sobie zostawiają, może być podobny.

NIEKTÓRE POSTACIE EKSPRESJI CHORYCH NA SCHIZOFRENIĘ

EKSPRESJA SŁOWNA[1]

Ekspresja człowieka[2] może się przejawiać w mimice i w gestykulacji, w mowie i w piśmie, a w postaci artystycznej — w formie scenicznej[3], muzycznej, literackiej i w plastycznej. Dwa pierwsze sposoby wyrażania i przekazywania myśli i uczuć, określone przez niektórych lingwistów jako „metajęzyk", są omówione w poprzednich rozdziałach. Muzyka, chyba dlatego, że jest najbardziej abstrakcyjną postacią wyrazu, ustrzegła się dotychczas analizy psychopatologicznej.

Ekspresja chorego na schizofrenię może wydawać się obca, niezrozumiała i niezwykła, ale budzi wiarę w swą prawdziwość, podczas gdy na przykład sztuczna, teatralna gra w histerii wywiera wrażenie nieautentycznej, wtórnej, „wymyślonej". Tak więc do pojęcia *Präcoxgefühl* Rümkego można by dołączyć miernik *sit venia verbo* wyczuwalnej autentyczności „schizofrenicznej atmosfery", o której pisze Jaspers[4]. Innym elementem różnicującym jest fakt, że w reakcji histerycznej chory potrafi do pewnego stopnia, zależnie od sytuacji, „zmieniać rolę", a chory

---

[1] Podrozdział napisany wspólnie przez psychiatrę i lingwistę, lek. Jana Mitarskiego i mgra Jana Masłowskiego. Przegląd literatury przedmiotu i wstępną próbę analizy psychiatryczno-lingwistycznej w innym ujęciu podają też J. Masłowski, J. Mitarski: *Niektóre zagadnienia schizofazji*. „Psychiatria Polska", 1967, nr 1, str. 105–108.

[2] Znany teoretyk sztuki, Ostap Ortwin, wyróżnił następujące formy ekspresyjne: czyn, język, postawę, mimikę, gest (*Próby przekrojów. Ze studiów nad teatrem, liryką i powieścią*. Ossolineum, Lwów 1936, str. 71).

[3] S. Wołkoński: *Człowiek wyrazisty. Sceniczne wychowanie gestu według Delsarte'a*. Warszawa 1920.

[4] K. Jaspers: *Strindberg und van Gogh*. Leipzig 1922, str. 172.

na schizofrenię jest „usztywniony" w swoich możliwościach. Tę sztywność ekspresji widać zwłaszcza w przewlekłych postaciach tej psychozy. W ostrych stanach katatonii lub urojeniowego olśnienia wyczuwa się jednak, że i one są czymś prawdziwym i nieuniknionym, nawet jeśli stan taki wyraża się w czysto teatralnej formie, jak zdarzyło się u słynnego tancerza i choreografa Wacława Niżyńskiego, którego wspaniałą karierę artystyczną z początkiem pierwszej wojny światowej przerwała schizofrenia.

Jego żona, Romola Niżyńska, w swych pamiętnikach[1] podaje, że na kilka dni przed wystąpieniem ostrych objawów psychozy Niżyński stał się przesadnie religijny. W tym czasie postanowił on zorganizować dla bliskich przyjaciół spektakl, w którym miał wystąpić jako jedyny tancerz. O określonej porze wszyscy się zebrali i czekali na występ, który się odwlekał. Gdy żona zapytała artystę, co zamierza zatańczyć, krzyknął na nią gwałtownie, co mu się nigdy nie zdarzało: „Milczeć! Powiem, gdy nadejdzie czas. To są moje zaślubiny z Bogiem". Po chwili wszedł na podium i zwrócił się do obecnych słowami: „Pokażę wam, jak my artyści żyjemy, cierpimy i tworzymy". Siadłszy okrakiem na odwróconym krześle i oparłszy się rękami o poręcz, wpatrywał się w zebranych. Niżyńska opowiada dalej:

> Wszyscy milczeli jak w kościele. Czas upływał. Musiało to trwać około pół godziny. Publiczność zachowywała się tak, jak gdyby była przez niego zahipnotyzowana (...). Akompaniatorka zagrała pierwsze takty *Sylfid*, spodziewając się, że w ten sposób zwróci uwagę Wacława na ten taniec. (...) Chcąc złagodzić napięcie, podeszłam do niego i poprosiłam, by zaczął tańczyć. „Jak śmiesz mi przeszkadzać, nie jestem maszyną!".

Kiedy żona wyszła, by naradzić się z lekarzem, ponieważ spostrzegła, że dzieje się coś niedobrego, Niżyński

> zaczął tańczyć — wspaniale, lecz przerażająco. Rzucił wzdłuż pokoju kilka zwojów czarnego i białego aksamitu na kształt wielkiego krzyża. Sam stanął u szczytu figury z rozpostartymi ramionami, jak żywy krzyż. „Teraz zatańczę wam wojnę, z jej zniszczeniami, cierpieniami i śmiercią. Wojnę, której nie zapobiegliście i dlatego jesteście też za nią odpowiedzialni". Taniec Niżyńskiego był tak wspaniały

---

[1] R. Nijinsky: *Nijinsky*. V. Golland Ltd., London 1933, str. 406–409.

> i urzekający jak zawsze, lecz było w nim coś odmiennego. Chwilami przypominał trochę scenę z *Pietruszki*, w której lalka usiłuje uciec przed swym losem. Wydawało się, że wypełnia on salę przerażoną, cierpiącą ludzkością. Wprowadził nas jakby w trans. Wszystkie jego gesty były dramatyczne, monumentalne; wydawało się, że płynie ponad nami. Wszyscyśmy siedzieli przerażeni, wstrzymując oddech, dziwnie zafascynowani, jakby skamieniali. Czuliśmy, że Wacław przypomina jedną z jakichś potężnych istot owładniętych dominującą siłą, jak tygrys, który wyrwał się z dżungli i może nas zniszczyć w każdej chwili. A on wciąż tańczył, wirując w przestrzeni; urzekał widzów swoją wizją wojny i zniszczenia, stawiał ich twarzą w twarz z cierpieniem i przerażeniem, walczył wszystkimi mięśniami, błyskawiczną szybkością, zręcznością eterycznej istoty, by uciec przed nieuniknionym końcem. Był to taniec o życie przeciwko śmierci[1].

Taniec ten zapoczątkował ostrą schizofrenię u Niżyńskiego; był to jego ostatni występ.

Dramatyczne milczenie Niżyńskiego, poprzedzające opisany taniec, jest jakby pośrednią formą ekspresji między mową a „metajęzykiem". Milczenie co prawda nie jest mową, ale spośród wszystkich pozasłownych środków wyrazu człowieka jest jej genetycznie najbliższe. Jest nie tylko jej brakiem, lecz nawet może ją zastępować. Zwykle nie jest ono puste, ale coś znaczy, jest wypełnione treścią. Milczenie spełnia w teatrze i w muzyce określoną rolę. Może ono wyrażać najróżnorodniejsze stany uczuciowe. Może być „wymowne" (*qui tacent clamant*), groźne, obojętne; może być wyrazem uczuć ujemnych: smutku, niechęci, obrazy, nienawiści, lub wzniosłych: zachwytu, ekstazy.

Mowa chorego na schizofrenię jest zewnętrznym przejawem urojeniowego, dziwacznego myślenia. Istnieją różne postacie mowy w schizofrenii. Są chorzy, których mowa nie sprzeciwia się regułom języka normatywnego, a odmienna jest tylko treść wypowiedzi, wyrażająca paranoidalny lub magiczny sposób myślenia. Widać wtedy skłonność przydawania słowom i pojęciom szczególnego, symbolicznego znaczenia, często odmiennego od przyjętych konwencji.

Literackim przykładem tego rodzaju języka jest twórczość Strindberga, zwłaszcza jego autobiograficzne dzieła: *Syn służącej*, *Rozwój pewnej duszy*, *Spowiedź błazna*, *Rozdwojony*, *Infer-*

[1] Tamże.

no, *Legendy*, *Samotny*. Przede wszystkim w *Inferno*, będącym jak gdyby doraźnie sporządzonym dziennikiem psychozy, Strindberg daje niezwykle bogaty opis swoich przeżyć psychotycznych. Ale nawet w tym dziele forma i styl są zgodne z powszechnymi zasadami języka. Chociaż w swych innych dziełach (np. w *Czandali*) Strindberg nie stroni od świata magii, to jednak tutaj widać szczególny odcień autentyzmu. Ten objaw „rozluźnienia łuku napięcia intencjonalnego" (*Spannung der intenzionellen Bogen*), tak nazwany przez Beringera[1], można spotkać nieraz w wypowiedziach na piśmie, zwłaszcza w pamiętnikach i listach, znacznie wcześniej, niż zdąży się go spostrzec w ich mowie. Polega on na tym, że chory traci panowanie nad swą wyobraźnią, gubi wątek logicznego myślenia na rzecz paralogicznej motywacji rozumowo-uczuciowej, podczas gdy w rozmowie czuje się jakby zmuszony przez rozmówcę do przystosowania się do wymagań rozumowania i mowy używanych potocznie. Podobnie tracimy kontrolę w fazie półsnu, marzenia sennego[2] i w monologach wewnętrznych.

W psychozie zawodzą nieraz dawne formy ekspresji. Chory czuje niedobór słów i pojęć, chcąc wyrazić niezwykłe przeżycia i pomysły. Szuka określeń w świecie magii, w pismach mistycznych, kondensuje terminy, przydaje im symboliczne znaczenie inne niż w powszechnym języku. Niekiedy stwarza całe modele idealnego społeczeństwa, wyimaginowanej religii czy kosmogonii, które Arnold — w odróżnieniu od koncepcji filozoficznych — nazwał *philosophemata*[3]. To szukanie innych form ekspresji przypomina twórcze poszukiwania artystyczne.

---

[1] Por. J. Wyrsch: *Gesellschaft, Kultur und psychische Störungen*. G. Thieme Verlag, Stuttgart 1960, str. 35.

[2] Niektórzy badacze radzieccy, jak Protopopow i jego współpracownicy, stwierdzili „odwrócenie prawa stosunków siłowych z pojawianiem się faz hipnotycznych (...). Badania A. G. Iwanowa-Smolenskiego wykazały poza tym w schizofrenii zaburzenia we współdziałaniu układów sygnałów, stwierdzane w szczególności w przypadkach rozkojarzenia mowy". (W. A. Gilarowski: *Psychiatria*. PZWL, Warszawa 1957, str. 457).

[3] O. H. Arnold: *Über schöpferische Leistungen im Beginn schizophrener Psychosen*. „Wiener Zeitschrift für Nervenheilklinik und deren Grenzgebiete", 1953 (cyt. wg J. H. Plokkera: *Artistic self-expression in mental disease*. Mouton and Co. Publ., Hague, Paris, London 1964, str. 109–110).

Emanuel Swedenborg, szwedzki uczony i mistyk żyjący w wieku XVIII, doznał pod wpływem swych przeżyć psychotycznych głębokiego kryzysu religijnego[1]. Na podstawie „objawień", przekazywanych mu przez „duchy i anioły z innych planet", fantastyczny obraz wszechświata, zbudowany na kształt „Wielkiego Człowieka" (*Homo Maximus*), odmalowany z paranoidalną, hipermnestyczną dokładnością i pedantyzmem naukowca, stworzył w takich dziełach, jak: *O Ziemiach w naszym Świecie słonecznym, które nazywają się planetami i o ziemiach w Świecie Astralnym, o ich mieszkańcach, ich duchach i ich aniołach, podług tego, co usłyszano i zobaczono*, *O nowym Jeruzalem i jego niebiańskiej Nauce, wedle tego, co usłyszano z nieba*, *Cuda Nieba i piekła*[2].

Gdy jeden ze znajomych Swedenborga dziwił się, że w jego rękopisach brak poprawek, autor wyjaśnił: „Piszę na czysto, gdyż jestem tylko sekretarzem i piszę, co mi dyktuje mój duch"[3]. Te jego „automatyczne" pisma różnią się formą i stylem zależnie od tego, który „duch i z jakiej planety" mu je dyktował[4]. Swedenborg roztrząsa między innymi zagadnienie „mowy aniołów i duchów" z innych planet i wyjaśnia, że „mieszkańcy świata duchów porozumiewają się wewnętrznym, uniwersalnym językiem, dzięki któremu zdolni są do przekazywania sobie nie pozorów rzeczy, jakie jedynie może oddać nasz ziemski język, lecz ich idei, a nawet zawierać w jednym pojęciu całe zbiory tych idei"[5]. „W niebiańskim alfabecie każdy znak pisarski ma niezwykle zagęszczone znaczenie, obejmuje ogromny za-

---

[1] K. Jaspers: *op. cit.*

[2] E. Swedenborg: *Des Terres dans notre monde solaire, qui sont appeleés planètes, et des Terres dans le Ciel Astral, de leurs habitants, de leurs ésprits, et de leurs anges, d'après ce qui a été entendu et vu*. Saint-Amant, Paris 1851. — E. Swedenborg: *Von dem Neuen Jerusalem und seiner himmlischen Lehre nach gehörten aus dem Himmel*. Verlag v. J. G. Mittnacht, Frankfurt a. M. 1884. — E. Swedenborg: *Les Merveilles du Ciel et de l'enfer*. Berlin 1858.

[3] E. Benz: *Emanuel Swedenborg: Naturforscher und Seher*, H. Rinn Verlag, München 1948, str. 359.

[4] S. Toksvig: *Emanuel Swedenborg; Scientist and Mystic*. Yale University Press, New Haven 1948, str. 211–216.

[5] E. Benz: *op. cit.*, str. 344.

kres treści i pojęć, które doskonale wyrażają sens rzeczy"[1]. Te sformułowania trafnie określają przeżycia błyskawicznego „poznania prawdy" w olśnieniu schizofrenicznym lub pokrewne mu „kosmiczne doznania" w doświadczalnej psychozie wywołanej delizydem[2]. Dla Swedenborga każda samogłoska i spółgłoska ma znaczenie symboliczne i dlatego stwarza on także swoistą teorię naszego „ziemskiego języka", która musi mieć swój walor estetyczny, skoro powołuje się na nią szwajcarski lingwista H. Morier. Autor ten podjął próbę podziału stylów literackich według typów wyobraźni twórczej; podział ten z pewnymi modyfikacjami może być pomocny w analizie języka w schizofrenii. Według Moriera styl jest „sposobem, dyspozycją istnienia", a więc zgodnie z terminologią psychiatryczną styl byłby wyrazem cech charakteru. Styl Swedenborga jest dla Moriera reprezentantem „stylu anielskiego" (*le style angélique*), który charakteryzuje „orgiastyczne bogactwo i dionizyjskie nieopanowanie, będące wyrazem realności psychicznej stanów mistycznych, z którymi teoretyk stylu musi się liczyć" [3].

Według estetyki Moriera styl Strindberga byłby stylem paranoicznym (*le style paranoïaque*), który uprzednio opisano. Morier widzi w tym stylu patologiczne nasilenie indywidualnego, symbolicznego rozumienia pojęć; nazywa to „obiektywizacją symboli". Na przykład przez pojęcie ognia chory na schizofrenię może rozumieć przede wszystkim piekło.

W języku istnieją — według Bertranda Russella — dwa rodzaje znaczeniowe pojęć: znaczenie powszechne i znaczenie własne (*public and private data*)[4]. To drugie może odbiegać od powszechnego rozumienia pod wpływem osobniczej wyobraźni. Skrajne przykłady zamiany znaczeń znajdujemy w psychopatologii tylko w wypadku schizofazji (rozkojarzenia, dysocjacji).

---

[1] Tamże, str. 364.

[2] Doświadczenia własne, przeprowadzone w r. 1965 w Klinice Psychiatrycznej AM w Krakowie.

[3] H. Morier: *La psychologie des styles*. Ed. Georg, Genève 1959, str. 144–145.

[4] Por. A. Kępiński, B. Winid: *Psychotherapy in Poland*. W: „Progress in Psychotherapy", 1960, t. V, str. 207–211.

Schizofazja byłaby patologicznym odpowiednikiem tego, co w swoim podziale Morier nazywa *l'éstetique (le style) pseudodémentielle*. Określenie to wynika z odrębności psychiatrycznej terminologii francuskiej. *Démence* — to w języku francuskim otępienie, ale też obłęd; styl ten można by więc nazwać po polsku stylem rzekomo obłędnym, a najprościej: stylem schizofatycznym. W takim stylu według Moriera składnia zostaje rozbita, dochodzi do dysolucji zdania, pojawiają się neologizmy, a w piśmie często znikają znaki przestankowe, które są „semaforami logiki"[1]. Do tego stylu autor zalicza poezję surrealistów, pismo „automatyczne" (*l'écriture automatique*) i przy tej okazji cytuje interesujący przykład poematu P. Eluarda i A. Bretona *Niepokalane poczęcie*, w którym świadomie próbują oni naśladować „lingwistyczny obłęd chorych psychicznie i ich autystyczne myśli". Można snuć analogie między stylem takich utworów, jak poezje Mirona Białoszewskiego a schizofazją.

Niekiedy nawet doświadczony psychiatra może mieć wątpliwości, czy pewne „poślińięcia" stylistyczne, wtrącone mimochodem słowa nie mające związku z myślą przewodnią mieszczą się jeszcze w granicach normy językowej, gdyż podobne zjawiska spotyka się w stanach zmęczenia, rozproszenia uwagi itp. W polskiej potocznej terminologii psychiatrycznej doskonale odpowiada temu zjawisku słowo „niedokojarzenie". Oznacza ono, że określona przez nie mowa nie jest już zupełnie zborna („skojarzona"), ale jeszcze nie jest „rozkojarzona". W większości innych języków brak odpowiednika takiego rozróżnienia. Niemcy określają ten objaw mianem *Vorbeireden* („mówienie mimo"), ale nie określa ono tak trafnie istoty rzeczy, jak polski termin „niedokojarzenie". Zwłaszcza w rezonerskim pustosłowiu i jałowym pseudofilozofowaniu, spotykanych w niektórych późnych stanach schizofrenii, występuje ten szczególny styl mowy.

Zjawisko schizofazji jest jakością odmienną od innych zaburzeń mowy spotykanych w neurologii i psychiatrii[2].

Należyte zrozumienie charakterystycznych cech schizofazji wymaga odróżnienia jej od pozostałych postaci zaburzeń mowy,

---

[1] H. Morier: *op. cit.*, str. 117.

[2] Zob. m.in.: T. Spoerri: *Sprachphänomene und Psychose*. S. Karger, Basel 1964. — W. Chłopicki, J. Olbrycht: *Wypowiedzi na piśmie jako objawy zaburzeń psychicznych*. PZWL, Warszawa 1955.

w innych psychozach i w zespołach psychoorganicznych. Różnicę tę najlepiej zilustrują urywki zapisów magnetofonowych nagranych w Klinice Psychiatrycznej AM w Krakowie.

Przytaczamy najpierw przykłady nieschizofatycznych zaburzeń mowy. Fenomenologicznie i lingwistycznie najbliższa rozkojarzeniu, a zarazem będąca zupełnie odrębnym zjawiskiem, jest inkoherencja występująca w stanach splątania (amencji), w których wypowiedzi chorych są bezładne. W inkoherencji trudno uchwycić związki logiczne i składniowe nawet pomiędzy poszczególnymi słowami. Wątki myślowe urywają się co chwila, a od chorego z trudem można czasem uzyskać zrozumiałą informację. Chora, znajdująca się w stanie splątania, na pytanie: „Gdzie pani dzisiaj była?" odpowiedziała: „Miałam, ale nie byłam... Pytali się mnie, żeby poszła i dzisiaj do opydy optry ptryfifi, a mnie też tam. Czy doktor... No nie, nasz... Jakże z nim... To było nieciekawe z tymi. Mleko jakieś, mleczko i jabłka, zdaje się, coś, jakieś, jabłka, jabłka, razem połączone, no a najwięcej się boję to..."

Przykładem innego rodzaju zaburzeń mowy, mianowicie afazji motoryczno-amnestycznej, jest wypowiedź chorego znajdującego się w stanie po urazie czaszki: „...no, to jest ten, bloczek, tak, to ja jestem dość, nic mi mi nie nie do, tam jest, coś, urocza, księżyc, księżyc, pozycja, w dziennikach, ostre, i, widzę, tylko no..."

Samo zestawienie tych urywków z niżej podanymi przykładami dowodzi odmienności strukturalnej rozkojarzenia mowy w schizofrenii, występującego najczęściej przy nie zaburzonej świadomości i bez stwierdzalnych przyczyn organicznych. Jak pisze E. Bleuler, twórca pojęcia schizofrenii, w schizofazji „ginie związek pomiędzy skojarzeniami. Z tysiąca wątków snutych przez naszą myśl choroba przerywa je w sposób chaotyczny. Wynik tego myślenia jest niezwykły i często fałszywy logicznie (...). Wygląda to tak, jakby wrzucono do garnka i wymieszano pojęcia określonej kategorii, a następnie zupełnie dowolnie i przypadkowo wyciągano je i łączono za pomocą form gramatycznych i niektórych pomocniczych wyobrażeń"[1]. W krańco-

[1] Cyt. wg: K. Spett, J. Mitarski: *Zarys psychiatrii dla studentów medycyny*. Wyd. II uzupełnione. AM, Kraków 1968, str. 19–20.

wych wypadkach dochodzi do tzw. „sałaty słownej" (*Wortsalad*) opisanej przez E. Kraepelina[1].

Oto przykłady rozkojarzenia; chory, który w czasie nasilenia się schizofrenii miał omamy słuchowe i wzrokowe, mówił spontanicznie:

> Przez okno widziałem znak krzyża południa, tj. symboliczny znak przede wszystkim narodu Australii, który walczył o swoją wolność na wzór Stanów Zjednoczonych w chwili, kiedy koloniści angielscy panowali w tym kraju. W tym pobojowisku to były dwustronne, w chwili kiedy przechodziłem ten trans, słowo trans to raczej z indyjskiego, raczej z częściowego uśpienia, a raczej przebudzenia jak gdyby (...). Przechodziłem przez ulice miasta, tymi drogami, gdzie spotykały mnie nieszczęścia, gdzie raczej spotykałem się z szeregiem trudności, z szeregiem przeciwieństw i zacząłem iść tymi drogami i wszędzie zacząłem następować na pewne rzeczy, które nadały mi refleksy i zarazem wielkie rozmyślania.

Wypowiedzi tego typu chorych są czasem bardzo długie, a gdyby spróbować je streścić, nie sposób byłoby dojść do istoty rzeczy zrozumiałej dla odbiorcy. Zazwyczaj przewija się w takich wypowiedziach symboliczne myślenie, związane czasem z rodzajem magii językowej, następują dziwaczne skojarzenia, chorzy tworzą osobliwe neologizmy (np. „głębnia", „słusznia", „liczbon"), a nawet całe oryginalne słownictwo i swoiste języki[2]. Bywa tak, że przy całkiem dziwacznej i niezrozumiałej treści zachowana jest prawidłowa fonetyka, odmiana wyrazów i w ogóle poprawność gramatyczna, nawet składnia i słowotwórstwo są nienaganne, aczkolwiek pełne nieraz niezwykłych zestawień wyrazów. Błędy językowe najczęściej nie odbiegają od podobnych usterek języka ludzi zdrowych. Ci sami chorzy mówią na przemian całkiem normalnie, to znów w innym czasie w sposób rozkojarzony. W toku tej samej dłuższej wypowiedzi pulsują lub narastają fragmenty rozkojarzone. Widać to także w następującej ironicznej skardze chorego, u którego rozpoznano schizofrenię urojeniową:

---

[1] E. Kraepelin: *Psychiatrie*. Barth, Leipzig 1904, str. 229–231.

[2] J. Stuchlik: *Notes on the psychology of origin and formation of neomorphisms of language*. „Confinia Psychiatrica", 1964, nr 7, str. 216–233.

> Jestem istotnie skrajnie osłabiony, dzięki nieodpowiedzialnym machinacjom rodzin i redaktora X, który w bezczelny sposób uważał za stosowne wtrącać się w moje życie i poglądy osobiste. Lekarze, którzy to zaaprobowali, to jedna klika pozostająca pod rozkazami tych z Nafty, naftowców, nafciarzy, nafcików, nafciuchów. To oni chcą mnie zakanistrować, zakastrować, tak, jestem kastratem psychicznym, nie wierzę w żadne leki lekarzy, nie ufam ludziom, bo to jest pomaganie, pomachtanie, wermachtanie, Wehrmacht. Ja to znam, pan nie ma o tym pojęcia. Znam te szkielety rybie, to namawianie w knajpach, bo to jest wszystko knajpa, mówią może śledź, może kompocik, może bez kompociku, może herbata, może bata. Znam to dobrze, nie ma o czym mówić.

Skłonność do gry słów i do wyszydzania urojonych wrogów zrealizowała się w tej wypowiedzi za pomocą nagromadzenia podobnie brzmiących słów, wśród nich neologizmów, których punktem wyjścia jest nazwa instytucji (Nafta), a które chory zręcznie doprowadził do zupełnie innych, ujemnych pojęć (Wehrmacht). Z językowego punktu widzenia zauważamy zachowaną poprawność gramatyczną, modyfikację przyrostków, wyrażających odcienie uczuciowe (nafc-ik, nafci-uch), płynną zmianę rdzenia wyrazu i niezwykłe kojarzenia — nafta — (domyślne: kanister) — zakanistrować — zakastrować — kastrat.

Nasuwa się spostrzeżenie, że ta zabawa podobnie zręcznymi konstrukcjami słowotwórczymi, swoista ironia i absurdalny humor, spotykane u niektórych chorych, pozwalają wyodrębnić w „stylu schizofatycznym" „styl hebefreniczny". Ten ostatni przypomina bawienie się słowami w prozie Rabelais'go, angielskie nonsensowne „nursery rhymes", osobliwości mowy dzieci, np. wyliczanki, których treść jest niezrozumiała, natomiast scalają je rytm i rymy:

> Ene, due, rika, fake,
> Torba, borba, osme smake,
> Deus, deus, kosmakeus
> i morele bakf![1]

Magiczny sens takich wyliczanek łatwiej zrozumieć, jeśli się je porówna ze średniowiecznym zaklęciem, dzięki któremu można było „oddać duszę diabłu":

---

[1] Podała 10-letnia uczennica z Krakowa.

Palas azon ozinomas
Baske bano tudon donas
Geheamel cla orlay
Berec he pantaras tay[1].

Oto wreszcie zaklęcie, którym posługiwał się jeden z naszych chorych, odpędzając dręczące go diabły:

Na potryłu!
Na fuku!
Na wybratne!

Do rzędu tej „hebefrenoidalnej" twórczości można też zaliczyć między innymi wiele polskich utworów sowizdrzalskich[2]. Oczywiście nie każdy pisarz, który posługuje się stylem rozkojarzonym, jest chory psychicznie (np. surrealiści i dadaiści). Wiadomo jednak, że Gerard de Nerval, którego surrealiści uważają za swego prekursora, przez niemal cały okres swej twórczości cierpiał na psychozę rozszczepieniową i tworzył — według własnych słów — jedynie wówczas, gdy był nawiedzany przez swe *alter ego,* któremu przypisywał nieziemskie, magiczne właściwości. W nowelach *Sylwia* i *Aurelia* opisuje znane mu z własnych przeżyć snopodobne stany halucynacyjno-urojeniowe, a jego „hermetyczne" poezje są przesycone tajemniczością i trudne niekiedy do zrozumienia.

Poezje Fryderyka Hölderlina, które tworzył on w schizofrenii, były niezrozumiałe dla jego współczesnych. Ceniono go tylko za twórczość przedpsychotyczną. Obecnie właśnie dzięki utworom pisanym w chorobie nastąpił renesans jego twórczości[3].

Spośród wielu artystów warto jeszcze wspomnieć o poecie, pisarzu, teatrologu i aktorze Antoninie Artaud[4]. Również jego

[1] G. D. Givry: *La Musée des Sorciers, mages et alchimistes.* Librairie de France, Paris 1929, str. 104.

[2] S. Grzeszczuk: *Analogia literatury sowizdrzalskiej XVI–XVII w.* Ossolineum, Wrocław 1964, str. XLVII–XLVIII i 512–537.

[3] K. Jaspers: *op. cit.* — J. Laplanche: *Hölderlin et la question du père.* Presse Universitaire de France, Paris 1961.

[4] A. Artaud: *Teatr i jego sobowtór.* Wydawn. Artystyczne i Filmowe, Warszawa 1966.

twórczość jest przepojona dziwacznym mistycyzmem, skłonnością do symbolicznego kojarzenia i stanowi też przykład ekspresji twórczej w schizofrenii.

Bystrym obserwatorem był Szekspir, który naśladował mowę rozkojarzoną w swych utworach, np. w kwestiach Edgara[1] i Błazna w *Królu Lirze* oraz Ofelii[2] w *Hamlecie*. Co więcej, twórca ten zdawał sobie sprawę z osobliwości mowy rozkojarzonej, skoro w usta Tezeusza włożył metaforyczną definicję wyodrębnionej po wiekach schizofazji; otóż Tezeusz mówi o Pigwie: „Mowa jego była podobna splątanemu łańcuchowi, w którym niczego nie brak, ale wszystko w nieporządku"[3].

Język Joyce'a, który w dużej mierze wpłynął na ewolucję nowoczesnej prozy, jest trudny, pełny dziwacznej symboliki, halucynacyjnych scen, odległych kojarzeń, tokiem myślenia przypominający majaki senne. Częste są w nim neologizmy, zbitki słowne z pojęć odległych znaczeniowo lub słów wziętych z różnych języków. Jeszcze bardziej „hermetyczne" i nieprzetłumaczalne jest jego drugie i ostatnie wielkie dzieło *Finnegans Wake*. Dziwaczny język i tok myślenia Joyce'a przypomina rozkojarzenie schizofreniczne. Artysta w swych listach wspomina o chorobie psychicznej swojej córki. Z opisu należy wnosić, że cierpiała ona na schizofrenię. Joyce pisze, że mówi ona językiem dziwacznym, niezrozumiałym dla otoczenia, ale on sam rozumie ją dobrze. Czy nie można mniemać, że psychotyczny świat przeżyć córki był dla pisarza jedną z inspiracji jego dzieła?

Kretschmer, analizując myślenie schizofreniczne, uważa, że w schizofrenii występują na jaw „warstwy hiponoiczne", będące odpowiednikami myślenia człowieka pierwotnego, np. sposób myślenia cechujący się „czarodziejską analogią" (*Analogiezauber*)[4]. Ze względu na obrazowość i fantazyjność monologów cho-

[1] Odpowiednie cytaty podaje E. Mirek: *Sylwetki osobowościowe postaci szekspirowskich tragedii*. „Przegląd Lekarski", 1966, nr 8, str. 559.

[2] E. Mirek: *Szekspirowski Hamlet w świetle badań literackich i współczesnej psychiatrii*. „Przegląd Lekarski", 1966, nr 12, str. 764.

[3] W. Szekspir: *Dzieła dramatyczne*. PIW, Warszawa 1965, t. 2, str. 80.

[4] E. Kretschmer: *Psychologia lekarska*. PZWL, Warszawa 1958, str. 144.

rych schizofrenicznych Bilikiewicz porównuje ich kojarzenia z marzeniami na jawie lub w stanach półsnu[1]. Arietti i Spiegel[2] twierdzili wprost o regresji „paleologicznego" typu myślenia rozkojarzonych chorych z kręgu rozszczepieniowego do poziomu dawniejszego filogenetycznie i ontogenetycznie. Mowa chorego na schizofrenię jest odbiciem elementów jego myślenia. Chorzy rozkojarzeni trawestują to tworzywo językowe, którego warstwy nabyli w rozwoju osobniczym. Badania wciąż obracają się wokół struktury formalno-treściowej[3] w wypadku zarówno słownej, jak i plastycznej ekspresji tych chorych. Najczęściej badanym typem deformacji w tekstach rozkojarzonych są neomorfizmy wyrazowe (np. wydzielone przez Stuchlika[4] takie rodzaje neologizmów, jak kryptologizmy czy neoglosje).

Rozkojarzenie jest zjawiskiem wybitnie indywidualnym. Często ma się do czynienia z jednostkowym kodem chorego i z utratą społecznego celu mowy. Brak komunikatywności utrudnia porozumienie słowne z pacjentem. Taki chory reaguje na wiele pytań wypowiedziami o zupełnie odległej tematyce, natomiast np. afatyk przynajmniej usiłuje odpowiedzieć sensownie, ale przeszkadzają mu w tym anomalie ośrodka mowy.

Język i myślenie w schizofrenii nie są więc zintegrowane. Fakt zaburzeń porozumiewania się jest jednym z czynników, który w tej psychozie odcina chorego od otoczenia. Niektórzy autorzy, jak np. M. Lorenz[5], uważają, że rozkojarzona mowa służy tym chorym nie do porozumiewania się z ludźmi, lecz właśnie do odcięcia się od otoczenia.

---

[1] T. Bilikiewicz: *Psychiatria kliniczna*. PZWL, Warszawa 1960, str. 91–92.

[2] R. Spiegel: *Specific problems of communication in psychiatric conditions. American handbook of psychiatry*. Basic Books, New York 1959, t. I, str. 930–937.

[3] M. Lorenz: *Expressive form in schizophrenic language*. „Archives Neurology and Psychiatry", 1957, t. 78, str. 643–652. — H. Flegel: *Schizophasie in linguistischer Deutung*. Springer-Verlag, Berlin, Heidelberg, New York 1965.

[4] J. Stuchlik: *op. cit.*

[5] M. Lorenz: *op. cit.*

Być może, chorych rozkojarzonych można by rozumieć lepiej wtedy, gdyby istniała naukowa metoda charakterystyki ich osobniczego języka. Idealne rozwiązanie polegałoby na zestawieniu słownika osobniczego, a więc słownika wyrazów używanych przez określonego chorego na schizofrenię. Jak pisze Klemensiewicz, „porównanie z ogólnym słownikiem języka polskiego dałoby pewne podstawy dla wykazania ilościowych i jakościowych cech języka osobniczego. Ale w praktyce jest to niewykonalne”[1]. Wydaje się, że dalsze badania nad schizofrenią będą musiały między innymi opierać się na dyscyplinach z pogranicza psychiatrii, sięgać do historii i teorii języka, historii kultury, etnologii itp. Istnieją bowiem analogie np. między mową rozkojarzoną a magią językową, znamienną dla tzw. społeczeństw pierwotnych lub niektórych tekstów i formuł średniowiecznych, tudzież ze świadomymi zabiegami artystyczno-literackimi, dochodzącymi do struktur językowych morfologicznie podobnych do schizofazji.

Twórczość plastyczna w schizofrenii[2]

E. Kretschmer[3] powiedział, że jeśli chce się poznać pełnię wewnętrznego życia w schizofrenii, należy studiować nie żywoty wieśniaków, lecz poetów i królów cierpiących na tę chorobę. Również K. Jaspers[4] uważa, że szczególnie cenne dla analizy fenomenologicznej są przypadki wyjątkowe i takie właśnie cytuje często w swojej psychopatologii. Rzeczywiście, obraz schizofrenii u osób obdarzonych wybitną inteligencją, wyobraźnią i uzdolnieniami, zwłaszcza artystycznymi, bywa tak bogaty, że niektórzy określają go mianem schizofrenii fantastycznej, a w potocznym języku krakowskiej Kliniki Psychiatrycznej przyjął się termin „schizofrenii artystycznej”.

---

[1] Z. Klemensiewicz: *Jak charakteryzować język osobniczy?* w: *W kręgu języka literackiego i artystycznego*. PWN, Warszawa 1961, str. 212.

[2] Podrozdział napisał i ryciny objaśnił lek. med. Jan Mitarski. Ryciny 1–10 pochodzą z jego zbiorów własnych.

[3] E. Kretschmer: *op. cit.*

[4] K. Jaspers: *Allgemeine Psychopathologie*. Wyd. 5, Berlin–Heidelberg 1948.

Podobnie jak zdrowi artyści dzięki swym talentom dają wyraz przeżyciom wielu ludzi, którzy nie potrafią ich twórczo sformułować i dzieła takie budzą żywy oddźwięk, tak uzdolniony artystycznie chory na schizofrenię tworzy niejako syntezę przeżyć wielkiej rzeszy chorych dotkniętych psychozą, która obcuje ze swymi niezwykłymi doznaniami, nie umiejąc dla nich znaleźć wyrazu.

Wciąż jest aktualne i sporne zagadnienie związku między talentem artystycznym i chorobą psychiczną. Ze względu na dość nieliczne naukowo udokumentowane opisy zaburzeń psychicznych występujących u utalentowanych artystów badacze muszą opierać się często na przekazach historycznych i dziełach literackich lub plastycznych twórców będących przedmiotem analizy psychopatologicznej. Wynikają stąd duże różnice poglądów, dowolność interpretacji i nieścisłość wniosków. Mimo to, takie historyczne spojrzenie wydaje się niezbędne, gdy mowa o twórczości chorych psychicznie, gdyż uwidacznia ono znaczenie chorób psychicznych dla dziejów kultury ludzkiej.

Psychoza jest traktowana we współczesnym społeczeństwie jako zło. Ale nie zawsze tak sądzono, gdyż w cierpieniu (*pathos*) wiele światopoglądów religijnych i filozoficznych widzi siły pozytywne, a chory psychicznie w innych kręgach kulturowych odgrywał nieraz aktywną rolę społeczną.

Zaburzenia psychiczne — nawet mimo swego społecznie często negatywnego aspektu — wycisnęły swe piętno na obyczajach, wierzeniach, mitach, religiach i twórczości artystycznej. Fascynacja psychozą, jej absurdalny, surrealny obraz inspirowały wielu artystów, tak pisarzy, jak i plastyków. Można przypuszczać, że w pewnej mierze z obserwacji chorób i z własnych przeżyć chorych powstał fantastyczny świat dawnych mitów i baśni, podobny nieraz do przeżyć obłąkanego żyjącego wśród halucynowanych wizji i urojeń.

Świat człowieka — to w równej mierze świat wiedzy ścisłej, logiki, przemyślanych czynów, co twórczej intuicji, niepokoju, absurdu. Nauka jest narzędziem pierwszej, sztuka — drugiej dziedziny naszego życia.

Tak jak obraz uzyskuje pełnię dzięki światłom i cieniom, kontrastom i walorom, tak pełnia życia człowieka i jego poznanie są możliwe dzięki najbardziej krańcowym doznaniom, nawet za cenę cierpienia (*pathos*) jako patologicznego przekroczenia określonej granicy zwanej zdrowiem psychicznym. Z punktu widzenia ściśle lekarskiego choroba psychiczna jest zjawiskiem szkodliwym; często prowadzi do degradacji i zahamowania działalności twórczej, ale z perspektywy historii, poznania psychologicznego i wartości kulturowych poszerzyła ona wiedzę ludzką o takie obszary, których przyszło by może żałować, gdyby je skreślić z dziejów ludzkości.

Na temat twórczości w schizofrenii i na temat tzw. sztuki psychopatologicznej istnieje tak obszerna literatura, że jej streszczenie i krytyczna ocena wymagałyby specjalnej monografii.

Ponieważ niewiele jest polskich publikacji na ten temat i brak odpowiedniej, ustalonej terminologii, należy omówić podstawowe pojęcia dotyczące tego przedmiotu.

Psychiatrzy niemieccy i anglosascy na ogół unikają terminów „sztuka schizofreniczna" lub „sztuka psychopatologiczna", których używają Francuzi, zastępując je ostrożniejszymi określeniami *artistic self-expression*[1] lub *schizophrenische Bildnerei*[2].

Byłoby może właściwe użycie nazwy „schizofreniczna ekspresja plastyczna" jako pojęcia najogólniejszego, w którym mieściłyby się zarówno chaotyczne bazgroty i rysunki bez wartości estetycznej, jak i produkty, w których widoczny już jest zamysł twórczy, wreszcie dzieła plastyczne o wyraźnej wartości artystycznej.

Drugim, węższym pojęciem byłby termin „twórczość plastyczna", określający i zawężający problem, gdyż dzięki takiemu sformułowaniu unika się zastrzeżeń teoretyków sztuki, żądających, by słowo „sztuka" odpowiadało określonym kanonom estetycznym. Przedmiotem więc tego działu badań byłyby wytwory o dającej się spostrzec nadrzędnej koncepcji, tworzącej obraz o konkretnej treści i formie, zarówno te bez większych walorów, jak i prace o wyraźnej wartości plastycznej.

---

[1] J. K. Plokker: *op. cit.*

[2] H. Prinzhorn: *Bildnerei der Geisteskranken*. Berlin, 1922. — H. Rennert: *Die Merkmale schizophrener Bildnerei*. G. Fischer Verlag, Jena 1962.

1. Edmund Monsiel *Twarze,* 1943.

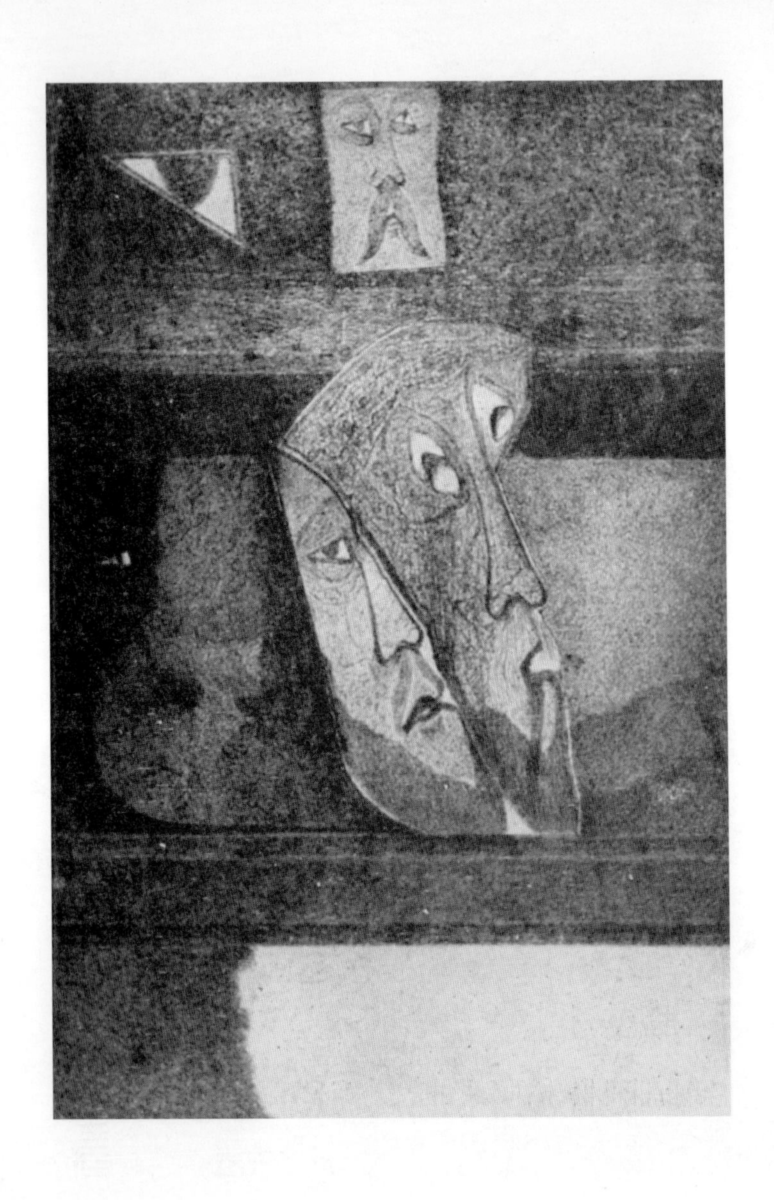

2. Edmund Monsiel *Twarze II*, 1943.

3. Edmund Monsiel ***Pan Jezus I,*** 1943.

4. Edmund Monsiel *Maska*, 1944.

5. Edmund Monsiel ***Twarze V***, 1944.

6. Edmund Monsiel ***Maski II,*** 1944.

7. Edmund Monsiel ***Postać,*** 1952.

8. Edmund Monsiel ***Trójpostać***, 1954.

9. Edmund Monsiel ***Mundzio – autoportret***, 1957.

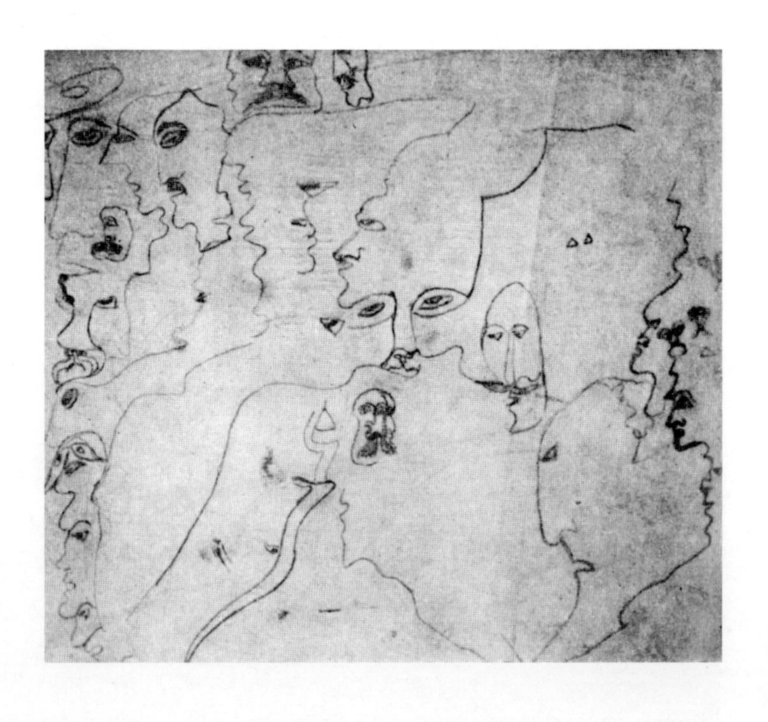

10. Edmund Monsiel ***Szkic*** (data nie ustalona).

11. Reprodukcja rysunku wyobrażającego sędziego.
Rysował więzień chory na schizofrenię.

12. ***Les assises du Mittelland,*** obraz namalowany przez chorego na schizofrenię Adolfa Wölfli.

13. ***Sąd ostateczny***, obraz wykonany w schizofrenii.

14. Rysunek artysty grafika i literata chorego na schizofrenię Alfreda Kubina, ***Człowiek.***

15. Alfred Kubin ***Obłęd***.

16. Alfred Kubin *Wędrowiec.*

Trzecim wreszcie, najszczuplejszym, ale może najciekawszym, problemem byłoby zagadnienie dzieł sztuki plastycznej artystów zawodowych i utalentowanych samouków chorych na schizofrenię. Ten dział psychiatrzy powinni traktować ze szczególną ostrożnością i lepiej tu ograniczać się wyłącznie do analizy psychopatologicznej. Błędu takiego nie uniknął K. Jaspers, który wychodząc z przesłanek estetycznych, usiłował, chyba niesłusznie, dostrzec w dziełach van Gogha z ostatniego okresu jego twórczości wyraźne cechy degradacji wywołanej chorobą[1]. Zagadnienie to jest więc dyskusyjne.

Ryzykowna byłaby również próba diagnozy wyłącznie na podstawie obrazów bez dobrej znajomości biografii ich autora, zwłaszcza jeśli chodzi o twórczość artystów zawodowych. Nie powinno zadziwiać podobieństwo fantazji artystów wizjonerów, jak Bosch, lub niektórych ekspresjonistów i surrealistów, do fantazji osób chorych na schizofrenię i niepotrzebne jest chyba orzekanie o tych kierunkach jako o „sztuce schizofrenicznej", jak to czynili nie tylko niektórzy krytycy, ale i psychiatrzy[2].

To powinowactwo wyobraźni jest jeszcze jednym dowodem, że nie ma ostrej granicy między pewnymi sektorami psychiki „normalnej" a „schizofrenicznej". Warto tu zacytować zdanie Jaspersa, że nie powinno się traktować przeżyć mistycznych w schizofrenii jako zjawiska patologicznego, gdyż stany takie są naturalnym wyrazem transcendentnych potrzeb natury ludzkiej[3].

Psychiatrzy często z profesjonalnego nawyku tropią patologię w zjawiskach normy psychologicznej. Przykładem jest chociażby niezbyt szczęśliwy tytuł *Psychopatologia życia codziennego* Freuda. Interesujące byłoby poszukiwanie „normalności" w psychozie.

W poszukiwaniu takich podobieństw użyteczne okazały się doświadczenia ze środkami halucynogennymi, jak np. delizyd i meskalina[4]. Dość liczna grupa malarzy eksperymentowała ty-

---

[1] K. Jaspers: *Strindberg und van Gogh*. Leipzig 1922.

[2] W. Weygandt: *Zur Frage der pathologischen Kunst*. „Zeitschrift für gesamte Neurologie", 1925, nr 94, str. 421.

[3] K. Jaspers: *Allgemeine Psychopathologie*, *op. cit.*

[4] R. Master, J. Houston: *L'art psychodelique*. Pont Royal, Paris 1968.

mi środkami pod kontrolą psychiatryczną. Wielu spośród nich stwierdziło, iż pamięć ekstatycznych wizji i przeżyć, poczucie zmiany własnej psychiki i otaczającego świata, wzmożenie zdolności przeżywania — dały im możność przełamania konwencji plastycznych, którym dotąd ulegali, wzbogaciły ich wyobraźnię twórczą i doprowadziły do zmiany stylu w kierunku sztuki wizjonerskiej. Te przeżycia przypominają olśnienie schizofreniczne i zjawisko zmiany stylu spotykane u niektórych malarzy chorych na schizofrenię[1].

Olśnienie schizofreniczne ukazało Alfredowi Kubinowi świat doznań psychotycznych i wyznaczyło kierunek jego dalszej twórczości plastycznej i literackiej. Odnosi się wrażenie, że bez własnych przeżyć psychotycznych nie mógłby on stworzyć tak dziwnej, groźnej i groteskowej wizji, jaką dał w swoim dziele *Po tamtej stronie*[2]. W swojej autobiografii[3] Kubin daje opis niezwykłego przeżycia o typie olśnienia:

> ...Zdarzyło mi się coś szczególnie niezwykłego i rozstrzygającego dla mojej psychiki, czego dzisiaj jeszcze dobrze nie rozumiem, aczkolwiek wiele o tym myślałem (...). Nagle całe otoczenie ukazało mi się jaśniejsze i ostrzejsze, jakby w innym świetle. W twarzach otaczających mnie osób spostrzegłem nagle coś dziwnie zwierzęco-ludzkiego. Wszystkie dźwięki stały się szczególnie obce, oderwane od swojej przyczyny. Rozbrzmiewała jakby drwiąca, zagrażająca wspólna mowa, której nie mogłem zrozumieć, lecz która jak gdyby taiła w sobie upiorne, wewnętrzne znaczenie. Posmutniałem, chociaż równocześnie przeniknęła mnie dziwna błogość (...). I nagle naszły mnie wizje czarno-białych obrazów; nie da się opisać, jakie bogactwo przedstawiło się mojej wyobraźni. Opuściłem szybko teatr, ponieważ muzyka i światła przeszkadzały mi i błądziłem bez celu ciemnymi ulicami, wciąż owładnięty, dosłownie zgwałcony przez ciemną siłę, która wyczarowywała przed moją duszą przedziwne zwierzęta, domy, krajobrazy, groteskowe i przerażające sytuacje[4].

---

[1] J. Schottky: *Über einen künstlerischen Stilwandel in der Psychose.* „Nervenarzt", 1936, nr 9, str. 68.

[2] A. Kubin: *Po tamtej stronie*. PWN, Warszawa 1968.

[3] A. Kubin: *Mein Werk. Dämonen und Nachtgesichte*. C. Reissner Verlag, Dresden 1931.

[4] Tamże, str. 20–21.

W czasie psychozy ujawniła się u J. Ensora zmiana stylu, podobnie jak w twórczości C. F. Hilla i I. E. Josephsona, tak jakby choroba wyzwoliła u nich oryginalny talent, spętany przedtem kanonami akademickiej sztuki[1].

Należy odróżnić twórczość plastyczną w schizofrenii, „spontaniczną", od „kierowanej", którą spotyka się w szpitalnych pracowniach plastycznych, prowadzonych przez plastyków i psychoterapeutów w ramach tzw. artoterapii. Ta kierowana twórczość często bywa wtórna; widać w niej sugestie terapeutów, a także wpływy teorii psychoanalitycznych. Traci ona wskutek tego swoisty, „bezczasowy" charakter. Ta bezczasowość, niezależność od jakichkolwiek konwencji i norm, wyobcowanie z rzeczywistości realnej, ale niecałkowite od niej odizolowanie, może być idealnym przykładem twórczości samorodnej, najbardziej naturalnego wyzwolenia się talentu. Te cechy i brak ewolucji, która jest właściwa sztuce normalnej, zbliżają twórczość chorych na schizofrenię do dzieł malarzy „naiwnych". Tych reprezentantów odrębnego nurtu sztuki tzw. „prymitywnej" A. Jackowski nazwał trafnie „Innymi" w swoim katalogu poświęconym polskim „prymitywom"[2]. Inność tych artystów jest podobna do „inności" chorych na schizofrenię nie tylko w ich dziełach, lecz także w ich życiorysach, w których niekiedy można się dopatrzyć wielu cech patopsychicznych, mogących przemawiać za tym, że niektórzy z nich należą do kręgu psychozy rozszczepieniowej. Taką głośną malarką amatorką, chorą psychicznie i nigdy nie leczoną, była Francuzka znana pod artystycznym pseudonimem Seraphine.

Artysta, zwłaszcza amator, w swoim dziele przejawia własną osobowość, swoje pragnienia, uczucia i konflikty. Daje wyraz temu, co taiło się w nim nieznane także i jemu samemu. Równocześnie dokonuje wyboru, który jest aktem wolności. Chory na schizofrenię, tworząc, próbuje wymknąć się z niewoli wrogich sił, które nim władają. Jak zabobonny człowiek średnio-

[1] R. Volmat: *L'art psychopathologique*. Presses Universitaires de France, Paris 1956.

[2] *Inni. Od Nikifora do Głowackiej*. Oprac. A. Jackowski. Wyd. Pracownia Badania Sztuki Nieprofesjonalnej Instytutu Sztuki PAN. CBWA, Warszawa 1965.

wiecza, stwarza plastyczny wizerunek swojego wroga, demona, po to, by go w tym obrazie unieruchomić, zniszczyć lub opanować. Innym razem w poczuciu wszechwładzy lub wszechwiedzy konstruuje fantastyczne machiny, *perpetua mobilia*, albo tworzy plany światów, którymi włada lub w których przebywa. Trzeba bowiem mówić o „światach", a nie „świecie" schizofrenicznym, gdyż w odróżnieniu od naszego społecznie zaakceptowanego świata tyle jest „światów" schizofrenicznych, ilu jest schizofreników. A skoro te „światy" są projekcją własnej osobowości, to im bogatsza umysłowość, im większa fantazja, tym świat staje się bardziej niezwykły i poetycki. Choroba psychiczna nie tworzy talentu, ale może go wyzwolić, spotęgować siły twórcze, nadać piętno niepowtarzalnej oryginalności.

Można zadać pytanie, czy plastyczny obraz świata, jaki stwarza artysta w schizofrenii, a więc obraz świata jego wewnętrznych przeżyć, jest „chory", patologiczny, czy też jest on swoistym, zobiektywizowanym „portretem psychologicznym", czy twórczość jako akt spontaniczny nie jest wyrazem pozytywnych, „zdrowych" tendencji, chęcią wydobycia się z samotności autystycznych przeżyć i przekazania informacji o nich.

W. Kürbitz nazwał realizmem intelektualnym[1] sposób widzenia i odtwarzania świata przez dziecko. Ma on polegać na tym, że dziecko w swych obrazach zaznacza fakty i szczegóły, które świadomy artysta pomija zgodnie z obiektywnie spostrzeganą rzeczywistością. W rysunkach dzieci często spotyka się między innymi zjawisko „przezierania" (transparencji) niewidocznych w rzeczywistości szczegółów. Na przykład u osoby widzianej z profilu jest zaznaczona para oczu; u człowieka siedzącego w samochodzie narysowana jest również dolna połowa ciała, chociaż w rzeczywistości zasłania ją karoseria. Ten realizm intelektualny spostrzega się również w plastyce chorych na schizofrenię, przy czym odtwarzają oni własną rzeczywistość, myślą bowiem na swój sposób logicznie, interpretując racjonalnie zdarzenia rzeczywiste ze swymi urojeniami,

[1] W. Kürbitz: *Die Zeichnungen geisteskranken Personen in ihrer psychologischen Bedeutung und differentialdiagnostischen Verwertbarkeit.* „Zeitschrift für gesamte Neurologie und Psychiatrie", 1912, nr 13, str. 153.

a niezgodnie z obiektywną rzeczywistością. E. Minkowski nazwał ten sposób myślenia chorobliwym racjonalizmem (*rationalisme morbide*[1]). Łącząc termin Kürbitza (realizm intelektualny) z pojęciem stworzonym przez Minkowskiego, można by twórczość plastyczną w schizofrenii nazwać realizmem patologicznym.

Dla psychiatry niewymierzalne i nieprecyzyjne określenia psychologiczne i psychopatologiczne, którymi posługuje się w swojej pracy, są terminami tak realnymi, jak dla fizyka pojęcie ciężaru i masy. Świat nie istniejący dla zdrowych, lecz istniejący w umyśle chorego, może być dla niego bardziej realny niż derealizacyjnie przeżywana pseudorzeczywistość teatralnych pozorów.

W polskiej kazuistyce psychiatrycznej jest znana interesująca twórczość chorego na schizofrenię artysty samouka, Edmunda Monsiela, którego zbiór 553 zachowanych rysunków i szkiców, opatrzonych inskrypcjami o treści religijno-posłanniczej, może być rodzajem albumu ilustrującego plastycznie obraz schizofrenii.

Monsiel urodził się w r. 1897; zmarł w r. 1962 wskutek komplikacji pogrypowych. Miał wykształcenie podstawowe. Przed wojną prowadził niewielki sklep w prowincjonalnym miasteczku. Po wojnie pracował jako wagowy w cukrowni. Z natury był skryty, chłodny wobec otoczenia, nie przejawiał szczególnych zainteresowań, zwłaszcza w zakresie sztuk plastycznych. Zachorował psychicznie w r. 1943. Mimo że nie był osobiście zagrożony, w przekonaniu, że grozi mu aresztowanie przez Niemców, ukrywał się do końca wojny na ciemnym, nie opalanym strychu. Zmienił się wówczas, stał się dziwaczny, unikał nawet najbliższych osób, przestał dbać o siebie. Po wojnie zamieszkał samotnie. Z pracy wywiązywał się dobrze, lecz stronił od wszelkich kontaktów. Stał się przesadnie religijny. Raz tylko zwierzył się sąsiadowi, że widzi niezwykłe rzeczy, które by zadziwiły ludzkość.

Po jego śmierci okazało się, że przez ostatnie dwadzieścia lat życia czas wolny poświęcał rysowaniu, o czym nikt z otocze-

---

[1] E. Minkowski: *op. cit.*

nia nie wiedział. Rysunki te i inskrypcje[1] są reprezentatywną ilustracją kryteriów sztuki schizofrenicznej, toteż nawet bez informacji o życiu Monsiela można by na ich podstawie ustalić rozpoznanie jego choroby.

H. Rennert zalicza do formalnych kryteriów ekspresji plastycznej w schizofrenii formy dziwaczne, barokowe, manieryczne, natłok form i postaci, ścisłe wypełnienie po brzegi kompozycji (*horror vacui*), wkomponowanie w rysunek elementów pisma, stereotypie, iteracje, w postaci wypełniających całą powierzchnię obrazu powtarzających się kształtów, symboli itp., stereotypowe powtarzanie się poszczególnych motywów w całych seriach obrazów, geometryzację i schematyzację formy, dekompozycję postaci ludzkich i zwierzęcych, ornamentalne wypełnienie tła, zwielokrotnienie części ciała postaci, dziwaczne, neomorficzne monstra. Do kryteriów treściowych Rennert zalicza zamkniętą, ornamentalną kompozycję formy, np. arabeski; do szczególnie ulubionych tematów mają należeć przedstawienia magiczne i alegoryczne, o dziwacznej symbolice, zwłaszcza o tematyce religijnej i seksualnej, portrety z wyraziście zaznaczonymi oczami, uszami, rękami, elementami uwidoczniającymi poczucie zagrożenia, obserwowania z zewnątrz, psychicznego obnażenia osobowości chorego[2].

Jest pewne, że Monsiel przed zachorowaniem nigdy nie rysował ani nie interesował się sztuką. Jego pierwsze rysunki pochodzą z okresu Wielkanocy 1943 r. W rysunku opatrzonym napisem „Pan Jezus objawił się w Wielki Piątek 1943 r." można dopatrywać się z dużym prawdopodobieństwem plastycznego przedstawienia momentu olśnienia schizofrenicznego. Wyobraża on twarze wyłaniające się z desek jakiegoś oszalowania, chyba strychu, na którym Monsiel wówczas się ukrywał. Na nie-

---

[1] J. Mitarski: *Psychiatryczne aspekty twórczości Edmunda Monsiela.* W broszurze: *Świat samotnych wizji Edmunda Monsiela z Wożuczyna. Wystawa rysunków z lat 1942–1962.* Wyd. Stowarzyszenie Historyków Sztuki, Kraków 1963. — Zob. też. J. Mitarski, I. Trybowski: *Świat samotnych wizji Edmunda Monsiela z Wożuczyna. Wystawa rysunków.* Wyd. Towarzystwo Przyjaciół Sztuk Pięknych w Warszawie, Warszawa 1964.

[2] H. Rennert: *Die Merkmale schizophrener Bildnerei.* VEB G. Fischer Verlag, Jena 1962.

których z tych rysunków pojawia się jakby ukradkiem twarz diabelska. Prawdopodobnie są to wizerunki pierwszych halucynacji Monsiela. Ponieważ większość rysunków jest opatrzona datami, można śledzić ewolucję jego choroby i twórczości. Już wkrótce tragiczny spokój i chłód, bijący z wielkich, czarnych powierzchni portretów Chrystusa ustępuje dramatycznemu chaosowi poplątanych dziwaczną arabeską linii, z których tła wyłaniają się poszczególne oczy, wyszczerzone zęby, groteskowe, często groźne twarze.

Podobnie jak w halucynacjach widzianych pod wpływem delizydu, co wykazały własne doświadczenia przeprowadzone w krakowskiej Klinice Psychiatrycznej, twarze te zwielokrotniają się, formy przechodzą jedna w drugą, stają się coraz bardziej dziwaczne, odrealnione, czasem przechodzą w czystą abstrakcję. W rysunku *Kompozycja z twarzą* powstaje szczytowy chaos obłędnego widzenia, noszący piętno kosmicznej katastrofy. Nie pozostało już niemal nic z form dawnego, realnego świata.

Zasługą wielkiego i powstałego niemal natychmiast w czasie psychozy talentu artysty amatora jest fakt, że i to skrajnie chorobliwe dzieło podlega dyscyplinie twórczej. W tym okresie Monsiel nie opatruje swych rysunków napisami. Milczy, jakby brak mu było słów do opisania przerażających przeżyć, ale z obrazów tych przebija lęk i poczucie grożącej katastrofy. Z tego natłoku rozkojarzonych linii i kształtów, z tej „sałaty obrazów" (określenia tego użył H. Rennert przez analogię do „sałaty słownej"), po kilku miesiącach konkretyzuje się nowy, sztywny i niemal już niezmienny do końca twórczości obraz psychotycznego świata, w którym Monsiel znajduje ocalenie, staje się posłannikiem Boga. Role się odwróciły: świat już nie grozi jemu, to on grozi światu, obejmuje nad nim moralną władzę.

Wynika to jasno z licznych inskrypcji na rysunkach, pisanych stylem patetycznym, wzorowanym na Piśmie św.; świadczą one o urojeniach posłanniczych i wielkościowych, o dwoistości uczuciowej, przejawiającej się w doktrynerskiej miłości do ludzi i równoczesnej surowej, nie wybaczającej postawie. Monsiel jest głęboko przekonany o swoim posłannictwie i swojej wielkości, a przecież do końca życia nie zdradza przed nikim swoich urojeń i swojej twórczości. Wobec świata jest skromnym, samotnym, zaniedbanym dziwakiem, w swoim schizofrenicznym świecie jest wybrańcem Boga, który pisze dumnie: „Twórczość ma końca nie ma i nie będzie; kto pójdzie ze mną, ten szczęście zdobędzie".

W tym okresie tworzenia „nowego świata" na gruzach świata rozbitego przez psychozę, który by można nazwać światem „teomorficznym"[1], gdyż wypełnia go bez reszty bóstwo, następuje uspokojenie i konkretyzacja formy. Znikają niesamowite maski, groźnie wyszczerzone paszczęki, a jeśli się pojawiają, to jako przypomnienie niebezpieczeństwa zła, ale już jakby oswojone, podporządkowane idei wszechistniejącego Boga. Ukazują się i już pozostaną na zawsze, wypełniając szczelnie obraz niezliczonej liczby wąsatych twarzy, przenikliwie patrzących oczu i rąk wyciągniętych patetycznym gestem, wskazujących i nakazujących. Z nich są zbudowane monumentalne mimo miniaturowej techniki, postacie świętych, nimi wypełnione jest bez reszty tło, one tworzą charakterystyczny ornament ograniczający obraz. To usztywnienie form jest chyba wyrazem chęci stworzenia ładu i harmonii, rodzajem adaptacji koncepcji formalnej.

Twórczość Monsiela ma wąski zakres treści i formy. Po krótkim okresie katastroficznego przełomu osiąga swoją doskonałość i nie wykazuje dalszej ewolucji. Nie umniejsza to jednak jej wartości. Monsiel w swoim zakresie działa śmiało i pewnie, tak jak nie ma wątpliwości co do świata, który zrodził się w jego wyobraźni. Rzeczywistość była dla niego nikłym cieniem. Prawdziwe życie zaczynało się, gdy w mrocznej izdebce wysłuchiwał głosu przemawiającego Boga, ukazującego mu przedziwne wizje i nakazującego rysować i pisać w celu nawrócenia ludzkości.

Trudno mówić w odniesieniu do Monsiela o regresji, często wymienianej jako jedna z cech schizofrenicznej plastyki[2]. Wydaje się, że zbyt pochopnie wnioskuje się o niej u dyletantów, którzy zaczynają rysować dopiero w czasie choroby. Nieraz pozorna regresja może być po prostu dowodem niesprawności

[1] Termin ten utworzył, pisząc o ekspresjonizmie, W. Worringer: *Abstraction and empathy*. London, 1953.

[2] J. H. Plokker: *Artistic self-expression in mental disease*. Mouton and Co. Publ., Hague, Paris, London 1964.

technicznej i braku talentu plastycznego. U Monsiela należałoby mówić nie tylko o „progresji", lecz nawet o eksplozji uzdolnień plastycznych zrodzonych w psychozie. Jego twórczość spełniła rolę katartyczną; uwolniła go od lęku, nadała mu w jego oczach wysoką rangę społeczną.

Błędem byłoby sądzić, że rysunki Monsiela są tylko odbiciem jego schizofrenicznego świata. Nie był on bowiem jedynie chorym psychicznie, który rysuje w czasie choroby, a rysunki jego są plastycznym odbiciem przeżyć psychotycznych. Chory na schizofrenię nie dba o ład, tworzy wizję świata tak, by się zgadzała z jego doświadczeniem patologicznie zmienionym. Monsiel był chorym psychicznie samorodnym artystą. Dlatego jego rysunki, choć niesamowite i budzące niepokój, są zharmonizowane i poddane dyscyplinie twórczej. Artysta zdrowy i jego dzieło — to zjawiska odrębne, które można rozpatrywać oddzielnie. Chory psychicznie jest ściśle związany ze swą twórczością, wyraża ona bowiem bezpośrednio jego psychikę. Można ją zrozumieć w pełni dopiero poznawszy przeżycia chorego.

Wolno sądzić, że dla Monsiela jego praca artystyczna miała inne znaczenie niż dla świadomego artysty. Nie wiadomo do jakiego stopnia rozumiał on związane ze sztuką zagadnienia estetyki i warsztatu plastycznego. Jego liczne szkice dowodzą, że świadomie dokonywał on pewnych prób i poszukiwań. Impulsem do tworzenia były u niego sprawy pozaartystyczne, jego urojeniowe przekonanie, że jest posłannikiem Boga, że jego rysunki i inskrypcje nawrócą ludzkość na właściwą drogę. Te pozaartystyczne cele przywodzą na myśl sztukę prehistoryczną. Dla twórców malowideł z grot Lascaux i Altamiry głównym celem było prawdopodobnie również magiczne działanie ich sztuki.

Monsiel jest rzadkim przykładem wyzwolenia przez chorobę talentu i inspiracji twórczej, a forma i treść jego rysunków są w wielkiej mierze związane z jego patologicznym widzeniem świata. Jego dzieła, jak i prace innych uzdolnionych chorych na schizofrenię, są jak gdyby artystycznym apelem świata psychozy do ludzi zdrowych, a sugestywność tej sztuki wskazuje na fakt, że nie jest ona nam całkiem obca. Odsłania nam nie tylko ów świat, lecz także cząstkę naszego bardzo intymnego, prywatnego świata magii, absurdalnych myśli, fantazji, marzeń sennych i mechanizmów, do których niechętnie przyznajemy się nieraz wobec siebie samych.

Nietypowy obraz kliniczny

Mimo dużej różnorodności psychopatologicznej, można w przybliżeniu opisać obraz kliniczny schizofrenii. Zdarzają się jednak obrazy nietypowe, które nastręczają trudności klasyfikacyjne. Można je podzielić na pięć grup; są to: schizofrenia nawracająca, psychoza schizoafektywna, zespoły schizofrenopodobne, schizofrenia o przebiegu rzekomonerwicowym i zespoły urojeniowe (ta ostatnia grupa jest omówiona osobno).

Schizofrenia nawracająca

Schizofrenię nawracającą (*schizophrenia recurrens*) charakteryzuje występowanie w różnych odstępach czasu, niekiedy dość regularnych, krótkotrwałych epizodów psychotycznych, zazwyczaj przebiegających podobnie, najczęściej o obrazie katatonicznym, onejroidalnym lub ostrym paranoidalnym. Między epizodami psychotycznymi chory nie wykazuje objawów poschizofrenicznych zmian osobowości. Tym różni się ta forma psychozy od nawrotów schizofrenicznych, które zdarzają się w typowej schizofrenii, ale zostawiają po sobie choćby nieznaczne zmiany osobowości.

Psychoza schizoafektywna

Psychoza schizoafektywna lub mieszana (*psychosis schizoaffectiva vel mixta*) stanowi przecięcie się dwóch wielkich kręgów psychotycznych: schizofrenicznego i cyklofrenicznego. Elementy obu mieszają się ze sobą w tak różnym stopniu, że rozpoznanie stale waha się między schizofrenią a cyklofrenią.

Częstość kręgu cyklofrenicznego mącą wtręty urojeniowe. W fazie maniakalnej wzmożony nastrój chorego predysponuje niekiedy do powstawania urojeń wielkościowych. W nastroju pogodnym autoportret jest zawsze jaśniejszy: człowiek czuje się lepszy, mądrzejszy, piękniejszy, a gdy nastrój przekroczy normalne granice oscylacji i z radosnego zmieni się w maniakalny, wówczas obraz samego siebie łatwo ulega patologicznemu przejaskrawieniu, co otoczenie odbiera jako urojenia wielkościowe.

Urojenia prześladowcze tworzą się zazwyczaj w związku z oporem, jaki otoczenie stawia nadmiernej aktywności chorego. Trudności diagnostyczne powstają wówczas, gdy element urojeniowy wysuwa się na plan pierwszy i przesłania wzmożony nastrój chorego.

Dla depresji dość typowe są urojenia grzechu, unicestwienia, zagłady i katastrofy. Częściej występują one u ludzi starszych, może dlatego, że z natury skłonni są oni do robienia bilansu swego życia i rozważania nad jego nicością. Rzadziej występują urojenia prześladowcze; nawet gdy chory odczuwa rzekomo wrogi stosunek otoczenia do siebie, traktuje to jako słuszną karę. Podobnie jak w zespołach maniakalnych, przewaga elementu urojeniowego utrudnia rozpoznanie.

Obniżenie napędu ruchowego w depresji może przypominać zahamowanie katatoniczne (*stupor depressivus*), a jego wzmożenie w manii — podniecenie katatoniczne (*furor maniacalis*). Podwyższony nastrój w schizofrenii hebefrenicznej, a obniżony w schizofrenii prostej może mylić się z fazą maniakalną lub depresją cyklofrenii.

Momentem różnicującym w tych wątpliwych przypadkach jest dystans dzielący obserwatora od chorego, to co Eugeniusz Bleuler określał pojęciem syntonii — współbrzmienia. Chory z kręgu schizofrenicznego jest daleki, niezrozumiały, zaskakuje swoimi reakcjami, wskutek czego staje się dziwny lub staje się dziwaczny, gdy się do jego niezwykłości przyzwyczaimy. Chory z kręgu cyklofrenicznego jest bliski, a jego zachowanie się nie jest niezrozumiałe; łatwiej wczuć się w to, co przeżywa, nie jest więc dziwny ani dziwaczny.

Ale syntonia jest pojęciem relatywnym, zależy zarówno od obserwowanego, jak i od obserwatora. W schizofrenii może się zmniejszyć, gdy się chorego lepiej rozumie i większą się czuje do niego sympatię. Z drugiej strony w cyklofrenii syntonia może zostać zakłócona niepokojem, jaki stwarza wokół siebie chory maniakalny czy też zakłócona uporem chorego depresyjnego.

Ważną rolę w rozpoznaniu odgrywa sylwetka przedchorobowa. Przewaga syntonii (kierunku „do" otoczenia) powoduje, że nawet w schizofrenii rozszczepienie — *schizis* — między chorym a otaczającym go światem jest słabsze; chory jest bardziej syntoniczny, współbrzmi z otoczeniem, co może utrudniać rozpoznanie (odróżnienie od cyklofrenii), ale co na pewno ułatwia leczenie. Z drugiej strony przedchorobowa sylwetka schizoidalna (przewaga postawy „od" otoczenia) sprawia, że w cyklofrenii brak jest zwykłej w tej chorobie syntonii. Gdy dołączą się jeszcze elementy z kręgu schizofrenicznego — urojeniowe, katatoniczne, hebefreniczne — diagnoza różniczkowa jest naprawdę trudna.

Cyrkularny przebieg schizofrenii — nawroty bez objawów wyraźnej degradacji — stwarza dodatkową analogię z cyklofrenią.

Przedstawione trudności diagnostyczne uzasadniają słuszność stworzenia osobnego pojęcia klasyfikacyjnego w postaci psychozy z przecinających się kręgów — psychozy mieszanej lub schizoafektywnej.

Zespoły schizofrenopodobne

Schizofrenię i cyklofrenię zalicza się do tzw. psychoz endogennych (według terminologii psychiatrii języka niemieckiego) lub funkcjonalnych (według terminologii psychiatrii języka angielskiego). Oba pojęcia „wewnątrzpochodny" i „czynnościowy" wskazują na to, że etiologia choroby jest nieznana. Zdarza się jednak, że obraz schizofreniczny, podobnie zresztą jak cyklofreniczny, może wystąpić w psychozie, której przyczyna, jak się zdaje, nie ulega wątpliwości. Czasem przyczyna ta ujawnia się dopiero po dłuższej obserwacji chorego i po wykonaniu wielu nieraz badań pomocniczych, toteż początkowo psychoza jest traktowana jako schizofrenia lub cyklofrenia.

Różnorodne czynniki etiologiczne zgrupować można w trzy klasy: organiczną, padaczkową i reaktywną.

a. Organiczne

Zasadniczym kryterium klasyfikacji psychiatrycznej jest obraz psychopatologiczny; tzw. psychozy organiczne lub zespoły psychoorganiczne charakteryzują się przede wszystkim zaburzeniami pamięci, manifestującymi się ostro lub przewlekle.

Gdy psychozę o obrazie schizofrenopodobnym traktuje się jako psychozę organiczną, z kryterium psychopatologicznego przechodzi się na kryterium etiologiczne.

Nie jest to postępowanie konsekwentne, zwłaszcza że dotychczas nie wiemy, czy przyczyną psychoz endogennych nie są zmiany organiczne ośrodkowego układu nerwowego, jak zresztą wielu psychiatrów uważało i uważa. O etiologii wyraźnie organicznej można jednak mówić wówczas, gdy dostępnymi badaniami organiczne uszkodzenie mózgu uda się wykazać. Z drugiej strony opieranie się wyłącznie na obrazie psychopatologicznym może być ryzykowne. Nie tylko psychozy endogenne, lecz też nerwice mogą mieć podłoże organiczne i nieumiejętność jego wykrycia może skończyć się dla chorego fatalnie. Jako przykład mogą służyć zespoły nerwicowe w początkach choroby nowotworowej, nadczynności tarczycy, gruźlicy płuc, chorób układu krążenia, miażdżycy naczyń mózgowych, guza mózgu itp. Podobnie zespoły psychotyczne przypominające cyklofrenię czy schizofrenię mogą maskować różnego rodzaju schorzenia somatyczne, np. zapalenie mózgu, kiłę mózgową, guz mózgu, chorobę gośćcową, zatrucia wewnątrz- i zewnątrzpochodne, ostre zaburzenia hormonalne, zwłaszcza kory nadnerczy itp.

Z punktu widzenia psychiatrycznego w takich wypadkach ułatwia rozpoznanie obecność cech zespołu psychoorganicznego. Nie zawsze jednak cech tych można się doszukać. Poza tym schizofrenia o ostrym przebiegu ma wiele cech wspólnych z ostrym zespołem psychoorganicznym; w jednym i drugim przypadku na pierwszy plan wysuwa się zamącenie. Pomocą w ustaleniu właściwego rozpoznania jest dokładny wywiad od otoczenia. Należy w nim zwrócić uwagę na takie elementy, jak choroby gorączkowe poprzedzające wybuch psychozy, chorobę gośćcową, niewydolność krążenia, wątroby, nerek, robaczycę, zakażenie kiłowe, możliwość zatrucia przewlekłego czy ostrego, alkoholizm, narkomanię, uraz czaszki, zaburzenia endokrynne itd.

Już sama anamneza może skierować dalsze badania na właściwy tor, np. choroba gorączkowa o niejasnej etiologii, połączona z silnymi bólami głowy i stanami zamroczenia, nasuwa podejrzenie zapalenia mózgu. Dokładne badanie somatyczne, zwłaszcza neurologiczne, pozwala niekiedy z miejsca zmienić rozpoznanie ze schizofrenii na zespół schizofrenopodobny w przebiegu choroby organicznej, np. mowa dysartryczna, nierówność czy nieokrągłość źrenic, brak reakcji na światło każą myśleć o porażeniu postępującym; dyskretne objawy neurologiczne mogą być jedyną oznaką guza mózgu. Marskość wątroby może nasuwać podejrzenie psychozy na tle autointoksykacji, a niewydolność krążenia — na tle niedotlenienia mózgu.

Dalsze postępowanie diagnostyczne, w szczególności dobór odpowiednich badań pomocniczych, należy prowadzić po konsultacji z innymi specjalistami — internistą, neurologiem, neurochirurgiem, specjalistą w chorobach zakaźnych itd. To samo oczywiście dotyczy leczenia. Konsultacja odpowiednich specjalistów może uchronić chorego przed mylnym rozpoznaniem i niewłaściwym leczeniem, a psychiatrę — przed zbytnim doszukiwaniem się „organiki" lub przed przesadnym „psychologizowaniem".

B. Padaczkowe

Padaczka może objawić się w postaci epizodów psychotycznych, trwających od kilku minut do kilku tygodni, a nawet miesięcy. Niekiedy ich obraz kliniczny przypomina schizofrenię, zwłaszcza katatoniczną lub onejroidalną. Rozpoznanie na ogół nie jest trudne, gdy chory już przed psychozą cierpiał na ataki padaczkowe. Ataki padaczkowe mogą wystąpić w trakcie leczenia insulinowego, oczywiście nie mogą być wówczas podstawą do rozpoznania psychozy padaczkowej.

Większego, jak się zdaje, krytycyzmu wymaga interpretacja badań elektroencefalograficznych, w szczególności należy być ostrożnym w rozpoznawaniu padaczki skroniowej jedynie na podstawie obrazu elektroencefalograficznego. W przebiegu schizofrenii często obserwuje się zmiany elektroencefalograficzne, które są następstwem samego procesu chorobowego lub stosowanych metod leczniczych.

Od kilkunastu lat obserwuje się w psychiatrii duże zainteresowanie padaczką skroniową, co prawdopodobnie należy wiązać z udoskonaleniem metod diagnostycznych (elektroencefalografia). W związku z tym wielu psychiatrów rozpoznaje padaczkę skroniową tam, gdzie dawniej rozpoznaliby schizofrenię. W dyskusyjnych przypadkach trudno rzeczywiście zadecydować, które stanowisko jest słuszne. Czasem decyduje dowód *ex juvantibus*; gdy leczenie przeciwpadaczkowe okaże się skuteczne, wówczas lekarze są skłonni przyjąć rozpoznanie padaczki, a gdy nieskuteczne — skłaniają się bardziej do rozpoznania schizofrenii.

c. Reaktywne

Silny wstrząs emocjonalny może wyzwolić reakcję psychotyczną. Jej obraz niekiedy przypomina schizofrenię. Istnieją jednak pewne różnice. Przede wszystkim treść przeżyć psychotycznych w psychozie reaktywnej obraca się wokół bodźca wyzwalającego psychozę. Często też występują elementy życzeniowe, np. po stracie ukochanej osoby chory przeżywa z nią wspólne chwile lub w wypadku reakcji na uwięzienie z radością przysłuchuje się ułaskawieniu i cieszy się wolnością (obłęd ułaskawienia). Niekiedy na pierwszy plan wysuwają się cechy histeryczne. Nierzadko psychoza, która zaczęła się wyraźnie reaktywnie i miała cechy psychozy reaktywnej, przechodzi stopniowo w schizofrenię. Wstrząs emocjonalny był w tych przypadkach czynnikiem wyzwalającym schizofrenię.

Schizofrenia o przebiegu nerwicowym

W stosunkowo dużym odsetku przypadków nie można — przynajmniej z początku — ustalić rozpoznania; waha się ono między nerwicą czy zaostrzeniem psychopatii a schizofrenią. Czasem dopiero po miesiącach lub latach występują wyraźne objawy schizofreniczne, najczęściej już w postaci degradacji lub zespołów urojeniowych.

Objawy o charakterze nerwicowym czy psychopatycznym mogą być różnorodne: uporczywe skargi hipochondryczne, natręctwa, zachowanie się histeryczne, zaostrzenie się cech psychastenicznych, by wymienić częściej spotykane. Co nasuwa podejrzenie schizofrenii i mąci spokój psychiatry, że ma tylko z nerwicą czy psychopatią do czynienia? Są to zwykle wrażenia trudne do sprecyzowania; gdyby ich określenie przychodziło łatwo, nie byłoby trudności diagnostycznych. Psychiatrzy języka niemieckiego określili to odczucie schizofrenii jako *Präcox-*

gefühl. Odgrywa ono ważną rolę w codziennej diagnostyce; dzięki niemu można rozpoznać schizofrenię w pierwszym zetknięciu z chorym, nim zdąży on cokolwiek powiedzieć. Prawdopodobnie w powstaniu *Präcoxgefühl* odgrywają rolę drobne, niejednokrotnie podprogowe postrzeżenia mimiki, gestykulacji i postawy ciała chorego.

Zespoły urojeniowe

Uwagi ogólne

Zespoły urojeniowe traktuje się zazwyczaj jako odrębną od schizofrenii grupę zaburzeń psychicznych. Jest to stanowisko słuszne. Wprawdzie w zespołach urojeniowych, podobnie jak w schizofrenii, zmiana struktury świata jest istotnym elementem psychozy, to jednak zasadnicza różnica między nimi polega na tym, że w schizofrenii zmiana jest całościowa, a w zespołach urojeniowych tylko częściowa. W schizofrenii chory staje się innym człowiekiem, a w zespołach urojeniowych poza zniekształconym urojeniowo fragmentem swego świata pozostaje on tym, kim był, zachowuje swoją osobowość.

Nastawienia urojeniowe życia codziennego

Nastawienia urojeniowe spotyka się w życiu codziennym i nie traktuje się ich jako chorobowe. Znanym powszechnie zjawiskiem jest zmiana obrazu tej samej osoby pod wpływem różnorodnych uczuć; całkiem inaczej widzi ją ten, kto ją kocha, a inaczej ten, który jej się boi lub jej nienawidzi. W obu wypadkach obraz widziany daleko odbiega od rzeczywistości. Podobnie zmienia się obraz otaczającej rzeczywistości pod wpływem poczucia krzywdy, winy, zazdrości i innych utrwalonych postaw emocjonalnych. Inność widzenia świata mieści się tu jednak w granicach różnorodności dopuszczalnych w społecznie akceptowanych normach i dlatego ludzie ci nie są traktowani jako chorzy psychicznie, mimo że przypominają oni chorych urojeniowych zarówno pod względem siły i utrwalenia swych uczuć, jak też wypaczenia obrazu rzeczywistości i z powodu oporności na wszelkie próby korekty.

Również w życiu grup społecznych nastawienia urojeniowe odgrywają istotną rolę. Rola ich jest w pewnym sensie pozytywna; wzmacniają one więź grupową przez silne przeciwstawianie się temu wszystkiemu, co do grupy nie należy i przez podkreślenie charakterystycznych cech grupowych. Należą tu przekonania o misji dziejowej, o krzywdzie, o złych cechach, a nawet braku cech ludzkich u osób należących do innych grup społecznych itp. Żyjąc w danej grupie społecznej, przejmuje się jej nastawienia urojeniowe, a związana z nimi koncentracja uczuć jest nieraz tak silna, że dla przyjętej orientacji poświęca się własne życie i z poczuciem dobrze spełnionego obowiązku pozbawia się życia innych ludzi. Trwałość społecznych nastawień urojeniowych jest duża; mijają pokolenia, zmieniają się obiektywne warunki, a one pozostają nienaruszone.

Jeśli jednak uważa się człowieka wykazującego urojenia za chorego psychicznie, to przede wszystkim dlatego, że jego przekonania zbyt rażąco odbiegają od ogólnie przyjętych w danej epoce czy kręgu kulturowym i że jest nimi zbyt silnie owładnięty. Człowiek taki błądzi — stąd obłęd — i swym błądzeniem wywołuje niepokój wokół siebie. Część struktury jego świata jest bowiem rażąco odmienna od świata otaczających go ludzi.

Klasyfikacja zespołów urojeniowych

Zespoły urojeniowe można podzielić według charakteru ich struktury i tematyki. Struktura urojeniowa może być trwała lub zwiewna, uporządkowana lub chaotyczna, pojęciowa czy zmysłowa. Tematyka zespołów urojeniowych obraca się wokół spraw związanych ze stosunkiem do ludzi, do własnej roli w społeczeństwie, do życia erotycznego i do własnego ciała.

Klasyfikacja według struktury

Paranoja

Terminem paranoja określa się zespoły urojeniowe o charakterze utrwalonym, uporządkowanym, ściśle pojęciowym. System urojeniowy trwa tu niezmiennie latami, jest zwykle bogato rozbudowany i precyzyjnie logiczny. Rzadko zdarza się, by wszystkie trzy kryteria były spełnione, dlatego rozpoznanie paranoi nie jest częste. Niekiedy okazuje się, że chory przebył w młodości skok schizofreniczny i rzekoma paranoja jest stanem zejściowym, w którym utrwaliła się część chorobowego obrazu, a struktura osobowości nie uległa destrukcji.

Parafrenia

Termin parafrenia oznacza zespoły urojeniowe o utrwalonej i uporządkowanej, ale bardziej zmysłowej niż pojęciowej strukturze (zespoły urojeniowo-omamowe). Najczęściej spotyka się je u kobiet o stłumionych w ciągu życia pragnieniach seksualnych. Nawiedzają je w nocy mężczyźni, a gdy są pobożne — diabły, pieszczą je i maltretują, zmuszają do stosunków. Obraz ten nie jest regułą, tematyka może być rozmaita, parafrenia występuje też u mężczyzn. Charakterystyczna jest obecność omamów i iluzji. Przy tym częściej niż w schizofrenii spotyka się omamy dotykowe i somatyczne, tj. pochodzące z wnętrza ciała.

Podobnie jak paranoja, parafrenia może być stanem zejściowym lub nawrotem schizofrenii.

W myśl obowiązującej terminologii przez urojenie rozumie się zmienioną patologicznie strukturę pojęciową. Często jednak patologiczna zmiana widzenia rzeczywistości obejmuje też sferę zmysłową. Urojenia wówczas łączą się z iluzjami (gdy wytworzony obraz zmysłowy ma jakiś związek z rzeczywistością, np. hałas uliczny jest przekształcony w głosy ludzkie), i omamami, czyli halucynacjami, gdy tego związku nie można wykazać (obraz zmysłowy powstaje bez bodźca zewnętrznego).

Zniekształcenie zmysłowego obrazu rzeczywistości występuje pod wpływem silnych napięć uczuciowych i nie jest samo dowodem choroby psychicznej. Może też ono wystąpić w stanach zamącenia świadomości, na pograniczu snu i czuwania, przy pozbawieniu snu, w zmęczeniu, w długotrwałej izolacji, pod wpływem niektórych środków chemicznych (np. delizyd, psilocybina, meskalina, haszysz, kokaina, atropina). Zniekształcenie obrazu rzeczywistości występuje też przy niedostatecznym dopływie sygnałów z zewnątrz, np. na obwodzie pola widzenia.

Reakcje urojeniowe

Zespoły urojeniowe o charakterze słabiej utrwalonym i mniej usystematyzowanym są dość często reakcją na sytuację dla chorego zbyt trudną. Trudność sytuacji może wynikać z zagrożenia, z poczucia krzywdy lub winy i z niemożności zrozumienia aktualnej sytuacji.

Poczucie zagrożenia

W wypadku zagrożenia chory nie czuje się bezpiecznie w swoim środowisku. Niebezpieczeństwo może być rzeczywiste, zespół urojeniowy polega wówczas na wyolbrzymianiu istniejącego zagrożenia. Sytuacja tego typu zdarza się u prześladowanych grup społecznych, w czasach niepewnych, o atmosferze wrogości i nieufności, u osób, które z powodu swych przekonań czy swej przeszłości muszą się ukrywać i maskować.

Zagrożenie może być urojone. Wówczas lęk przed otoczeniem nie jest uzasadniony obiektywną sytuacją, a wynika z wewnętrznej postawy danej osoby. Uwydatnia się tu urojeniowa projekcja, freudowskie[1] równanie: „ja nienawidzę — on mnie nienawidzi". W życiu społecznym tego typu przykłady można spotkać u wyizolowanych, np. mniejszościowych grup społecznych. Członkowie takich grup, choć nie zagraża im żadne realne niebezpieczeństwo, są przekonani o jego istnieniu. Urojeni prześladowcy spełniają rolę zwierciadła, które odbija uczucia zawiści i nienawiści prześladowanych.

W życiu indywidualnym tego typu sytuację spotyka się najczęściej we wzajemnych stosunkach zależności, tzn. gdy płaszczyzna kontaktu między ludźmi jest pochyła. Patrząc do góry, wyolbrzymia się daną postać, cofa się do sytuacji dziecka, które jest skazane na taki kąt widzenia, zniekształcający obraz dorosłych. Człowiek widziany od dołu, staje się wyższy, potężniejszy, mądrzejszy, wymaga się od niego absolutnej sprawiedliwoś-

---

[1] Z poglądami Freuda można się zapoznać w polskim wydaniu: Z. Freud: *Wstęp do psychoanalizy*. Książka i Wiedza, Warszawa 1957. — Tegoż autora: *Człowiek, religia, kultura*. Książka i Wiedza, Warszawa 1967.

ci, troski i opieki. Gdy pokładane nadzieje zawiodą, a muszą zawieść, rodzi się poczucie krzywdy i buntu.

Wrogie uczucie do tego, kto jest wyższy, a więc według modelu dziecięcego spojrzenia na świat jest postacią obdarzoną atrybutami ojca, budzi poczucie winy, a to z kolei jeszcze większy bunt i agresję. Powstaje nerwicowe błędne koło. Nastawienie urojeniowe powstaje w momencie włączenia mechanizmu projekcji. Własne negatywne uczucia, skierowane do drugiego człowieka, stają się tak integralną częścią jego obrazu, że ktoś zupełnie niewinnie może stać się groźnym prześladowcą.

Patrząc w dół, dostaje się zawrotu głowy, nie ma się o kogo oprzeć, odczuwa się własną samotność i ciężar odpowiedzialności za tych, którzy są niżej. W tej sytuacji też łatwo rodzi się poczucie winy i krzywdy; winy, że z konieczności nieraz musi się krzywdzić zależnych od siebie, a krzywdy, że oni nie są wdzięczni za otaczanie ich opieką i nie robią tego, czego się od nich oczekuje. Nerwicowe błędne koło, napędzane poczuciem winy i krzywdy, wytwarza coraz silniejszy ładunek uczuć negatywnych w stosunku do osób zależnych. Łatwo też dochodzi do urojeniowej projekcji. „Maluczcy", obdarzeni tak silnym ładunkiem emocjonalnym, zaczynają rosnąć w oczach tego, który dotychczas patrzył na nich z góry, tym samym stają się dla niego groźni, mogą go zniszczyć. W płaszczyźnie więc pochyłej kontaktu z ludźmi, zarówno w pozycji górnej, jak i dolnej, tkwi niebezpieczeństwo nastawienia urojeniowego. Obie pozycje w podobny sposób — przez stadium nerwicowego błędnego koła poczucia winy i krzywdy i projekcję uczuć negatywnych — mogą doprowadzić do urojeniowego poczucia zagrożenia.

Poczucie winy i krzywdy

Poczucie winy przemienia otoczenie społeczne w surowego sędziego. Obserwuje się przy tym zjawisko generalizacji. Sędzią jest początkowo tylko jedna postać, ważna w życiu jednostki, np. ojciec, matka. Władza sędziowska przechodzi jednak rychło na inne osoby, przy czym władza ta może być rzeczywista, np. nauczyciela w szkole czy lidera w grupie zabawowej, lub może wynikać tylko z nawyku patrzenia w górę. W tym ostatnim wypadku każdy z otoczenia danej jednostki ma szansę stać się jej sędzią. Każdy jej krok, gest, słowo są bacznie obserwowane i osądzane. Osądzane są też myśli i uczucia. Człowiek taki czuje spojrzenia innych na sobie, jest jak pod pręgierzem, stale skrępowany. Boi się on swego otoczenia, chciałby zniknąć, zapaść się pod ziemię. Czasem buntuje się, staje się agresywny w stosunku do prześladujących go sędziów, ale bunt rodzi jeszcze większe poczucie winy, ostrze agresji zwraca się niejednokrotnie przeciw niemu samemu. Jedynym wyjściem jest wówczas samobójstwo.

Poczucie winy może działać w sposób bardziej zakamuflowany; chory nie zdaje sobie sprawy z winy, stoi tylko wobec faktu (faktu subiektywnego, a nie obiektywnego) kary lub zemsty otoczenia czy też losu. Nie wie, dlaczego jest prześladowany lub dotknięty ciężką chorobą (urojenia hipochondryczne) itp. Dopiero dokładniejsza analiza jego przeżyć pozwala odkryć poczucie winy tkwiące u źródeł systemu urojeniowego.

Poczucie krzywdy różni się od poczucia winy brakiem akceptacji wyroku otoczenia. Człowiek czuje się pokrzywdzony niesprawiedliwością ludzi lub losu i przeciw niej się buntuje. U podłoża tego nerwicującego uczucia tkwi wiara w sprawiedliwość, pojęta raczej dziecinnie, w postaci świata sprawiedliwego, dobrego i opiekuńczego. Sam fakt, że rzeczywistość jest inna, że nie można przejść przez życie, nie krzywdząc i nie będąc krzywdzonym, budzi agresję w stosunku do świata, a w szczególności do tych, którzy w opinii danej osoby są odpowiedzialni za niesprawiedliwość, jaka ją spotyka. Projekcja uczuć negatywnych przekształca obraz otoczenia społecznego w sędziów, prześladowców groźnych i perfidnych, z którymi jednak trzeba walczyć aż do zwycięstwa. Walka ta staje się celem życia chorego. Stąd stare psychiatryczne określenie *persécuteur persécute* („prześladowany prześladowca").

U podłoża poczucia winy i poczucia krzywdy tkwi więc dążenie do sprawiedliwości, w jednym przypadku wyrok akceptuje się, w drugim zaś z nim się walczy. Często zresztą oba kompleksy winy i krzywdy mieszają się ze sobą. W zespołach urojeniowych jest coś z atmosfery procesu sądowego. Każde słowo i każdy gest się liczy. Decydują tylko fakty i dowody rzeczowe, przedstawiane z drobiazgową dokładnością budzącą podziw dla spostrzegawczości i pamięci chorego.

Niemożność zrozumienia

Ciemność budzi lęk. Ciemna przestrzeń łatwo zapełnia się tworami fantazji. Na obwodzie pola widzenia, gdzie kontury i barwy widzianych przedmiotów zacierają się, obraz rzeczywistości nieraz ulega zniekształceniu. Ten zacieniony obwód jasnego pola widzenia jest źródłem niepokoju, który zmusza do nastawienia oczu w ten sposób, by to, co niejasne, znalazło się w centrum pola widzenia i tym samym zmieniło się w jasne. Pole widzenia jest zawsze zapełnione — nie ma w nim białych plam, mimo że *de facto* powinny one istnieć. Nie pozostawia po sobie pustej plamy niewrażliwe pole siatkówki (plamka ślepa), ani nie przeszkadzają w percepcji konturu puste odcinki linii przerywanej. Można by powiedzieć, że układ nerwowy stosuje metodę interpolacji — przez przestrzeń pustą przebiega linia łącząca dwa znane punkty. Zasada ta zdaje się ogólnie obowiązywać, dzięki niej jest zachowana ciągłość własnego świata, składającego się z poszczególnych przeżyć, jak z punktów na olbrzymim wykresie.

Im na wykresie interpolacyjnym punkty pomiarowe są gęściej rozmieszczone, tym większe prawdopodobieństwo, że wykres odpowiada stanowi faktycznemu. Z drugiej jednak strony, gdy punktów tych jest zbyt wiele, linia interpolacyjna przebiega zygzakowato i trudno uchwycić jej zasadniczy kierunek.

Analogicznie sprawa przedstawia się z tworzącym się obrazem rzeczywistości. Gdy danych jest niewiele, powstały obraz nie zawsze odpowiada prawdzie. Na podstawie kilku informacji urabia się o kimś czy o czymś opinię często fałszywą i dopiero więcej wiadomości pozwala na jej skorygowanie. Natomiast nadmiar informacji stwarza poczucie chaosu. Nie można zorientować się w całości sytuacji, staje się ona niezrozumiała, męcząca i niepokojąca. Chaotyczna rzeczywistość wywołuje irytację lub znużenie; zamiast przyciągać, odpycha. Gotowy system pojęć, ocen, skal wartości itp., dostarczany człowiekowi przez jego społeczne otoczenie od najwcześniejszego okresu życia, ułatwia mu orientację w otaczającym świecie i w swoisty sposób porządkuje chaos docierających do niego sygnałów. Nawet doznania zmysłowe kształtują się według schematu pojęciowego (starsze dziecko nie rysuje już tego, co widzi, ale co jest nauczone widzieć w danym przedmiocie); dopiero trzeba geniuszu artysty, by z tego schematu się wyłamać.

Porównuje się życie do podróży w nieznane. Podróż taka budzi ciekawość i niepokój. Człowiek stara się do niej przygotować — przegląda mapy i przewodniki, snuje też własne marzenia na jej temat. W czasie podróży dochodzi do konfrontacji — stworzonego na podstawie różnych pomocy i własnej fantazji — obrazu przyszłości z aktualną rzeczywistością. Analogicznie w życiu: przyszłość budzi niepokój, ale też ciekawość; stwarza się jej obraz na podstawie danych uzyskanych od społecznego otoczenia i wzbogaconych własną fantazją. Kontakt z rzeczywistością wpływa stale na korekcję tego obrazu, nieraz nader boleśnie. W ten sposób jednak aktualna rzeczywistość nie trafia na pustą przestrzeń, ale na swój własny obraz, jaki człowiek o niej zawczasu sobie wytwarza. Preformowany obraz może przesłonić aktualną rzeczywistość; człowiek widzi w niej to, co chce widzieć i czego widzieć go nauczono. Mówi się wówczas o przesądach, gdy chodzi o grupę społeczną, lub o katatymnym, tzn. silnie uczuciowo podbarwionym nastawieniu, gdy chodzi o jednostkę. Z powodu zdeformowania interpretacji rzeczywistości, wynikającego z ufiksowanych nastawień emocjonalnych, przesądy są pokrewne urojeniom. W przeciwieństwie do urojeń są jednak one jeszcze społecznie zaakceptowane.

W genezie każdego urojenia odgrywa rolę niemożność zrozumienia otaczającej rzeczywistości i związane z tym uczucie lęku przed nieznanym. Dzięki urojeniu rzeczywistość z powrotem staje się jasna, lęk przed nieznanym maleje. Uczucie olśnienia, które zwykle towarzyszy krystalizowaniu się urojenia, jest uczuciem ulgi, że otaczająca ciemność została rozjaśniona, a także zachwytu nad nowym obrazem rzeczywistości. Jak się zdaje, moment niemożności zrozumienia występuje jednak szczególnie wyraźnie w urojeniach hipochondrycznych, zazdrości, w urojeniach u ludzi głuchych, ociężałych umysłowo, u obcokrajowców.

W urojeniach hipochondrycznych niewiadomą jest własne ciało. Obraz percepcyjny powierzchni własnego ciała w porównaniu z obrazem otaczającego świata jest ubogi, a wnętrza ciała — prawie pusty, wypełniony nikłymi wiadomościami z anatomii i fizjologii. Łatwo więc pod wpływem błahej nawet, ale budzącej niepokój dolegliwości puste miejsce zapełnia się groźnymi tworami, które zależnie od panującej mody na najgroźniejszą chorobę mogą być trądem, kiłą, rakiem, zawałem serca itd.

Granica między skargami a urojeniami hipochondrycznymi nie jest ostra. Każda dolegliwość cielesna budzi niepokój co do jej przyczyny — ból głowy może oznaczać guz mózgu, ból serca — zawał, ból brzucha — raka itp. W urojeniu hipochondrycznym niepewność odnośnie do przyczyny dolegliwości zostaje zastąpiona pewnością. Chory jest przekonany, że ma raka, zawał, kiłę itp. Związany z niepewnością niepokój zmniejsza się, dzięki czemu słabnie napięcie układu wegetatywnego, a tym samym maleją dolegliwości, których to napięcie jest główną przyczyną. W nerwicowych skargach hipochondrycznych na pierwszy plan wysuwają się dolegliwości i niepokój co do ich przyczyny, a w urojeniach hipochondrycznych interpretacja tychże dolegliwości.

W urojeniach zazdrości[1] (zazdrość patologiczna, kompleks Otella) niewiadomą jest partner seksualny. Mimo że żyje się z nim blisko, nie wie się, jaki on jest naprawdę. W dążeniu seksualnym obok potrzeby zaspokojenia popędu istnieje chęć duchowego złączenia się, wejścia w sferę intymności drugiego człowieka. Ta chęć zmniejszenia dystansu, jaki dzieli ludzi normalnie, zobaczenia drugiego z bliska, bez maski, jest jednym z motywów związków erotycznych. Niestety, zmniejszenie dystansu fizycznego między dwojgiem ludzi nie zawsze jest równoznaczne ze zmniejszeniem dystansu psychicznego. A nawet trudniej jest poznać człowieka w zbyt dużym zbliżeniu niż z pewnego dystansu. Analogicznie przy oglądaniu obrazu ze zbyt bliskiej odległości widzi się szczegóły, a nie widzi się całości. Szczegóły te mogą być miłe lub przykre, zależnie od własnego nastawienia uczuciowego. Zbliżenie fizyczne nie zawsze więc zaspokaja tęsknotę za pełnym złączeniem się z partnerem erotycznym; często pozostaje on nadal tajemniczy i niezrozumiały. Nie można tu się posłużyć skalą porównawczą, jak w stosunkach z innymi ludźmi, zbliżenie bowiem jest zbyt duże. Co więcej, kontakt seksualny aktywuje nagromadzone we wczesnych okre-

[1] Zob. M. Dominiak: *Pathologic jealousy in delusional syndromes*. „Acta Medica Polona", 1970, nr 3, str. 267–280.

sach rozwoju lęki wokół tajemnicy płci przeciwnej i rzutuje je na osobę partnera. Urojenia zazdrości znacznie częściej występują u mężczyzn niż u kobiet; przemawiać by to mogło za tym, że kobiety mniej są skłonne do demonizowania spraw płci i łatwiej potrafią ujrzeć realnie drugiego człowieka w tak bliskim zbliżeniu, jakim jest związek erotyczny.

Głuchota, nieznajomość języka otoczenia, mniejsza sprawność intelektualna sprzyjają tworzeniu się nastawień urojeniowych. Człowiek taki nie rozumie swego otoczenia, czuje się od niego gorszy, ma wrażenie, że otaczający go ludzie patrzą na niego z góry, krytykują go, coś o nim mówią, czego nie jest w stanie zrozumieć. Nie rozumie ich, toteż się ich boi. W atmosferze lęku łatwo tworzą się urojeniowe obrazy.

Urojeniowy rozwój osobowości

U niektórych osób obserwuje się psychopatyczną skłonność do nastawień i reakcji urojeniowych. Wystarczy błahy powód — drobne niepowodzenie życiowe, nieprzychylność otoczenia, przejściowe obniżenie nastroju itp. — by widzieli oni wokół siebie wrogów czyhających na pośliźnięcie. Niekiedy zwiewne nastawienia i reakcje urojeniowe ulegają utrwaleniu i systematyzacji. Nieokreśleni wrogowie zmieniają się w określoną klikę, konsekwentnie zmierzającą do swego celu, tj. zniszczenia danej osoby. Tendencja do urojeniowej interpretacji otaczającego świata zazwyczaj pojawia się wcześnie i z wiekiem zwykle się nasila. Gdy zwiewne nastawienia urojeniowe utrwalą się i usystematyzują, mówi się wówczas o paranoidalnym rozwoju osobowości.

Wśród osób skłonnych do urojeniowej interpretacji otoczenia, można, jak się zdaje, rozróżnić dwa przeciwstawne typy osobowości — nieufnych i dziecinnie ufnych.

Dla pierwszych obraz otoczenia społecznego od najmłodszych lat kształtuje się według dewizy *homo homini lupus est.* Dewiza ta nie sprzyja ufnemu nastawieniu do ludzi i łatwość urojeniowych interpretacji jest przy takim nastawieniu zrozumiała. Dla drugich obraz otoczenia społecznego zatrzymuje się jakby na wczesnej fazie swego rozwoju, gdy otoczenie to składa się wyłącznie z grupy rodzinnej. Szukają oni w każdym rodzicielskiej opieki i życzliwości, z łatwością otwierają przed każdym swe serce. Nic więc dziwnego, że wciąż są narażeni na rozczarowania, które wywołują zmianę znaku uczuć żywionych do otoczenia społecznego. Zawiedzione uczucia łatwo prowadzą do urojeniowego zniekształcenia obrazu rzeczywistości.

Klasyfikacja według tematyki

Stosunek do ludzi

Urojenia odnoszenia (ksobne)

Chory czuje się centralną postacią w otaczającym go świecie społecznym. Oczy wszystkich są na niego zwrócone, wszyscy o nim mówią, wszystko do niego się odnosi (stąd urojenia odnoszenia), nie ma faktu, który by w jakiś sposób go nie dotyczył. W urojeniach odnoszenia dwa normalne zjawiska ulegają patologicznemu wyolbrzymieniu: egocentryczna struktura świata i społeczne zwierciadło. Każdy przeżywa otaczający świat w odniesieniu do siebie; jest punktem centralnym tego, co wokół się dzieje. Każdy też we własnym odczuciu znajduje się pod stałą kontrolą otoczenia społecznego, jest przez ludzi obserwowany i oceniany i sam stara się widzieć siebie oczyma innych („co o mnie ludzie pomyślą"). Patologiczne wyolbrzymienie obu zjawisk polega na znacznym skróceniu perspektywy; zwierciadło społeczne staje się zbyt bliskie — każdy z otoczenia staje się obserwatorem, świat otaczający przybliża się i zagęszcza, tak że centralny punkt odniesienia, „ja", jest przytłoczony napierającym nań światem społecznym, a samo „ja" pęcznieje.

Takie skrócenie perspektywy zniekształca obraz świata, a przeżywającemu go odbiera swobodę ruchów. Świat zmienia się dla niego w teatr jednego aktora. Jest on stale pod obserwacją swej widowni. Trudno w tej roli czuć się dobrze. Czasem wprawdzie ma on wrażenie, że ludzie patrzą na niego z podziwem, częściej jednak spojrzenia są krytyczne lub wręcz wrogie.

Zwiewne nastawienia urojeniowe tego typu zdarzają się u psychasteników i histeryków, tj. u osób mających stale kłopoty z własnym obrazem siebie i odczuwaniem zwierciadła społecznego, dość częste są w wieku młodzieńczym, u nieśmiałych dziewcząt i chłopców, których nęka pytanie „jaki ja jestem naprawdę?” W ostrzejszej formie urojenia takie zwiastują często początek schizofrenii.

Urojenia prześladowcze

Otaczający świat społeczny staje się tu nienawistny, wrogi, zagraża zniszczeniem. Zależnie od stopnia utrwalenia i systematyzacji urojeń organizują się otaczający, źli ludzie w spiski i kliki, a ich sposoby śledzenia i zniszczenia — w aparaty podsłuchowe, aparaty wysyłające śmiercionośne promienie, w trucizny dosypywane przemyślnie do jedzenia lub rozpylane w powietrzu itp.

Rzadko nastawienie urojeniowe obejmuje wszystkich ludzi. Zwykle zostają oni podzieleni na złych i dobrych. Dobrym chory ufa, złych boi się i nienawidzi ich. Nie ma obojętnych ani „letnich” — trochę złych, a trochę dobrych. Podobnie w czasie wojny zaostrza się kontrastowość kolorytu świata społecznego przez polaryzację do koloru wrogów i sojuszników.

Urojenia prześladowcze stanowią chyba najczęstszą postać urojeń; spotkać je można w każdej psychozie, a przelotne nastawienia urojeniowe — w nerwicach i psychopatiach.

Urojenia pieniacze

Dla pieniaczy (kwerulantów) otaczający świat ludzki jest też wrogi, ale nie w tym stopniu groźny, by nie móc podjąć walki o swoje prawa, o rekompensatę swej krzywdy. Poczucie krzywdy jest tu bowiem dominującym uczuciem, a wiara w swą misję walki o sprawiedliwość — ideą nadwartościową. Dla niej gotowi są poświęcić wszystko, swój czas, swoje zdrowie i pieniądze. Ich dewizą jest *pereat mundus, fiat iustitia.* Dlatego równie dobrze ten typ urojeń można zaliczyć do następnej grupy (stosunek do własnej roli społecznej). Chorzy tacy są postrachem władz wymiaru sprawiedliwości, a także instytucji społecznych i redakcji. Akta ich spraw sądowych rosną w grube tomy. Potrafią dotrzeć do wysoko postawionych osób, czasem wokół swej sprawy narobić szumu na cały kraj. Gdy uda się im zwyciężyć, wkrótce nowa krzywda mobilizuje ich do walki o sprawiedliwość.

Urojenia grzeszności

W zespole urojeń grzeszności wszyscy wokół są lepsi, szlachetniejsi, bez grzechu. Chory ciężarem patologicznie wybujałego poczucia winy żąda od otoczenia społecznego tylko kary za swe grzechy. Jest tu też dążenie do sprawiedliwości, ale potępiającej. W szukaniu absolutnej sprawiedliwości można się dopatrzyć dziecinnego i wczesnomłodzieńczego widzenia ludzi dorosłych jako doskonale sprawiedliwych. Urojenia grzeszności występują najczęściej w depresjach, zwłaszcza inwolucyjnych, czasem w schizofrenii i psychozach starczych. Wiążą się zawsze z obniżeniem nastroju.

Stosunek do własnej roli społecznej

Poczucie własnej roli w społeczeństwie i zadania, jakie ma się w nim spełnić, jest jednym z najbardziej istotnych elementów w kształtowaniu się osobowości. Jest to również moment patogenny — wyzwalający duże rozgoryczenie — niezadowolenie z siebie i ze świata, w którym się żyje, doprowadzający niejednokrotnie do reakcji nerwicowych czy psychotycznych.

Urojenia wielkościowe i posłannicze

W urojeniach wielkościowych czy posłanniczych, na tej samej zasadzie — skróconej perspektywy — własna rola społeczna urasta do karykaturalnych rozmiarów. W przeciwieństwie do urojeń prześladowczych samopoczucie jest tu wzmożone. Dlatego najczęściej tego typu urojenia spotyka się w zespołach chorobowych przebiegających z podwyższeniem nastroju, a więc w maniakalnej i hipomaniakalnej postaci cyklofrenii, w schizofrenicznym olśnieniu, rzadziej w postaci hebefrenicznej i w drugiej lub trzeciej fazie schizofrenii, w przewlekłych zespołach psychoorganicznych, połączonych z euforią (wzmożone samopoczucie).

U każdego człowieka występuje oscylowanie poczucia własnej roli i misji, zależnie od nastroju. Patologia zaczyna się wtedy, gdy skryte marzenia ambicjonalne znajdują ujście w ich realizacji, która oczywiście nie odpowiada sytuacji rzeczywistej i wzbudza tylko śmiech otoczenia (ośmieszenie jest tu karą, jaką stosuje grupa w stosunku do tego, który chce się nad innych wywyższyć). Na taką realizację można sobie pozwolić, gdy osłabną hamulce społeczne, np. w zespołach psychoorganicznych ostrych i przewlekłych, a także w zwykłym zatruciu alkoholem (pijackie: „czy pan wie, kto ja jestem?") tudzież gdy napęd i wzmożone samopoczucie powodują unieruchomienie wszystkich hamulców (w zespołach maniakalnych) oraz gdy poczucie własnej roli i misji jest tak silne i tak utrwalone, że znika lęk przed ośmieszeniem (w schizofreniach i w utrwalonych zespołach paranoidalnych).

Charakter misji może być patriotyczny, religijny, polityczny, naukowy, artystyczny itp. Chory gotów jest czasem poświęcić dla niej swe życie. Jego celem życia staje się zmiana świata na lepszy, uszczęśliwienie ludzkości. Niekiedy jego stosunek do ludzi zmienia się na pogardliwy lub wrogi. Chory jest przeświadczony, że nie rozumieją go i przeszkadzają mu w realizacji wielkiej w jego pojęciu misji. Absurdalność i wynikający z niej komizm — zarówno misji, jak i roli (przysłowiowy Napoleon) — wskazuje najczęściej na otępienie organiczne, rzadziej na degradację schizofreniczną.

Urojenia wynalazcze

W urojeniach wynalazczych lub raczej twórczościowych — bo nie tylko do wynalazków się ograniczają — misja chorego polega na stworzeniu wielkiego dzieła, które go wsławi, a ludzi uszczęśliwi. W urojeniach wynalazczych, podobnie jak w posłanniczych, realizują się sny i marzenia lat dziecinnych i wczesnomłodzieńczych. Są to dzieła epokowe, o których ludzkość marzyła — *perpetuum mobile*, jakiś uniwersalny lek, środek odmładzający, idealny system filozoficzny lub polityczny, rozwiązujący wszystkie konflikty i problemy, także dzieła sztuki, które są kwintesencją piękna itd. Podobnie jak w urojeniach pieniaczych dla uzyskania sprawiedliwości, tak tu dla dokonania swego dzieła chory gotów poświęcić wszystko. Pracuje bez wytchnienia, czasem po kilkanaście godzin dziennie, zaniedbuje dom i rodzinę, nie dba o swoje sprawy życiowe. Zwykle zazdrośnie chowa powstające dzieło przed oczami ludzkimi. Niekiedy dopiero po śmierci zostaje ono odkryte. Przeważnie są to prace bez większej wartości naukowej czy artystycznej. Należy jednak ocenić trud w nie włożony; czasem trafić się może oryginalny pomysł, nowe spojrzenie na rzeczywistość, precyzja lub duży artyzm wykonania.

Urojenia nicości

Urojenia nicości (nihilistyczne) są antytezą urojeń wielkościowych. Chory uważa się za najgorszego ze wszystkich, za zakałę społeczeństwa, za proch i nicość. Poczucie nicości przenosi się czasem na własne ciało: narządy wewnętrzne przestają działać, gniją, ciało od środka zamienia się w próchno. Poczucie nicości może się przenieść na świat otaczający: staje się on wypalonym pustkowiem (urojenia katastroficzne). Negatywne nastawienie uczuciowe do samego siebie, które zdarza się u każdego i przejawia się w poczuciu niższości czy winy, osiąga tu urojeniową postać samounicestwienia. Rzutować się ona może na własne ciało i na cały świat — w myśl powiedzenia *après nous le déluge* (po nas choćby potop).

Tego typu urojenia, jak łatwo się domyślić, towarzyszą głębokim stanom obniżenia nastroju, najczęściej w depresjach starczych czy inwolucyjnych, w ciężkich depresjach endogennych, czasem w schizofrenii.

Urojenia katastroficzne

W urojeniach katastroficznych świat otaczający ulega zagładzie. Światem tym może być najbliższe otoczenie: dom, rodzina, lub otoczenie dalsze: kraj, krąg kulturowy, w którym się żyje, wreszcie kula ziemska i cały kosmos, zależnie od tego, jak daleko sięgają granice świata. W przekonaniu chorego zrujnowana jest rodzina, wszyscy umrą z głodu lub z powodu strasznych chorób; jedynym ratunkiem dla chorego i jego najbliższych jest śmierć. Niekiedy zabija on osoby, które najbardziej kocha i sam odbiera sobie życie[1]. W takiej urojeniowej ocenie kraj jest na krawędzi katastrofy: zniszczy go wojna lub żywiołowa klęska. Kulturze grozi zagłada, zalew barbarzyństwa. Kula ziemska rozpadnie się od wybuchu wojny atomowej, koniec świata jest bliski.

W schizofrenii przekonanie o nadchodzącej katastrofie obejmuje zwykle szerszy krąg świata, a w depresjach endogennych lub inwolucyjnych bliższy (dom, rodzina).

W chwilach przygnębienia czy rozdrażnienia takie myśli nachodzą nie tylko psychicznie chorych, nie mają one jednak urojeniowej dynamiki uczuciowej i urojeniowego utrwalenia. Urojenia tego typu wynikają przede wszystkim z depresyjnego widzenia przyszłości w czarnych kolorach. Lecz prócz tego jest w nich ukryta tendencja niszczenia.

Radość twórczości ma przeciwwagę w radości niszczenia. Obie tendencje znajdują swój krańcowy wyraz w omówionych zespołach urojeniowych (posłanniczych i wynalazczych, nihilistycznych i katastroficznych). Chory jest tu apostołem katastrofy, a jego misją jest ostrzec przed nią swe otoczenie, by „oczy ich stały się otwarte".

Stosunek do życia erotycznego

Urojenia związane z życiem erotycznym należą wprawdzie do poprzedniej grupy, ale ze względu na swoistość tego związku między ludźmi omawia się je osobno.

Urojenia miłości

W urojeniach miłości spełnia się pragnienie, by być kochanym. Chorej (częściej spotyka się te urojenia u kobiet) wydaje się, że jest przedmiotem gorącej miłości i uwielbienia. Każde

[1] Charakterystyczny opis takiego rozszerzonego samobójstwa podał za Kretschmerem (*Körperbau und Charakter*, Berlin 1942, str. 256) K. Spett w cytowanej uprzednio książce pt. *Psychiatria w procesie karnym*, str. 306–307.

słowo czy gest, choćby najobojętniejsze, odczytuje ona jako wyraz uczucia ze strony rzekomego ukochanego. Gdy takiej osoby nie ma, usiłuje przełamać rzekomą nieśmiałość „kochanka" mniej lub więcej prowokacyjnymi zalotami. Niekiedy pragnienia zbliżenia erotycznego pokryte są warstwą negatywnego stosunku uczuciowego do przedmiotu pożądania. Wówczas on staje się stroną atakującą: patrzy na nią pożądliwie, robi dwuznaczne uwagi, a nawet, jak już wspomniano, omawiając parafrenię, próbuje ją zgwałcić. Pragnienie partnera seksualnego może z jednego mężczyzny rozproszyć się na wielu. Wówczas prawie każdy mężczyzna jest potencjalnym adoratorem, kochankiem czy gwałcicielem.

Elementem istotnym w urojeniach tego typu jest spełnienie własnego pragnienia. Projekcja urojeniowa polega tu na rzutowaniu swego marzenia w świat rzeczywisty. Jest to krok dalej od marzenia na jawie. Momentu życzeniowego można dopatrzyć się w każdym urojeniu — nawet w tych wypadkach, gdy chory widzi kompletną zagładę siebie i otaczającego świata. Realizują się wówczas jego negatywne uczucia w stosunku do siebie i otoczenia.

Urojenia ciąży

Wyraźnie życzeniowy charakter mają urojenia związane z macierzyństwem, są to urojenia ciąży i „cudownego dziecka". Urojenia ciąży należy odróżnić od ciąży histerycznej. W ciąży urojeniowej obraz przyszłości: ciąża, której się pragnie lub której się obawia — zwykle jedno i drugie — realizuje się w sferze pojęciowej lub pojęciowo-zmysłowej. W tym ostatnim wypadku prócz przekonania o ciąży występują odpowiednie sensacje: wrażenie ruchów dziecka, zmiany kształtów ciała i tym podobne omamy somatyczne. Istotnym objawem pozostaje projekcja urojeniowa: rzutowanie tego, co wewnątrz — swych marzeń, obaw itd. — na zewnątrz: w świat rzeczywisty. W zasadzie obraz pozostaje obrazem, zmienia się tylko stopień odczuwania jego rzeczywistości.

Natomiast w ciąży histerycznej chora może nawet nie zdawać sobie sprawy ze swego stanu, a mieć objawy ciążowe:

wstrzymanie miesiączek, powiększenie piersi, brzucha, wydalanie siary itp. I dopiero te objawy utwierdzają ją w przekonaniu, że jest w ciąży. Istotnym objawem jest tu konwersja histeryczna. Świat wewnętrznych uczuć, marzeń, myśli, planów rzutuje się tu we własne ciało, a nie w świat zewnętrzny pojęciowo-zmysłowy. Obraz świata pozostaje ten sam, zmienia się tylko ciało. Nawet obraz ciała zmienionego na skutek histerycznej konwersji może przez pewien czas pozostać ten sam. Zmienia się dopiero pod wpływem zauważonych objawów cielesnych.

Urojenia „cudownego dziecka"

Normalne uczucia macierzyńskiej dumy i marzenia o szczęśliwej i świetnej przyszłości dziecka przybierają groteskową postać urojeń „cudownego dziecka". Są to jakby urojenia wielkościowe przeniesione na dziecko. Krytyczne nastawienie otoczenia wywołuje często reakcję w postaci urojeń prześladowczych. Przeciwieństwem są urojenia chorowitości, nieudałości, złego charakteru, tępoty własnego dziecka. Są one odpowiednikiem urojeń nicości. Nie trzeba uzasadniać, jak ujemnie odbija się na dziecku zarówno pozytywne, jak i negatywne nastawienie urojeniowe.

Urojenia zazdrości

Zazdrość, którą Szekspir nazwał „zielonookim potworem" (*greeneyed monster*) jest chyba najbardziej destruktywnym uczuciem. Trudno więc określić ściśle granicę między zazdrością normalną a patologiczną. Zwykle za patologiczną uważa się zazdrość powstałą bez uchwytnej obiektywnie przyczyny, manifestowaną w sposób dramatyczny i uporczywy. Kryteria te są dość niepewne: obiektywną przyczynę trudno stwierdzić, a manifestacja zazdrości może być tłumiona przez długi czas. Wydaje się słuszniejsze, aby jako kryterium patologii przyjąć stopień owładnięcia tym uczuciem.

Obraz kliniczny jest dość typowy i odpowiada szekspirowskiemu opisowi. Jak w każdym procesie paranoidalnym, można rozróżnić trzy fazy: oczekiwania, olśnienia i owładnięcia.

W fazie pierwszej rodzi się niepokój i niepewność co do wierności partnerki (partnerki, bo jak wspomniano, urojenia zazdrości są znacznie częstsze u mężczyzn). W tym okresie zwykle pojawia się Jago — człowiek, który pierwszy wznieca niepokój. Może to być także ogólna, mimochodem rzucona uwaga o wiarołomności kobiet, dyskretny uśmiech, gdy mowa o zaletach partnera, drobna intryga itp. Wystarczy to jednak, by nakierować myśli na jeden temat. Chory zaczyna uważniej przypatrywać się swej żonie czy kochance. Widzi ją jakby w nowym świetle. Analizuje jej przeszłość. Aż nagle staje się wszystko jasne. Potrzebuje tylko jawnych dowodów zdrady (faza olśnienia). Odtąd jest opanowany przez jedną ideę: przyłapania jej na gorącym uczynku. Śledzi ją, przegląda jej listy, szuka śladów na bieliźnie, sprytnie wymyśla pułapki. Prośbami i groźbami stara się wymusić od partnerki wyznanie zdrady. Gdy ona, udręczona, dla świętego spokoju przyzna się do nie popełnionej zdrady, triumfuje on, ale nie ustaje w dalszych poszukiwaniach. Czuwa w nocy, widzi za oknami cienie kochanków, słyszy ich kroki. Wciąż jednak nie może osiągnąć swego marzenia: ujrzeć jej w objęciach kochanka. Agresja zwraca się częściej przeciw partnerce niż przeciw jej urojonemu kochankowi.

Jest on postacią przypadkową, najczęściej nie znanym mężczyzną, wyrafinowanym w sztuce miłosnej i obdarzonym niezwykłą potencją. Chcąc mu dorównać, chory wzmaga swą aktywność seksualną. A gdy żona jest chłodna lub mu odmawia, jest przekonany, że zaspokoił ją już tamten. Urojony kochanek jest zwykle obdarzony cechami, których brak chory odczuwa. I tak, gdy chory jest niski, wyobraża sobie kochanka swej partnerki jako wysokiego mężczyznę, gdy zaś jest wątły, to tamten jest rosły i postawny, gdy sam jest biedny, to ów jest bogaty itd. Zazdrość obniża krytycyzm. Podejrzewana kobieta, choćby była sterana życiem, zmęczona i nieatrakcyjna, może mieć w przekonaniu owładniętego zazdrością o nią wielu młodych mężczyzn jako kochanków, a młoda i ponętna — mężczyznę starego, niekiedy własnego ojca lub ojca pacjenta.

W sylwetce przedchorobowej niejednokrotnie uderza poczucie mniejszej wartości na punkcie własnej męskości, nieśmiałość, a nawet lęk w stosunku do kobiet. Często partnerka jest pierwszą kobietą w życiu tych chorych. Zdarzają się mężczyźni, którzy są zaprzeczeniem opisanej sylwetki i którzy mieli wiele kobiet w swym życiu. Niekiedy odgrywa u nich rolę rzutowanie własnego stylu życia seksualnego i własnych pragnień zdrady małżeńskiej na partnerkę (w myśl powiedzenia: każdy sądzi według siebie).

Urojenia zazdrości spotyka się często w okresie inwolucji i w alkoholizmie. W obu wypadkach może odgrywać rolę obniżenie wydolności przy jednoczesnym zwiększaniu pragnień seksualnych. Połączenie zbytniego zainteresowania się tematyką seksualną, z jednoczesnym poczuciem niższości na tym polu, stanowi korzystne podłoże zazdrości. Szukanie w alkoholizmie przyczyny urojeń zazdrości wydaje się nieraz uproszczeniem. Niekiedy zagadnienie przedstawia się odwrotnie: nadużywanie alkoholu jest następstwem utajonej zazdrości, lęku przed partnerką i przed niemożliwością jej zrozumienia.

W zespołach psychoorganicznych urojenia zazdrości przybierają formę absurdalną i karykaturalną. Nie należy zapominać, że znaczne obniżenie krytycyzmu może być spowodowane nie tylko zmianami organicznymi, lecz też destrukcyjnym działaniem uczucia zazdrości; absurdalność urojeń nie jest jeszcze dowodem organiczności ich podłoża, toteż słuszna nieraz wydaje się popularna opinia, że zazdrośnik jest postacią komiczną lub tragikomiczną.

W schizofrenii urojenia zazdrości przechodzą zwykle w *urojenia trucia* czy w inną postać urojeń prześladowczych. Prawdopodobnie wyzwala się wówczas tajony lęk przed partnerką i tajona agresja do kobiety — istoty tajemniczej i budzącej poczucie własnej niższości.

U kobiet zazdrość jest mniejszym „potworem". Lepiej niż mężczyźni potrafią one rozegrać niepewną sytuację, a gdy nęka je zazdrość, realniej oceniają rzeczywistość i rzadziej ulegają urojeniowemu wypaczeniu. U podłoża urojeń zazdrości — podobnie jak u mężczyzn — najczęściej spotyka się poczucie mniejszej wartości seksualnej. Częstość ich występowania wzrasta więc w okresie przekwitania.

Istnieje grupa „urodzonych zazdrośników”, u których nie ma „miłości bez zazdrości”. W małej dawce zazdrość niejednokrotnie działa stymulująco na uczucie miłości, jest jakby jej ostrą zaprawą. W większej — na pewno ją zatruwa. U ludzi stale nękanych i nękających zazdrością istnieje zwykle silna ambiwalencja uczuciowa wobec partnera seksualnego lub tendencja do traktowania go jako własności. W tym drugim wypadku zazdrość zbliża się do zawiści, bo w jednej i drugiej chodzi o wyłączne posiadanie pożądanego przedmiotu.

Stosunek do własnego ciała

Urojenia hipochondryczne

Niepokój związany z własnym ciałem — „coś się zepsuło”, „czy dobrze się ono spisze”, „jakie ono jest” — zmienia się w urojenia, gdy powstanie gotowa odpowiedź, niezgodna ze stanem faktycznym.

W wypadku pierwszego pytania odpowiedzią tą może być rak lub inna choroba zżerająca organizm, w wypadku drugiego — jakaś urojona wada cielesna, która uniemożliwia kontakty erotyczne czy nawet towarzyskie, a trzeciego — fantastyczna koncepcja zewnętrznych cech czy wewnętrznej budowy organizmu.

Motywem pierwszego pytania jest złe samopoczucie, które może wywołać zarówno choroba cielesna, jak też jakiekolwiek zakłócenie psychiczne. Wystarczy chwilowe obniżenie nastroju, by przyczyn doszukiwać się we własnym ciele („czemuś smutny, możeś chory?”).

Motywem drugiego pytania jest konieczność podjęcia kontaktu ze światem otaczającym. Wymaga to zawsze pewnego wysiłku i wewnętrznej mobilizacji. Gdy spodziewany kontakt z sytuacją zewnętrzną ma duże znaczenie rzeczywiste lub wyolbrzymione, wówczas naturalną rzeczą jest sprawdzenie swej „cielesnej powłoki”. Zawodnik sprawdza swą kondycję przed meczem, aktor swój wygląd przed występem, a zakochany przed randką. Założenie istnienia jakiegoś defektu cielesnego zwalnia z wysiłku podejmowania kontaktów z otoczeniem (chłopiec nie bawi się z kolegami, bo ma chore serce; dziewczynka unika chłopców, bo ma krzywe nogi czy mały biust itp.). Częstość sprawdzania wzrasta, ale tylko po to, by potwierdzić istnienie urojonego lub wyolbrzymionego defektu.

Motywem trzeciego pytania jest ciekawość, która jest odwrotnie proporcjonalna do zainteresowania światem otaczającym. Małe dziecko, nie mające niczego innego do zabawy, bawi się własnymi palcami u nogi, a znudzona dama pielęgnuje swe ciało. Pewne części ciała — sferę anogenitalną — od najmłodszych lat otacza tajemnica. Wokół niej najwięcej tworzy się urojeniowych koncepcji.

Ważnym elementem tworzenia się nastawień i urojeń hipochondrycznych jest stosunek uczuciowy do własnego ciała, określany w języku psychoanalitycznym jako autoerotyzm. Ciało jest źródłem wielu przyjemności, nawet rozkoszy, ale też i cierpienia; jest czymś najbardziej ukochanym, lecz niekiedy znienawidzonym, a najczęściej ambiwalentnie jednym i drugim. Tkwi w takim nastawieniu podwójna patologia skierowania uczucia na wewnątrz zamiast na zewnątrz i rozszczepienia siebie na ciało i resztę, którą określa się zaimkiem „ja". Ciało nie jest „mną", ale najbardziej własną częścią otaczającego świata. Przy skoncentrowaniu się uczuciowym na własnym ciele świat otaczający w nim jakby się zamyka i projekcja urojeniowa w nim się realizuje. Dość ważne w rozpoznaniu i leczeniu jest, które z wyżej przedstawionych trzech pytań odgrywa u chorego zasadniczą rolę i jaki jest stopień związania uczuciowego z własnym ciałem.

Istnieje pewna swoistość urojeń hipochondrycznych w zależności od zespołów, w jakich występują. W nerwicach są one prawdopodobne, przynajmniej dla otoczenia nielekarskiego. Otoczenie może uwierzyć, że chory ma raka, zawał czy inną chorobę, zwłaszcza gdy jej zła popularność w danym kręgu kulturowym jest duża.

W schizofrenii skargi i urojenia hipochondryczne nabierają tak niezwykłych cech, że trudno uwierzyć w ich możliwość, np. że chory wydaje specyficzny, nieprzyjemny zapach, że we wnętrznościach ma robaki zżerające go od środka (zdarza się, że ma rzeczywiście robaczycę, co jednak nie wyklucza urojeń), że ma zniekształcone i w dziwny sposób zmienione genitalia (jeden chory twierdził, że ma pochwę w odbycie). Czasem chorzy stwarzają oryginalne koncepcje anatomiczne i fizjologiczne, bardzo odbiegające od poglądów ogólnie przyjętych w danej epoce.

W depresjach endogennych i inwolucyjnych urojenia hipochondryczne przybierają zabarwienie nihilistyczne. Ciało ulega zniszczeniu, przestaje działać. Wszystko w środku zastygło w bezruchu, zaczyna rozpadać się i gnić.

W otępieniu organicznym urojenia hipochondryczne stają się czasem absurdalne i komiczne. Starczy świąd skóry zmienia się w latające robaczki, a oddawanie gazów — w aniołki, które z tej części ciała się wydostają.

Uwagi o rokowaniu i leczeniu

U chorych, u których zespół urojeniowy rozwinął się na tle innego zespołu, rokowanie jest oczywiście zgodne z prognozą tegoż zespołu. W depresji czy manii urojenia znikają w miarę, jak nastrój chorego wraca do normalnego poziomu. W schizofrenii fragmenty zespołu urojeniowego mogą stanowić główny objaw „defektu". W ostrych zespołach psychoorganicznych urojenia cofają się wraz z innymi objawami chorobowymi, a gdy ostry zespół przechodzi w postać chroniczną, urojenia mogą przybrać postać bardziej usystematyzowaną i często absurdalną. W przewlekłych zespołach psychoorganicznych — w miarę nasilenia się otępienia — struktura urojeniowa ulega zubożeniu. Urojenia przybierają śmieszną i dziecinną nieraz formę.

Natomiast w tych przypadkach, w których poza zespołem urojeniowym nie można się doszukać cech innego zespołu psychopatologicznego, rokowanie zależy od utrwalenia i usystematyzowania urojeń, od struktury osobowości i od sytuacji psychologicznej, która przypuszczalnie stanowiła podłoże procesu urojeniowego.

Gdy struktura urojeń jest zwarta i stabilna, wówczas na ogół małe są szanse, by uległa ona rozbiciu i została zastąpiona przez normalny sposób widzenia świata. Im zespół urojeniowy trwa dłużej, tym silniej się zazwyczaj utrwala. Sprzyjające powstaniu urojeń cechy osobowości, jak nieufne i wrogie nastawienie do otoczenia, lub przeciwnie — dziecinnie ufne, zazwyczaj pogarszają rokowanie, zwłaszcza gdy się bierze pod uwagę możliwość nawrotów. Jeśli leżąca u podłoża zespołu urojeniowego sytuacja psychologiczna, np. lęk przed otoczeniem, poczucie winy czy krzywdy, jest związana ze strukturą osobowości, wówczas prognoza jest gorsza, jeśli zaś z sytuacją zewnętrzną (np. niebezpieczeństwo prześladowań, doznana krzywda, popełnione przestępstwo), wówczas prognoza jest lepsza.

Istotna w leczeniu chorych, u których urojenia wysuwają się na plan pierwszy, jest umiejętność zdobycia ich zaufania. Chodzi mianowicie o to, by nie być zaskoczonym przez urojeniowy świat chorego. Należy zwalczyć w sobie normalną reakcję zdumienia, potępienia czy ośmieszenia, jaką wywołuje zetknięcie się z przekonaniami odbiegającymi od ogólnie przyjętych.

Nie należy też popadać w przeciwną skrajność, tj. w akceptowanie przekonań chorego. Taka akceptacja nie może być szczera; chory zwykle tę nieszczerość wyczuwa i traci zaufanie do lekarza. Trzeba po prostu przyjąć, że urojenia chorego są jednym z wielu, choć nieprzeciętnym, sposobem widzenia rzeczywistości. Nie znaczy to, że się ze swego własnego sposobu widzenia rezygnuje. Podobnie w dyskusji powinno się zrozumieć punkt widzenia oponenta, nie rezygnując jednak ze swego, jeśli się jest przekonanym o jego słuszności.

Dalszym krokiem jest więc zrozumienie stanowiska chorego, co zyskuje się przez lepsze zapoznanie się z jego światem urojeniowym i z historią jego życia. Rozmowy pozwalają zarówno lekarzowi, jak i choremu wniknąć w strukturę i genezę urojeniowego świata, tj. zrozumieć, jakie przeżycia i nastawienia uczuciowe wywołały urojeniowe spaczenia. Patrząc tak z boku na siebie, chory łatwiej może przyjąć normalny sposób widzenia.

Leczenie somatyczne w zespołach urojeniowych należących do większych kręgów psychopatologicznych (schizofrenicznego, cyklofrenicznego, padaczkowego, psychoorganicznego) jest oczywiście takie, jak się praktykuje w danym kręgu. W czystych zespołach urojeniowych stosuje się przede wszystkim środki obniżające napięcie urojeniowe, a więc głównie neuroleptyki. Niekiedy to leczenie łączy się z insuliną subkomatyczną lub komatyczną.

Depersonalizacja i derealizacja

Depersonalizacji i derealizacji[1] nie zalicza się do urojeń. Istotą zaburzenia jest tutaj utrata poczucia rzeczywistości: własnego ciała w depersonalizacji, a otaczającego świata — w derealizacji. Natomiast w urojeniu następuje przekształcenie rzeczywistości przez przyjęcie innej struktury za rzeczywistą. Omówienie ich w tym miejscu wydaje się słuszne o tyle, że depersonalizacja dotyczy stosunku do własnego ciała i że zagadnienie poczucia rzeczywistości wiąże się ściśle z powstawaniem urojeń.

Terminu „depersonalizacja" używa się w przypadkach, gdy chory ma wątpliwości co do rzeczywistości swego ciała, a jednocześnie może mieć wrażenie, że jego ciało się zmieniło, np. ma wrażenie, że głowa mu puchnie, że ręce grubieją i wydłużają się, że nos zmienia swój kształt, że oczy mają dziwny wygląd. Natomiast termin „derealizacja" określa zachwianie poczucia rzeczywistości w stosunku do otaczającego świata; staje się on nierealny, ma coś ze snu lub filmu, sprawia wrażenie makiety teatralnej, niekiedy traci swoją trójwymiarowość i staje się płaski. Najlepiej całą sprawę ilustruje popularne powiedzenie, że trzeba się uszczypnąć, by stwierdzić, czy to sen, czy jawa.

Poczucie rzeczywistości

Poczucie rzeczywistości a stan świadomości

Ani we śnie, ani na jawie nie mamy wątpliwości co do rzeczywistości własnych przeżyć. W czasie snu rzeczywistością są majaki senne, a na jawie to, co nas otacza. Wątpliwości rodzą się na granicy obu stanów — snu i czuwania — i na granicy obu światów: wewnętrznego, własnego i zewnętrznego, wspólnego innym. Zasypiając, niekiedy nie jesteśmy pewni, czy to, co widzimy i słyszymy, jest rzeczywistością, czy sennym zwidzeniem. Podobnie, budząc się, gdy jeszcze znikające elementy marzenia sennego mieszają się z elementami rzeczywistości,

[1] Zob. m.in. J. E. Meyer: *Depersonalisation und Derealisation*. „Fortschritte der Neurologie, Psychiatrie und ihrer Grenzgebiete", 1963, z. 8, str. 438–450 (tamże bibliografia).

przez chwilę nie wiadomo, czy to jeszcze sen, czy już jawa. Wyraźniej tego typu wątpliwości występują, gdy walczy się z sennością i co chwila na krótko się zasypia.

Badania fizjologiczne[1], a w szczególności elektroencefalograficzne[2], wskazują na to, że nie ma ostrej granicy między snem a czuwaniem.

Wahania stanu świadomości mają charakter ciągły, a nie alternatywny: przytomność — nieprzytomność, czuwanie — sen. Opierając się na fizjologicznej koncepcji ciągłości przejścia między snem a czuwaniem, należałoby przyjąć, że światy marzenia sennego i rzeczywistości nie są tak ostro oddzielone, jak to się powszechnie przyjmuje i że oba przeplatają się ze sobą. A poczucie rzeczywistości, które towarzyszy każdemu z nich z osobna, ale nigdy obu razem, przy braku ostrej granicy między nimi, ulega zachwianiu. I gdy dokładniej przyjrzeć się poczuciu rzeczywistości, to nie jest ono tak pełne i mocne, jak by się w pierwszej chwili zdawało.

Poczucie rzeczywistości a niezwykłość rzeczywistości

Wiele jest w poczuciu rzeczywistości wiary i przyzwyczajenia. Powtarzający się kontakt z tym samym zjawiskiem wzmaga poczucie jego rzeczywistości. Natomiast nowe niezwykłe zjawisko, przyjemne czy przykre, wywołuje nieraz wrażenie nierzeczywistości. Oddają to dobrze codzienne zwroty językowe: „to było jak piękny sen" lub „to był koszmar". Psychiatrzy opisują epizody derealizacyjne i depersonalizacyjne przy zetknięciu się z niezwykłą sytuacją życiową, np. bezpośrednio po dostaniu się uwięzionych do obozu koncentracyjnego.

Poczucie nierzeczywistości, jakie często wywołuje nowe i niezwykłe zjawisko, zmniejsza się pod wpływem zachowania

---

[1] Zob. m.in. M. Susułowska: *Z badań współczesnych nad snem i marzeniami sennymi.* „Psychologia Wychowawcza", 1967, t. X (XXIV), str. 186–201 (tamże bibliografia). Zob. nadto: E. Brzezicki, A. Kępiński, B. Winid: *Odruch orientacyjny.* Cz. I: *Neurofizjologiczne podstawy odruchu orientacyjnego.* „Folia Medica Cracoviensia", 1959, nr 1/2, str. 382.

[2] K. Jus, A. Jus: *Elektroencefalografia kliniczna.* PZWL, Warszawa 1967. Rozdział pt. *Eeg podczas snu i marzenia sennego*, str. 81–90.

się typu „niewiernego Tomasza”, a więc zbliżenia się, dotknięcia, pomacania niepewnego zjawiska, i pod wpływem opinii innych. Poczucie rzeczywistości wymaga więc wysiłku — wyjścia na zewnątrz, w stronę niepewnej rzeczywistości i w stronę innych ludzi, których opinia może zadecydować, czy dane zjawisko uznać za przywidzenie, czy prawdę.

W czasie czuwania człowiek normalnie porusza się, sprawdza otaczającą rzeczywistość, kontaktuje się z innymi ludźmi. Wszystko to wzmacnia jego poczucie rzeczywistości świata na jawie. U ludzi w całkowitej izolacji nierzadko występuje derealizacja i depersonalizacja.

Poczucie rzeczywistości a stan uczuciowy

Poczucie rzeczywistości zależy też od stanu uczuciowego. Sytuacja życiowa, w której dochodzi do silnego spiętrzenia uczuć pozytywnych: radości, miłości, zachwytu itp. czy negatywnych: rozpaczy, nienawiści, wstrętu itp., odczuwana jest często jako nierealna. Poczucie nierzeczywistości — „to było jak sen” — występuje zwykle retrospektywnie. W samym nasileniu przeżycia jest się zbyt pochłoniętym sytuacją i napięcie emocjonalne jest zbyt wielkie, by pozostało miejsce na poczucie rzeczywistości czy nierzeczywistości. By wahać się między nimi, trzeba choć trochę zachować postawę obserwatora. Aczkolwiek z drugiej strony poczucie nierzeczywistości broni niekiedy przed zbyt silnym szokiem nowej sytuacji, gdy jest ona przykra. Derealizacja i depersonalizacja jest tu jakby warstwą ochronną; po jej przejściu wchodzi się w nową rzeczywistość. Np. stratę osoby bliskiej odczuwa się jako nierealną; dopiero z czasem następuje przyzwyczajenie się do nowej sytuacji i człowiek przyjmuje jej rzeczywistość. Natomiast np. w czasie koszmarnego snu taką deską ratunku jest poczucie rzeczywistości: człowiek z maksymalnym nieraz wysiłkiem woli stara się wmówić sobie, że to tylko sen i wrócić do rzeczywistości na jawie.

Z dwóch rzeczywistości, z których składa się ludzka doba (a prawdopodobnie też zwierzęca), jedna jest obroną przed drugą; rzeczywistość na jawie broni przed sennym koszmarem, a rzeczywistość marzenia sennego — przed koszmarem życia. Pierwszym krokiem jest zaprzeczenie aktualnej rzeczywistości, a drugim — przejście do rzeczywistości przeciwstawnej (z jawy do marzenia sennego i na odwrót).

Jeśliby przyjąć opinię wielu psychiatrów, a także ludzi z psychiatrią nie związanych, że chory psychicznie, zwłaszcza w schizofrenii, jest człowiekiem śniącym na jawie, wówczas można by uważać zaburzenie poczucia rzeczywistości za pierwszy krok do wejścia w rzeczywistość inną — psychotyczną.

Poczucie nierzeczywistości może być wynikiem długotrwałego negatywnego nastawienia emocjonalnego do otoczenia i do samego siebie; życie jest tak szare, przykre i nudne, że zaciera się jego realność. Poczucie nierzeczywistości jest tu jakby obroną przed monotonią niemiłej rzeczywistości; za to, że jest taka, przestaje być realna.

Zarówno więc przeżycia wykraczające poza ramy zwyczajności, jak i te, które przez swą monotonię czynią bieg życia zbyt zwyczajnym i nudnym, mogą zachwiać poczuciem realności. Mieści się ono między krańcowymi biegunami niezwykłości i monotonii.

Poczucie nierzeczywistości otaczającego świata polega na tym, że staje się on zbliżony do obrazu marzenia sennego, filmu czy sceny teatralnej. Człowiek ma wrażenie, że śni, musi się uszczypnąć, by przekonać się, że to nie sen, ból jest bowiem najlepszym sprawdzianem rzeczywistości.

Obraz własnego ciała

Derealizacja zwykle łączy się z depersonalizacją. Obraz własny jest włączony w obraz otaczającego świata, choćby z tego względu, że jest centralnym punktem odniesienia.

Ponieważ rzeczywistość ma przede wszystkim aspekt zmysłowy, namacalny, a więc obraz własny też jest materialny, zmysłowy, tak jak obraz otaczającego świata. Swoją nierealność odczuwa się zatem jako nierealność cielesną. Własne ciało wydaje się nierzeczywiste, zmienione, obce. Znów trzeba się uszczypnąć, by przekonać się, że jest rzeczywiste i własne. Czasem obraz ciała się zmienia, głowa olbrzymieje, wydłużają się ręce, całe ciało rośnie lub maleje. Niekiedy przybiera niezwykłe lub monstrualne formy — zwierząt, potworów. Nie jest to już ciało, do jakiego jest się przyzwyczajonym, ale inne, nie własne, a tym samym nierzeczywiste. Podobnie niezwykła sytuacja przestaje być realna dla danego człowieka, gdyż już nie mieści się w jego własnym obrazie świata otaczającego.

W przypadku obrazu własnego ciała poczucie własności (moje ciało) wiąże się z poczuciem realności: moje, więc rzeczywiste. To samo, tylko w formie bardziej rozrzedzonej, odnosi się do świata otaczającego: jest on w jakimś stopniu własnym światem; gdy nim być przestaje, zatraca swą realność. Wyrwanie kogoś z jego środowiska i przeniesienie do całkiem odmiennego stwarza poczucie nierzeczywistości tego nowego, nie własnego świata (uczucie pierwszego człowieka na Księżycu).

Impulsy interoceptywne i eksteroceptywne, z których formuje się obraz własnego ciała, stale się zmieniają, analogicznie jak impulsy nerwowe wywołane bodźcami świata otaczającego. Czemuż więc obraz świata zewnętrznego jest zmienny, a własnego ciała — niezmienny?

Tylko w słabym stopniu odczuwa się zmianę obrazu ciała pod wpływem impulsów nerwowych płynących z zewnątrz i wewnątrz ciała. Pod wpływem przejedzenia człowiek czuje się ciężki, choć jego ciężar niewiele się zwiększył w porównaniu np. z ciężarem ubrania czy różnych przedmiotów, które codziennie dźwiga, ale zmienił się charakter impulsów interoceptywnych. Ociężały, czyli cięższy, czuje się też człowiek zmęczony, znudzony, smutny, chory. Ciężar jego nie zmienia się, ale zmienia się struktura impulsów interoceptywnych. Brak ruchu lub ruch monotonny powoduje, że zbyt długo te same proprioceptory są pobudzone, co w końcu daje uczucie ciężkości. Prawdopodobnie inne czynniki odgrywają też ważną rolę, choćby zmiana chemizmu ustroju pod wpływem choroby, zmęczenia czy napięcia emocjonalnego.

Odwrotnie, człowiek zdrów, wesoły, w ruchu — czuje się lekki. Poczucie lekkości lub ciężkości może odnosić się do poszczególnych części ciała. Człowiek zmartwiony, przemęczony, nie mogący już zdobyć się na żaden pomysł, czuje, że ma „ciężką głowę", a przeciwnie, człowiek beztroski, wesoły, pełen pomysłów, ma „głowę lekką".

Pianista czy chirurg ma „lekką rękę". Z powszechnego doświadczenia wiadomo, iż po ciężkim wysiłku fizycznym czuje się, że ręce są ciężkie. Trudno nimi wykonać precyzyjniejszy ruch. Nie są to tylko figury słowne — mowa jest zbyt ekonomiczną formą aktywności, aby utrzymać się w niej mogły przez dłuższy czas zbędne struktury. Poczucie lekkości wiąże się z ruchem, szybkością i sprawnością, a przeciwnie, poczucie ciężkości — z bezruchem lub ruchem monotonnym, z powolnością i trudnością zmiany formy aktywności.

Pojęcia ruchu używa się tu w najszerszym tego słowa znaczeniu, tj. jakiejkolwiek formy aktywności. Głowa jest ciężka, gdy myśli się wciąż o jednym lub gdy w ogóle nie można skupić myśli, a lekka, gdy łatwo chwyta się istotę zagadnienia.

Poczucie ciężaru ciała wiązałoby się prawdopodobnie ze zdolnością zmiany struktur czynnościowych. Gdy zmiany zachodzą szybko, całe ciało lub jego część staje się lekka, gdy zaś wolno — zjawia się poczucie ciężkości. W schizofrenicznej fazie olśnienia chory często czuje się niezwykle lekki. Niestety, nie ma dotychczas badań fizjologicznych, które by wyjaśniły bliżej zmianę poczucia ciężaru własnego ciała. Wskazane też byłyby badania odwrotnego zagadnienia, jak zmiana ciężaru ciała np. w wodzie czy w stanie nieważkości wpływa na stan psychiczny.

Poczucie wielkości ciała jest w dużej mierze zależne od kąta spojrzenia na otoczenie i od postawy ciała. Dziecko czuje się małe, bo widzi większych od siebie, ale duże w stosunku do młodszych dzieci. Człowiek niższy od otoczenia jest zwykle wyprostowany, a wyższy — pochylony. Postawa wyprostowana daje poczucie zwiększonej wielkości ciała, a pochylona — zmniejszonej. W ten sposób poczucie wielkości ciała u obydwóch, wysokiego i niskiego, wyrównuje się. Wysoki patrzy w dół, ale pochyla się, niski patrzy do góry, ale wyprostowuje się. Patrząc na wysokie szczyty górskie, człowiek czuje się mały, a patrząc ze szczytów w dół — czuje się wielki.

Również w przenośnym znaczeniu, używanym dla określenia stosunków między ludźmi, „patrzenie z góry" zwiększa poczucie wielkości cielesnej, a „w górę" — zmniejsza. Różne powiedzenia oddają ten społeczny aspekt poczucia zmian wielkości własnego ciała, jak: „rosnąć z dumy", „zapadać się w ziemię ze wstydu", „zmaleć w czyichś oczach" itp. Człowiek, który czuje się niższy od swego aktualnego otoczenia społecznego, pochyla się, spuszcza głowę, toteż rzeczywiście może być niższy o kilka milimetrów czy nawet centymetrów; ten sam człowiek, znalazłszy się w otoczeniu, nad którym góruje — wyprostowuje się, wypina pierś do przodu, tym samym wzrost jego powiększa się w porównaniu z poprzednią sytuacją.

Podobnie jak poczucie ciężkości, tak i poczucie wielkości może odnosić się wyłącznie do części ciała, zwykle głowy lub kończyn. Ma się wrażenie, „że głowa puchnie", że ręce czy nogi się wydłużają. Najczęściej wrażenie to występuje wobec zadania, które w pewnym stopniu przekracza zwykłe możliwości. Ręka się wydłuża, gdy trzeba sięgnąć po zbyt odległy przedmiot, a nogi, gdy trzeba przeskoczyć rów czy szybko gdzieś dojść; głowa puchnie, gdy jest za dużo spraw do załatwienia czy za wiele wiadomości do zapamiętania.

Przedstawione przykłady, które wymagałyby dokładniejszej analizy psychologicznej i fizjologicznej, miały wykazać, że obraz własnego ciała ulega drobnym wahaniom. Wyraźniej zmienia się on pod wpływem środków chemicznych; środki pobudzające, np. haszysz, kokaina, amfetamina, dają poczucie lekkości, a środki uspokajające, np. barbiturany, neuroleptyki — uczucie ciężkości. Środki halucynogenne (delizyd, czyli LSD, meskalina, psilocybina itp.) wywołują nieraz dramatyczne zmiany poczucia wielkości, ciężaru i proporcji własnego ciała.

Mimo zmian obiektywnych, kalectwa itp. — obraz własnego ciała zachowuje dziwną stałość. Często nie odpowiada on rzeczywistości: na swoją fotografię lub odbicie w lustrze patrzy się nieraz jak na podobiznę kogoś obcego, ponieważ własny obraz jest inny. Przez długi czas nie zmienia się on pod wpływem wieku; widzi się siebie tak samo, jak przed kilku czy kilkunastu laty. Tą stałością i niezgodnością ze stanem faktycznym obraz własnego ciała przypomina strukturę urojeniową. Traktując go jednak jako centralny punkt odniesienia, w którym świat zewnętrzny zderza się z wewnętrznym, widzimy, że niezmienność ta wydaje się zjawiskiem celowym i koniecznym.

Rola receptorów kontaktowych w sprawdzaniu rzeczywistości

Mimo że obraz ciała jest najbardziej własny i najlepiej utrwalony, bo wciąż człowiekowi towarzyszy, podczas gdy obraz otaczającego świata stale się zmienia, to jednak jest on słabo sprecyzowany i dość mglisty. Pochodzi to stąd, że innymi kanałami percepcyjnymi odbiera się świat zewnętrzny, a innymi — swoje ciało. Świat otaczający przede wszystkim widzi się i słyszy, a ciało czuje. W percepcji pierwszego przeważają telereceptory, a drugiego — interoceptory. Pomostem między jednym a drugim kanałem percepcyjnym są receptory kontaktowe (dotyk, ucisk i ból powierzchniowy). Zarówno dotknięcie przedmiotu spostrzeganego za pomocą wzroku, słuchu czy węchu, jak też własnego ciała, czyni je bardziej rzeczywistym (próba niewiernego Tomasza). Powierzchnia ciała jest więc łącznikiem między światem zewnętrznym a wnętrzem ciała i jednocześnie sprawdzianem ich rzeczywistości. Gdy na skutek ucisku nerwu kulszowego ścierpnie noga (ucisk nerwu osłabia przepływ impulsów aferentnych i eferentnych, noga więc przez chwilę jest porażona i zdrętwiała), wówczas ma się wrażenie, że jest ona martwa i obca (mówi się, że „noga zmartwiała").

Właściwie jest to zjawisko depersonalizacji, wywołane znaczną zmianą struktury impulsów aferentnych i eferentnych, w zasadzie analogiczne do zmiany struktury tychże impulsów, występującej, gdy człowiek zostaje przeniesiony w zupełnie nową i niezwykłą sytuację. Różnica polega na tym, że w jednym wypadku chodzi tylko o część, np. o zdrętwiałą nogę, a w drugim — o całość — „odrętwiałego" człowieka (język oddaje tu analogię między obu sytuacjami; mówi się, że w niezwykłej sytuacji człowiek „zmartwiał", „ścierpł", „zdrętwiał", tak samo mówi się o części ciała, o uszkodzonym unerwieniu).

W obu wypadkach ten sam zabieg — uszczypnięcie — przywraca przynajmniej na chwilę poczucie rzeczywistości. Uszczypnięcie zdrętwiałej nogi wprawdzie nie usuwa zdrętwienia, ale przywraca poczucie jej realności i przynależności do właściciela. Po amputacji kończyny czasem przez długi czas utrzymuje się jej struktura neurodynamiczna: odczuwa się w niej bóle, pieczenie, dotyk, ruchy, ma się też wrażenie, iż można nią swobodnie poruszać. Załóżmy, że człowiek nie wie, że ma amputowaną kończynę: o jej stracie dowiaduje się dopiero wówczas, gdy zamiast niej namaca puste miejsce lub gdy próbując stanąć na ziemi lub uchwycić coś amputowaną ręką, trafi na próżnię. Dlaczego tak się dzieje? Obraz ciała nie zmienia się do momentu, póki amputowana kończyna „nie zetknie się z rzeczywistością". To zetknięcie może być bierne, np. gdy ręką próbuje się jej dotknąć, lub czynne, gdy amputowana kończyna wykonuje ruch i zamiast czegoś dotknąć, trafia na próżnię. W obu wypadkach plan aktywności, oparty na założeniu, że kończyna istnieje, okazuje się nierealny.

Dotychczas plan ten działał, coś więc w sytuacji musiało się zmienić; jakiś element planu przestał istnieć w rzeczywistości. Podobna sytuacja istnieje, gdy idąc po schodach, trafia się na powietrze zamiast na twardy grunt lub odwrotnie. Rzeczywistość nie zgadza się z planem aktywności. Zmusza to do rewizji koncepcji rzeczywistości i planu aktywności.

Zetknięcie się z rzeczywistością decyduje, czy koncepcja jej była prawdziwa, czy fałszywa.

Dlaczego jednak zetknięcie? Dlaczego dotyk, a nie inny zmysł sprawdza rzeczywistość? Wydaje się, że działa tu krótkość drogi. Odległość między eksplorowanym przedmiotem a badającym podmiotem jest tu najkrótsza. Dotykając jakiegoś przedmiotu, jednocześnie go czujemy i nań działamy. Odstęp czasowy między odpływem a dopływem informacji jest minimalny. Pozwala to w najkrótszym czasie sprawdzić hipotezę roboczą, plan aktywności może być natychmiast zrealizowany lub poprawiony. Gdy coś się widzi, słyszy, węszy, to nie można od razu na daną rzecz zadziałać. Musimy się do niej zbliżyć i może się okazać, że jej w tym miejscu nie ma — plan działania okazał się fałszywy. W wypadku bezpośredniego zetknięcia się z przedmiotem odczuwa się jego opór. Następuje interakcja między nim a działającym podmiotem. Plan aktywności zmienia się zależnie od tego, jaki opór się napotyka — jak działa przedmiot.

Działanie, tj. stwarzanie planu — wykonanie go lub zmienianie i znów wykonanie — daje poczucie własnej rzeczywistości i rzeczywistości otoczenia. Dlatego uszczypnięcie przywraca poczucie zarówno własnej, jak i otaczającej realności. Mogę planować, działać: działanie to daje wyczuwalny efekt, więc jestem. Gdyby jednak tego efektu nie było, sprawdzający palec trafiłby w puste miejsce, jak w przypadku amputowanej części ciała; wówczas musi się przyjąć, że mimo istnienia tej części w obrazie ciała — ona nie istnieje.

W przypadku znieczulenia wprawdzie pozbawiona czucia część ciała nie sygnalizuje, że została dotknięta — dlatego jest odczuwana jako martwa, nie swoja, jak każdy inny przedmiot otaczającego świata — ale dotykająca ręka wyczuwa opór, plan aktywności oparty na obrazie ciała zostaje więc potwierdzony, a tym samym znieczulona część zostaje z powrotem włączona do cielesnej całości.

Rzeczywistość marzenia sennego

We śnie, gdy znika możność kontaktu z rzeczywistością, w sensie działania na nią i jej odczuwania, zaciera się też poczucie własnej cielesności. Człowiek w marzeniu sennym do pewnego stopnia dematerializuje się, choć przeżywa wszystko tak, jak w rzeczywistości i wykonuje różne czynności, to jednak nie jest sprawcą działania, ale tylko obserwuje własne i cudze aktywności. Zdarza się, że może siebie zobaczyć jak drugą osobę lub przyjmuje postać kilku osób naraz.

W marzeniu sennym nie działa się w formie czynnej, ale biernej. Ze śpiącym dzieją się różne dziwne rzeczy, na które on jednak nie ma wpływu. Utratę możności aktywnego działania odczuwa się niekiedy w sposób bolesny, gdy akcja marzenia sennego wymaga od śniącego ostatecznego zrywu energii. W dramatycznym momencie, w którym ma się rozstrzygnąć akcja rozgrywająca się w treści snu, nie można przyspieszyć kroku, otworzyć drzwi, podnieść ręki, pociągnąć za język spustowy pistoletu itp.

Psychoanalitycy tłumaczą tego rodzaju sytuacje jako wyraz lęku przed impotencją seksualną (lęk kastracyjny). Tłumaczenie to wydaje się zbyt zawężone. Całkowita niemożność, tak boleśnie odczuwana i prowadząca nieraz do obudzenia, jest raczej dramatycznym wyrazem istotnej struktury majaków sennych, polegającej na niemożności brania prawdziwego aktywnego udziału w rzeczywistości snu. Nie można zetknąć się z rzeczywistością marzenia sennego, tak jak z rzeczywistością na jawie. Nie można jej dotknąć, zmienić. Rozwija się ona przed naszymi oczyma jak interesujący film, w którym sami bierzemy udział. Gdy jednak akcja marzenia sennego przekroczy pewne granice i chcemy na nią wpłynąć, to się ten zamiar nie udaje. Z wysiłkiem odrzuca się rzeczywistość snu, wracając do rzeczywistości na jawie.

Zdolność działania a poczucie rzeczywistości

Analogicznie — w życiu na jawie, nie mogąc wpłynąć na to, co wokół się dzieje, traci się poczucie rzeczywistości. Życie staje się sceną teatralną, filmem czy snem. Sytuacje takie mogą zaistnieć z przyczyn zewnętrznych lub wewnętrznych. W pierwszym wypadku — otaczająca sytuacja przekracza możliwości działania; jest się nią owładniętym, nie można na nią wpływać; sytuacja może być przyjemna lub przykra. Była już zresztą o tym mowa. Wykonuje się wtedy szereg niepotrzebnych, bezcelowych czynności i ruchów, które zresztą nie mają najmniejszego wpływu na obiektywną sytuację, ale dają poczucie aktywności, a tym samym przywracają zachwiane poczucie realności (jeśli coś mogę działać, więc to nie jest snem). W drugim wypadku — różnego rodzaju konflikty, a w szczególności ambiwalentne nastawienie do siebie i do otoczenia uniemożliwiają zajęcie aktywnej postawy. Chciałoby się zrobić to, a jednocześnie coś wręcz przeciwnego, w końcu więc nie robi się nic. Nie można zetknąć się z rzeczywistością, bo jedne uczucia do niej przyciągają, a drugie odpychają; wynikiem jest stan zerowy: niemożność podjęcia decyzji. Jest się obezwładnionym z powodu własnych sprzecznych uczuć, tak jak w poprzednim wypadku z powodu sytuacji zewnętrznej. Analogicznie też słabnie poczucie rzeczywistości własnej osoby i otoczenia.

Derealizacja i depersonalizacja w różnych zaburzeniach psychicznych

Derealizacja i depersonalizacja zdarzają się w różnorodnych zaburzeniach psychicznych. W stanach reaktywnych działa zwykle niezwykłość sytuacji, która reakcję spowodowała. W nerwicach i psychopatiach najczęstszą przyczyną jest niemożność podjęcia decyzji w sytuacji konfliktowej lub negatywne nastawienie emocjonalne do siebie i do otoczenia. Ten ostatni moment odgrywa też rolę w schizofrenii; dołącza się tu dezintegracja struktury własnej osoby i otoczenia; poczucie nierzeczywistości może być zwiastunem schizofrenicznej dezintegracji. W depresji negatywne uczucia w stosunku do siebie, a także obniżenie nastroju i aktywności mogą zakłócić poczucie rzeczywistości tak własnej, jak i otoczenia.

Zaburzenia świadomości charakterystyczne dla zespołów psychoorganicznych, zwłaszcza ostro przebiegających, i dla padaczki, łączą się nierzadko z zachwianiem poczucia rzeczywistości.

Świat schizofreniczny

Tematyka

Uwagi wstępne

Istotna dla psychiatry jest umiejętność zrozumienia i wczucia się w świat przeżyć chorego. Przez świat ten rozumiemy wszystko to, co chory przeżywa, w czym mieści się jego przeszłość, przyszłość i teraźniejszość, co niekiedy stanowi treść intymną, ukrywaną przed światem zewnętrznym, a nawet przed samym sobą, co ma własną, swoistą dla chorego i niepowtarzalną tematykę, strukturę i swoisty koloryt.

Ten wewnętrzny świat chorego próbujemy odtworzyć na podstawie — zwykle zresztą bardzo fragmentarycznych — wiadomości uzyskanych od chorego i o chorym. Są to wywiady od jego otoczenia, jego własne wypowiedzi, obserwacja jego zachowania się, a szczególnie jego reakcji uczuciowych. Musimy tu nieraz stosować metodę interpolacji, tzn. z luźnych fragmentów konstruować określoną całość, analogicznie jak z poszczególnych punktów tworzy się linię wykresu, pamiętając zawsze o tym, że nasza interpolacja może być fałszywa i że nieraz przyjdzie ją w dalszych kontaktach z chorym zmienić.

By wejść w świat chorego, trzeba przede wszystkim zdobyć jego zaufanie. Psychiatra powinien być dla chorego zawsze tym człowiekiem, przed którym może on się bezpiecznie odsłonić, który nie będzie go osądzał ani potępiał, który będzie starał się go zrozumieć i w miarę możliwości mu pomóc. Ten typ spotkania ma w sobie coś odrębnego i nie spotykanego na ogół w innych kontaktach międzyludzkich. Swoistość kontaktu psychiatrycznego stanowi, jak się zdaje, ze strony psychiatry zafascynowanie światem chorego i chęć ulżenia mu w jego cierpieniach, a ze strony chorego — poczucie bezpieczeństwa, jakie w nim psychiatra stwarza. Zrozumienie drugiego człowieka nie rozgrywa się tylko w płaszczyźnie intelektualnej, może nawet ważniejsza jest płaszczyzna uczuciowa. Chory musi się stać dla psychiatry kimś bliskim, nie może on być kimś innym, obcym w znaczeniu *varius*, *alienus*. I poznaje on swego chorego przez pryzmat własnych, często najintymniejszych przeżyć, gdyż nie można zrozumieć tego, czego samemu się nie przeżyło choćby w minimalnym śladzie.

Metafizyka

Normy postępowania, będące podstawą moralności żydowskiej i chrześcijańskiej, a zawarte w tekście, który według przypowieści biblijnej został wręczony Mojżeszowi na górze Synaj, są ujęte w dziesięciorgu przykazaniach. Miały one być wyryte na dwóch kamiennych tablicach. Jedna zawierała trzy pierwsze przykazania, dotyczące stosunku ludu do Jahwe, a druga — siedem dalszych, regulujących stosunek do ludzi. Tematowi codziennego życia jednak jest poświęcona druga tablica. Jest to zrozumiałe, gdyż ze sprawami w niej zawartymi — a sformułowanymi już w wiekach VIII–VI p.n.e., gdyż prawdopodobnie wtedy powstał ów zbiór zakazów i nakazów — człowiek styka się bezpośrednio i stale.

Natomiast w schizofrenii bywa odwrotnie: sprawy ostateczne wysuwają się na pierwszy plan. Jest to zresztą jedna z cech, które pozwalają na odróżnienie urojeń schizofrenicznych od innych. Tematyka urojeń nieschizofrenicznych jest zazwyczaj wolna od swoistego zabarwienia sprawami ostatecznymi.

Metafizyczną tematykę świata schizofrenicznego można podzielić na trzy wątki: ontologiczny, eschatologiczny i charyzmatyczny. Nurt ontologiczny dotyczy istoty bytu, koncepcji człowieka i wszechświata (*ónta* = rzeczywistość, byt realny). Nurt eschatologiczny obejmuje sprawy ostateczne (*eschatos* = ostateczny): koniec świata, ostateczny cel człowieka itp. Nurt charyzmatyczny mieści w sobie istotny sens życia ludzkiego, jego prawdziwy cel i przeznaczenie (*charisma* = łaska).

Nurt ontologiczny

Świat zwykłego człowieka jest na ogół dość ciasny i powszedni; zamyka się w kręgu rodziny, znajomych, miejsca pracy. Poza fachowcami i niekiedy młodymi lub starymi ludźmi mało kto interesuje się wszechświatem jako takim — jego budową, istotą, sensem i przeznaczeniem, istotą rzeczywistości i naszego bytu. A nawet interesując się takimi zagadnieniami, przeciętny człowiek koncentruje się nad tym, co jest sprawdzalne, co pobudza jego receptory i na co sam w jakiś sposób może zadziałać. Zasadą kontaktu z otoczeniem jest bowiem łuk receptoryczno-efektoryczny: spostrzeganie — działanie. Świat otaczający uważa się za rzeczywisty wówczas, gdy zamknie on powyższy łuk w obwód koła, tzn. gdy sam przyjmuje działanie naszych efektorów i pobudza nasze receptory.

Fizyk nie usiłuje odpowiedzieć na pytanie, czym jest elektryczność, ale zajmuje się jej efektami: elektromagnetycznymi, świetlnymi, chemicznymi, cieplnymi itd. — mówiąc językiem psychiatrycznym, jej ekspresją lub zachowaniem, a więc tym, co na niego samego działa i na co sam może zadziałać. Oczywiście możliwości sprawdzenia w porównaniu z bezmiarem świata są niesłychanie małe i dlatego większość spraw przyjmuje się na wiarę, tj. przyswajając sobie gotowy obraz utworzony przez grupę społeczną, w której się żyje.

Główną cechą kosmologii schizofrenicznej jest fantastyka i magia[1]. Wprawdzie współczesna fizyka daje nie mniej fantastyczny obraz świata, ale jest on sprawdzalny i dla fachowców zrozumiały. Niefachowcy przyjmują go na wiarę, tzn. wiedzą, że ktoś potrafi go w ten sposób percepować i według swego modelu, zbudowanego z magicznych znaków matematycznych, na niego działać.

Natomiast świat schizofreniczny wypełniają tajemnicze energie, promienie, siły dobre i złe, fale przenikające ludzkie myśli i kierujące ludzkim postępowaniem. W percepcji chorego na schizofrenię wszystko wypełnia boska lub szatańska sub-

[1] K. Spett: *Uwagi nad magicznym myśleniem u psychicznie chorych.* „Przegląd Lekarski", 1947, nr 24, str. 825–829. — B. Gierdziewicz: *Myślenie magiczne chorych psychicznie.* „Psychiatria Polska", 1970, nr 3, str. 281–286.

stancja. Materia zmienia się w ducha. Z człowieka emanują fluidy, fale telepatyczne. Świat jest terenem walki szatana z bogiem, lub sił politycznych czy mafii, obdarzonych kosmiczną mocą. Ludzie są wtórnikami istot żyjących na innych planetach, automatami sterowanymi przez tajemne siły. Wszelkie nowe odkrycia i wynalazki bardzo szybko zostają włączone w temat świata schizofrenicznego. Lasery, promienie kosmiczne, bomby atomowe, podróże międzyplanetarne, mózgi elektronowe, próby badań zjawisk telepatycznych itp. absorbują nieraz całkowicie wyobraźnię chorych. Podobnie ma się sprawa z ważniejszymi wydarzeniami politycznymi. Stają się one bliskie, bezpośrednio dotyczące chorego, niejednokrotnie identyfikują się oni z ich bohaterami.

Choć ogólne wydarzenia wybiórczo wpływają na tematykę świata schizofrenicznego, tak że zmieniała się ona w zależności od epoki i kręgu kulturowego i inaczej wyglądała przed półwiekiem niż obecnie, to jednak pewne motywy się powtarzają: walka przeciwstawnych sił, działanie na odległość, pozorność zwykłego obrazu świata.

Świat jest terenem walki przeciwstawnych mocy, zwykle o charakterze moralnym — dobra i zła, piękna i brzydoty, mądrości i głupoty. Działanie na odległość może być bierne lub czynne. W pierwszym wypadku na chorego działają różne siły, w drugim on działa nimi na otoczenie. Pod zwykłym obrazem świata kryje się inny, „prawdziwy". Chory jakby odkrył istotę rzeczywistości — kantowskie *Ding an sich*[1]. Ludzie znają — w przekonaniu chorego — tylko jej pozory.

Magia schizofrenicznej ontologii polega na zbyt bliskim zetknięciu się ze światem. Jest to jakby karykatura prawa łączności zjawisk. Nie ma zjawisk niezależnych — jedno od drugiego zależy i na siebie wzajemnie wpływa. Oczywiście chory jest punktem centralnym tej zagęszczonej struktury świata. Najdalsze wydarzenia mają wpływ na niego lub on ma wpływ na nie. Wystarczy jego ruch palcem, by zmienić kierunek lotu ptaków, by słońce się zatrzymało, by nastąpił koniec świata, by ktoś zginął. I odwrotnie, czyjś gest, złe spojrzenie może mu samemu zaszkodzić.

---

[1] „Rzecz sama w sobie" — ostateczna przyczyna wszystkich zjawisk.

Odległość nie odgrywa roli, gdyż pokonują ją z łatwością siły działające na chorego lub od niego pochodzące.

Magia wynika też z metafizycznego charakteru tematyki świata schizofrenicznego. Sprawy mieszczące się poza zakresem ludzkiego spostrzegania i działania łatwo stają się terenem tajemniczych sił. Gdy nie można samemu wpływać na otoczenie, wówczas inne niż własne siły zostają włączone. Łatwo przybierają one postać fantastyczną. Przykładem z codziennego życia jest łatwość, z jaką ludzie nie mający wpływu na bieg życia politycznego stwarzają fałszywe koncepcje sił w nim działających.

Nurt eschatologiczny

Rozbicie własnej struktury odbija się na obrazie otaczającego świata. Wraz z chorym zmienia się jego świat. Zmiana jest stopniowa lub gwałtowna, zależnie od charakteru procesu chorobowego, ale w każdym wypadku jest ta zmiana ostateczna. Po niej już nic nie może nastąpić. Jest to kres wszystkiego, koniec świata. Obraz końca świata może być mniej lub więcej apokaliptyczny, ograniczać się do małego kręgu, np. rodziny, ojczyzny, lub obejmować cały glob ziemski i wszechświat. Może to być początek końca świata — krwawe wojny, wybuchy bomb atomowych, zagłada ludzkości, ojczyzny czy tylko rodziny, walka szatana z bogiem, zmaganie się wrogich potęg, spiski, obce wywiady albo stadium końcowe — raj, piekło, pustka po zniszczeniach wojennych, bezterminowe więzienie czy obóz, najbliżsi tylko lub wszyscy ludzie nieżywi; w wyobraźni i odczuciu chorego na schizofrenię zostają tylko ich cienie, duchy lub martwe ciała, poruszające się na kształt automatów.

Poczucie katastrofy zagrażającej lub już nie istniejącej nie jest rzadkie w życiu ludzkim. Łączy się ono z obniżeniem nastroju (np. w depresjach), gdy przyszłość widzi się czarno, a także z własną bezsilnością wobec zewnętrznej sytuacji, której nie sposób zmienić. W drugim wypadku pesymistyczny obraz katastrofy jest rekompensatą za własne niepowodzenia — *après nous le déluge*. Jest tu radość zniszczenia i wyładowania agresji. W urojeniach hipochondrycznych z pewną dozą radości chory przypatruje się ruinie swego ciała, w urojeniach zazdrości — rozbiciu związku erotycznego i rodziny, w urojeniach grzeszności — swemu potępieniu i karze za grzechy itd.

Nastroje katastroficzne są dość typowe dla epok schyłkowych; stare normy ulegają rozbiciu, a nowe jeszcze się nie wytworzyły, panuje więc stan zagubienia i bezradności. Nigdzie jednak nie osiągają one tak apokaliptycznych rozmiarów, jak w schizofrenii. Katastrofę poprzedza nastrój wypełnionego grozą oczekiwania; koloryt świata się zaciemnia, wszystko staje się tajemnicze i groźne. Lęk wzrasta *crescendo* — w momencie szczytowym następuje wybuch: koniec świata, wojny, kataklizmy, chaos, sąd ostateczny, rozdział na diabłów i aniołów, potępionych i zbawionych, dobrych i złych, patriotów i wrogów, żywych i umarłych itd. Stopniowo burza się ucisza, nastaje niebo lub piekło, które przybiera niekiedy formy bardziej świeckie: idealnego ustroju, obozów zagłady, życia na innej planecie itp. Religijne motywy katastroficznego obrazu nie idą w parze ze światopoglądem z okresu przedchorobowego. Dość często się zdarza, że ludzie głęboko religijni i wychowani w tymże duchu mają świecki obraz katastrofy świata, a przeciwnie, całkiem obojętni dla spraw religijnych przeżywają apokaliptyczne wizje o tematyce bynajmniej nie świeckiej. Wydaje się, że w schizofrenii światopogląd nie ma większego wpływu na obraz choroby.

Nie zawsze obraz katastrofy jest tak barwny. Poza tym niemożność nawiązania kontaktu, np. w zespołach katatonicznych, utrudnia odtworzenie przeżyć chorego. O ich sile można jedynie wnioskować na podstawie zachowania się: wyrazu twarzy, postawy ciała, dużej tolerancji na ból itp. W schizofrenii prostej koniec świata przybiera formę pustki, która ogarnia chorego i jego otoczenie. Jest to pustka wymarłego świata, słońce już nie świeci, ludzie się nie śmieją, czas stanął, przestrzeń się zamknęła w ścianach jednego pokoju. Nie ma po co z niego wychodzić, bo na zewnątrz świat jest zmieniony, wymarły lub groźny.

Hebefreniczne „wygłupianie" może być kpiną z ludzi, którzy nie zdają sobie sprawy, że wszystko się zmieniło, że grozi katastrofa. Katastroficzna atmosfera sprawia, że częste w schizofrenii urojenia prześladowcze mają charakter zwykle odmienny niż w innych zespołach chorobowych. Fakt śledzenia, prześladowania, trucia itd. nabiera znaczenia ogólnoludzkiego; jeśli takie rzeczy są możliwe, cały świat jest przeciw choremu, cały świat się zmienił.

Nurt charyzmatyczny

Chory nie stoi na uboczu, gdy światem wstrząsają apokaliptyczne wydarzenia. Zajmuje w nim centralną pozycję. Są chwile, gdy czuje się nieśmiertelny, niematerialny, wszechmocny, bogiem lub szatanem. Od niego zależą losy wszechświata. Steruje ruchami gwiazd i planet. Z łatwością czyta w ludzkich myślach, kieruje ich wolą. Jest w centrum wojen religijnych, politycznych, spisków, walk, wywiadów. O niego toczy się zacięty bój i od niego zależy zwycięstwo lub klęska. Światu grozi zagłada — chory chce ludzkość ostrzec, poświęcić się dla niej; heroiczny czyn może uchronić przed katastrofą. Chce cierpieć, być męczennikiem. Zadaje sobie dotkliwe rany, kaleczy swe ciało. Wkłada rękę do ognia, bo od tego, czy ból wytrzyma, zależy w jego mniemaniu ratunek ludzkości. Odcina palec, ucho, penis na znak ofiary dla wyższego celu. Wstrzymuje się od przyjmowania pokarmów, by oczyszczając swe ciało, oczyścić ludzkość na przyjście innego, nowego świata.

Objawia mu się Bóg, święci, bohaterowie przeszłości, wielcy przodkowie, duchy zmarłych krewnych, współcześni wielcy ludzie; dają mu zlecenia, uświadamiają jego wielką misję. Rozmawia z nimi, czeka na ich znak, rozkazy, jest ślepym narzędziem w ich rękach. Walczą o niego złe siły — szatan, wrogie partie, podziemne organizacje. Wydają mu rozkazy, zmuszają do uległości — jak automat jest im posłuszny; czytają jego myśli, kierują każdym jego ruchem. Przed chorym odsłania się prawdziwy sens życia — wielka misja, heroiczny czyn, męczeństwo. Świętość, boskość, satanizm. W jednym jakby znaku łaski (*charisma*) zamyka się jego całe życie. Przedstawiany tu metafizyczny aspekt świata schizofrenicznego mimo zmienności szczegółów zależy od wpływów kulturowych, w zasadniczym schemacie pozostaje ten sam. Można go znaleźć w najstarszych opisach. W dużej mierze pozwala on nawet zidentyfikować dany opis jako przypadek tej choroby.

Heroizm w normie i w patologii

Moment heroiczny — tęsknota za dokonaniem wielkich czynów, poświęcenie się dla innych, wypróbowanie siebie, zostawienie śladu po sobie (*non omnis moriar*) — są cechami dość charakterystycznymi dla ludzkiej natury. Występują one szczególnie silnie w wieku młodzieńczym, co zresztą od wieków było wykorzystywane przez wodzów, polityków, mężów stanu różnego autoramentu. Obrzędy inicjacji, istniejące we wszystkich kręgach kulturowych, a których szczątkową formą w naszej cywilizacji jest matura itp. egzaminy, opierają się na zasadzie próby sił młodego człowieka. U niektórych ludów pierwotnych próba była tak ciężka — głodówki, tortury fizyczne, samotny pobyt w puszczy — że kończyła się niejednokrotnie krótkotrwałą psychozą typu schizofrenicznego. W psychozie bóstwo lub sławny bohater plemienia objawiali sens i cel życia.

Nurt heroiczny przewija się poprzez dzieje kultury; jego istotą jest chęć przemiany i ulepszenia świata, walki ze złem, podporządkowania otoczenia własnej woli. Realizuje się w nim postawa „nad" — tendencja do przekształcenia otaczającego świata na swój obraz i podobieństwo. Jest to postawa typowo ludzka, podczas gdy dwie pozostałe postawy — „do" i „od", zbliżenia i oddalenia — występują zarówno u człowieka, jak u zwierząt.

Kultura jest trwałym śladem realizacji postawy „nad". Niemożność wyładowania postawy „nad" w kontakcie z otoczeniem sprawia, że pozostaje ona w zawieszeniu w świecie marzeń i fantazji. Rozrasta się tym silniej, im mniej się ją realizuje. Tworzy się błędne koło, gdyż wzrost marzeń utrudnia ich realizację, a niemożność realizacji zwiększa marzenia. Im większa rozpiętość między marzeniem a rzeczywistością, tym silniejsza staje się potrzeba sprawdzenia siebie, otrzymania odpowiedzi na pytanie, „jaki jestem naprawdę". Niemożność realizowania postawy „nad" w konkretnej rzeczywistości stwarza sytuację, w której może się ona wyładować w terenie niesprawdzalnym, znajdującym się poza zasięgiem łuku receptoryczno-efektorycznego, czyli w świecie metafizycznym. Jednocześnie zmienia się hierarchia wartości. Dla działającego ważny jest teren bezpośredniego kontaktu z otoczeniem — tam sprawdza efekt swej aktywności, swoją postawę „nad". Związki przyczynowe układają się prosto — działanie i jego skutek.

Dla człowieka pozbawionego możności działania terenem aktywności staje się niesprawdzalna część świata; w niej czuje się on bezpieczny, bo zwolniony z obowiązku przyjęcia postawy czynnej. Związki przyczynowe stają się tu bardziej skomplikowane, nie ma bowiem bezpośredniego działania na otoczenie i obserwacji jego skutków, aktywność staje się oderwana od rzeczywistości.

W miarę jak kontakt z otoczeniem słabnie, aktywność psychiczna coraz bardziej przesuwa się poza zmysłowo-ruchowy styk z rzeczywistością. Fizjologicznie można by to określić — traktując schematycznie układ nerwowy jako wielki łuk odruchowy — jako przeciążanie części centralnej łuku odruchowego na niekorzyść jego końcówek receptoryczno-efektorycznych. Aktywność staje się oderwana od życia. Łatwo tworzą się fantastyczne powiązania przyczynowe, bo nie ma możności ich sprawdzania w prostej formule — działam i obserwuję efekt działania. Zewnętrzny aspekt rzeczywistości, będący obrazem naszej w niej aktywności, przestaje chorego interesować, najważniejszy staje się istotny sens rzeczywistości, to, co pod jej powierzchnią się ukrywa.

W schizofrenii często obserwuje się tendencję do filozofowania; zagadnienia dobra, zła, sensu świata, jego budowy, sensu życia, najwyższego celu człowieka itd., nie tylko interesują chorych, lecz stają się istotną sprawą ich życia. Filozof zajmuje się filozofią, ale prowadzi życie mniej więcej takie, jak każdy przeciętny człowiek. Chory na schizofrenię żyje swą filozofią. Zagadnienia, które dla filozofa są tematem rozważań, dla niego stanowią kwestię życia w dosłownym znaczeniu, gdyż żyje w świecie przez siebie stworzonym i dla niego gotów cierpieć, a nawet oddać życie. Znane powiedzenie: *primum vivere, deinde philosophari* (najpierw żyć, potem filozofować) przestawił on na: *primum philosophari, deinde vivere.*

Środowisko macierzyńskie

Nienawiść do rodziców

Niejednokrotnie pierwszym sygnałem choroby psychicznej w schizofrenii jest gwałtowna zmiana postaw uczuciowych wobec najbliższego otoczenia. Rodzice są przerażeni, gdy ich zawsze idealnie dobra córka czy syn nagle wybucha w stosunku do nich niepohamowaną agresją lub, zamknąwszy się w sobie, patrzy na nich „złym okiem". Często uczucia oscylują, raz dziecko jest czułe, to znów wrogie. Ta zasadnicza zmiana postawy uczuciowej jest nieraz pierwszym i głównym objawem schizofrenicznej zmiany. Stosunek uczuciowy do rodziców, a zwłaszcza do matki, staje się punktem centralnym przeżyć chorego. Wyrzuca on im ich oziębłość, brak troski, trzymanie go kurczowo przy sobie. Niekiedy stosunek do rodziców staje się jaskrawo symbiotyczny, chory boi się bez nich poruszyć, stale jest z nimi razem, zawsze pyta ich o zdanie, przy tym jednak ma jakby „pod spodem" wrogie lub silnie ambiwalentne do nich nastawienie. Niekiedy obraz rodziców pod wpływem silnych uczuć ulega patologicznemu przekształceniu. Chory nagle widzi ich „prawdziwą" twarz, z życzliwych i dobrych stają się oni wrogami, prześladowcami, chcą chorego zniszczyć, złamać jego życie, zrobić z niego „wariata", otruć lekarstwami itp. W wypadku gdy chory jest żonaty, taka zmiana znaku nastawień uczuciowych może być skierowana do partnera seksualnego; czasem leży ona u podstaw schizofrenicznych urojeń zazdrości.

Schizofrenogenna rodzina

W psychiatrii psychodynamicznej w ostatnich dwudziestu latach wiele uwagi poświęcono tzw. schizofrenogennej rodzinie[1]. Stwierdzono mianowicie, że matka chorego wykazuje niewłaściwy stosunek macierzyński do dziecka, jest osobą uczuciowo zimną, nieraz podświadomie wrogo do dziecka nastawioną, niepewną w roli matki, despotyczną, nie potrafiącą okazać swych uczuć, a wyładowującą się we władzy. Z kolei ojciec bywa w takich rodzinach przesadnie uległy, jest zepchnięty przez współmałżonkę ze swej roli ojcowskiej na margines życia rodzinnego, nie liczy się, jest wyraźnie lekceważony lub znienawidzony, gdy swym zachowaniem, np. alkoholizmem, zakłóca rodzinny porządek. Często powierzchnia życia rodzinnego przedstawia się wzorowo i dopiero dokładniejsza analiza stosunków uczuciowych wykazuje ich patologię. Niekiedy matka sfrustrowana w swym małżeńskim życiu uczuciowym wszystkie swe uczucia, także erotyczne, rzutuje na dziecko. Nie potrafi ona pozwolić na

[1] R. W. Lidz, T. Lidz: *The family environment of schizophrenic patients*. „American Journal of Psychiatry", 1949, t. 106, str. 332.

„przerwanie pępowiny”, wiąże dziecko ze sobą, ogranicza jego swobodę.

Patologia życia rodzinnego nie jest zjawiskiem rzadkim i na pewno należy ona do czynników etiologicznych nie tylko schizofrenii, ale też innych zaburzeń psychicznych. Może nawet częściej niż w schizofrenii spotyka się ją w nerwicach. W nerwicach jest ona zwykle bardziej jawna, a w schizofrenii skryta. Z drugiej strony spotyka się rodziny chorych na schizofrenię, w których naprawdę trudno dopatrzyć się jakichkolwiek schizofrenicznych cech. Rodzi się więc podejrzenie, iż cała koncepcja schizofrenogennej rodziny w dużej mierze powstała pod wpływem patologicznych nastawień uczuciowych pacjentów. Tzn. jej wyznawcy patrzyli na rodzinę chorych ich własnymi oczyma.

Oczywiście obiektywna ocena atmosfery rodzinnej jest niesłychanie trudna i niejednokrotnie psychiatra nie potrafi inaczej jej ocenić, jak z pozycji pacjenta. Zresztą w tej samej rodzinie jedno dziecko będzie jej klimat oceniać pozytywnie, a drugie — negatywnie. Stwierdzenie u chorego negatywnej oceny i negatywnego nastawienia uczuciowego do swego środowiska macierzyńskiego wymaga zawsze dokładniejszej analizy, świadczy bowiem o zakłóceniu w tworzeniu się pierwszych kontaktów ze światem społecznym. Jak wspomniano, nie wydaje się ono swoiste właśnie dla schizofrenii, gdyż zbyt często spotyka się je w różnych zaburzeniach psychicznych. Sprowadzenie etiologii schizofrenii wyłącznie do tego czynnika jest niewątpliwie zbyt dużym uproszczeniem. Niektórzy autorzy tak wielkie znaczenie przypisują związkowi uczuciowemu dziecka z matką, iż uważają — zresztą na podstawie dokładnej analizy historii życia chorych na schizofrenię — za główną przyczynę tej choroby oddzielenie chorego od matki na przeciąg kilku miesięcy w pierwszych trzech latach życia[1].

Macierzyństwo w przyrodzie ożywionej

Darwinowski model przyrody ożywionej, okrutnie i bezwzględnie walczącej o zachowanie prawa do życia własnego

[1] R. Spitz: *Infantile depression and the general adaptation syndrome.* W: P. Hoch, J. Zubin: *Depression.* Grune, New York 1954.

i życia gatunku, coraz częściej jest w ostatnich latach wypierany przez model znacznie łagodniejszy, w którym obok walki wiele miejsca zajmuje troska, pieszczota i zabawa. Szczególnie podkreśla się tolerancję i opiekę, jakimi są otoczone młode zwierzęta w przyrodzie. Żyją one „na specjalnych prawach". Postawa opiekuńcza i tolerancyjna wobec dzieci i młodzieży obowiązuje nawet zwierzęta innych gatunków. Nieraz opiekują się one młodymi innego gatunku jak swoimi dziećmi, gdy te są pozbawione macierzyńskiej opieki. Macierzyńskość, która jest jedną z podstawowych form zachowania się związanego z drugim prawem biologicznym (zachowania życia gatunku), łagodzi okrutne nieraz warunki związane z zachowaniem pierwszego prawa biologicznego (zachowania własnego życia), wedle którego, by żyć samemu, trzeba zabijać inne żywe istoty.

Im zwierzę wyżej w skali filogenetycznego rozwoju, tym dłuższego wymaga okresu macierzyńskiej opieki. Opieka ta osłania je przed okrutnymi prawami życia. Rozwój form — zarówno morfologicznych, jak funkcjonalnych — dokonuje się jakby w izolacji od świata zewnętrznego, w środowisku macierzyńskim, które jest środowiskiem osłaniającym, bezpiecznym, zapewniającym zaspokojenie podstawowych potrzeb. U ssaków przez okres życia płodowego środowiskiem tym jest bezpośrednio organizm matki, dosłownie własnym ciałem osłania ona swe dziecko przed światem zewnętrznym.

Powrót do łona matki

Zdaniem niektórych psychiatrów, zwłaszcza nastawionych psychoanalitycznie (np. Rank, Fromm[1]), w człowieku do końca życia utrzymuje się tęsknota za powrotem do łona matki. Niektórzy uważają, iż pewne formy zachowania się i przeżyć chorych na schizofrenię są wyrazem realizacji tej tęsknoty, np. aktywność ruchowa w katatonii może przypominać aktywność ruchową płodu — łatwe przechodzenie od zastygnięcia w bezru-

[1] O. Rank: *The trauma of birth*. Basic, New York 1952. — E. Fromm: *Escape from freedom*. Farrar and Rinehart, New York 1941 (przekład polski pt. *Ucieczka od wolności*. Czytelnik, Warszawa 1970). — E. Fromm: *Szkice z psychologii religii*. Książka i Wiedza, Warszawa 1966.

chu do gwałtownych, chaotycznych ruchów; rozbicie granicy oddzielającej świat wewnętrzny od zewnętrznego może być traktowane jako regresja do życia płodowego i wczesnego okresu dzieciństwa, gdy się jeszcze ta granica nie wytworzyła, ponieważ wytworzyć się może tylko w stałej interakcji z otoczeniem, gdy się na nie działa i z kolei odbiera jego działanie (metabolizm informacyjny).

Zabawa

Gdyby nie bezpieczeństwo, jakie zapewnia opieka macierzyńska, to młoda istota, nie dysponująca jeszcze w pełni rozwiniętymi formami czynnościowymi i morfologicznymi, byłaby skazana na szybką zagładę w otaczającym świecie, każdy jej fałszywy krok groziłby śmiercią. Macierzyńskie środowisko zaspokaja nie tylko wszelkie istotne dla życia potrzeby młodego ustroju (pokarm, wodę, ciepło itp.), lecz również umożliwia rozwój metabolizmu informacyjnego. Dzięki temu, że otaczające środowisko jest bezpieczne, że niczym nie grozi, można się do niego zbliżyć, zaspokoić swoją ciekawość (postawa „do"), nie trzeba przed nim uciekać lub z nim walczyć (postawa „od").

Pierwszy kontakt ze światem otaczającym ma charakter zabawowy. Nic nie dzieje się naprawdę, ale „na niby". W zabawie wypróbowuje się różne formy interakcji z otoczeniem, naśladuje się dorosłych, raz się jest na górze, a raz na dole — raz rządzi się, to znów jest się rządzonym. Otaczający świat ma coś z zaczarowanej krainy, w której stale coś nowego się odkrywa. W tym stosunku zabawowym do świata otaczającego można obserwować zarówno u zwierząt, jak u człowieka niezwykłe bogactwo form zachowania się. Zabawa więc odgrywa, jak się zdaje, zasadniczą rolę w rozwoju metabolizmu informacyjnego. By jednak do rozwoju tego doszło, musi przeważać postawa „do". Trudno bowiem wejść w kontakt z otoczeniem, przed którym się ucieka lub które chce się zniszczyć.

W przedchorobowej linii życia chorych na schizofrenię często obserwuje się niedostatek zabawy w ich stosunkach z otoczeniem. Niekiedy wpływa na to zbyt opiekuńcza postawa rodziców, którzy nie pozwalają dziecku bawić się z rówieśnikami; nieraz dziecko „z natury" jest nieśmiałe, unika kontaktów zabawowych, czasem jakiś uraz zraża je do stykania się z rówieśnikami. W socjoterapii schizofrenii ważną rolę odgrywa postawienie właściwego akcentu na element zabawowy. Niekiedy po raz pierwszy w życiu chory dopiero w szpitalu uczy się bawić, traktować życie mniej serio, zawiązuje pierwsze flirty, uczy się tańczyć itp.

Zasadnicza struktura kontaktów społecznych

W interakcji z otoczeniem społecznym wytwarza się swoiste dla człowieka jej uwarstwowienie, które najlepiej oddaje język w zaimkach osobowych: „ja" i „my", „ty" i „wy", „on" i „oni". Bezpośrednie oddziaływanie zachodzi w sferze „ja" — „ty", lub „my" — „wy". W drugim wypadku dochodzi do identyfikacji z grupą; „ja" zostaje zastąpione przez „my". Wspólnota z innymi wzmacnia własną pozycję, człowiek czuje się silniejszy i odważniejszy, bo nie samotny, łatwiej jako „my" wypróbowuje różne nowe sposoby zachowania się.

Dzieci w gromadzie znacznie łatwiej penetrują „tajemniczy świat". Razem organizują zakazane zabawy, wycieczki; pierwsze próby seksualne (zwykle masturbacja) dokonywane są często wspólnie, itd. Dorośli też w gromadzie czują się pewniej, np. w chwilach zagrożenia, w wypróbowaniu form aktywności niezwykłych w danym kręgu społecznym, np. nowych zasad politycznych, religijnych itp. Natomiast formy „on", „oni" wskazują na sferę dalszą. Ta część otoczenia społecznego nie bierze bezpośredniego udziału „w zabawie". „On" czy „oni" przypatrują się z boku, odgrywają rolę zwierciadła społecznego, są sędziami. „Oni" — to często rodzice, gdy się jest razem z rówieśnikami. Gdy jednak dziecko wróci w krąg rodzinny, rodzice z powrotem wchodzą do sfery intymniejszej „ja" — „ty". W normalnym życiu społecznym często przeskakuje się z jednej sfery do drugiej zależnie od aktualnej sytuacji.

W schizofrenii niedostatek interakcji z otoczeniem społecznym powoduje, iż najbliższa sfera kontaktu z nim nie rozwija się należycie. Sfera „ja — ty" i „my — wy" ulega jakby atrofii, natomiast hipertrofii ulega sfera dalsza: „ja" — „on" lub „oni", „oni" zbliżają się do chorego, zajmują miejsce normalnie przysługujące najbliższym: „ty" i „wy". Nie wytwarza się też

„my”, chory czuje się samotny. „Oni” patrzą na chorego, obserwują go, są jego sędziami. Wciąż czuje na sobie „ich” oczy wpatrzone w niego. Gdy dojdzie do rozbicia granicy oddzielającej świat własny od otaczającego, „oni” odczytują jego myśli, kierują jego ruchami, jest automatem posłusznym ich władzy.

Schizofreniczne zagęszczenie struktury społecznej

Wskutek rozbicia normalnej trójwarstwowej struktury świata społecznego dochodzi w schizofrenii do swoistego zagęszczenia. „Oni” naciskają na chorego, ograniczają swobodę jego ruchów, nie może się od nich oderwać, czuje się przez nich prześladowany. Znacznie słabiej zarysowana, ale trochę analogiczna sytuacja występuje w życiu codziennym, gdy np. człowiek znajdzie się w zatłoczonym tramwaju czy autobusie, wówczas „oni” — ludzie zasadniczo obcy — zajmują pozycję, która normalnie przysługuje tylko tym, którzy są z daną osobą w bezpośrednim kontakcie („ty” i „wy”). W takiej sytuacji zagęszczenia łatwo dochodzi do rzutowania własnych postaw uczuciowych na tych „dalekich bliskich”; drażnią oni swoim zachowaniem się, swymi minami, wypowiedziami, czego by nie było, gdyby znaleźli się w przyzwoitej od nas odległości. Rzutujemy bowiem na nich własne, wrogie do nich nastawienie.

Pseudocommunity

Człowiek jest tak bardzo istotą społeczną, że nigdy nie może być samotny. Gdy jest sam, jego marzenia wypełniają się różnymi postaciami prawdziwymi i fikcyjnymi, bliskimi i dalekimi, sympatycznymi i antypatycznymi. Nawet w marzeniach sennych przeżywane obrazy zapełnione są różnego rodzaju ludźmi. To samo dotyczy schizofrenii; mimo autyzmu chory nigdy nie jest samotny. Jego pusty, zdawałoby się, świat społeczny zapełnia się prawdziwymi ludźmi, tylko o zmienionych obliczach (w ten sposób np. rodzice nagle zmieniają swą twarz, objawia się prawda o nich, pod zwykłą maską wynurza się inne oblicze, niekiedy straszne) lub ludźmi całkowicie wyimaginowanymi (anioły, diabły, spiskowcy itp.). Niekiedy twarze wyraźnie się zmieniają, zastygają w jednym wyrazie — ironicznego uśmiechu, drwiny, potępienia; niekiedy zmieniają się ich kształty — z ust wychodzą potworne kły, z oczu wydobywają się przenikające promienie, uszy wyrastają do wielkich rozmiarów — takie ucho wszystko słyszy — itd. Czasem zmienia się kolor twarzy — jest trupio żółtawy jak u nieboszczyków, prześwietlony jak u aniołów, spalony jak u diabłów itp. Zmiany te są wynikiem własnej projekcji uczuciowej chorego. Norman Cameron przed laty określił opisane tu zjawisko jako *pseudocommunity* — „sztuczna społeczność"[1]. Jest ono charakterystyczne zarówno dla schizofrenii, jak i dla różnego rodzaju zespołów urojeniowych.

Izolacja a amplituda uczuć

Współakcja z otoczeniem, zwłaszcza w swej formie najbardziej spontanicznej i naturalnej, tj. w zabawie, łagodzi napięcia uczuć. Wiadomo, że żywiołowe uczucie, zwłaszcza o znaku ujemnym, słabnie w miarę bliższego kontaktu z danym człowiekiem. Dawny zacięty wróg nagle objawia cechy dość sympatyczne, a uwielbiana osoba traci nieraz w bliskim kontakcie swe „cudowne" właściwości. Jak wiadomo z socjopsychologii propagandy, fakt ten służy w celu urabiania opinii publicznej za pomocą prasy i innych środków masowej komunikacji[2]. Władze publiczne, partie polityczne, grupy nacisku, organizacje wyznaniowe itp. ośrodki, chcąc wywołać określone dążenia u możliwie licznych zwolenników lub pragnąc skłonić ich do określonych zachowań, korzystają z metod uwzględniających mechanizmy psychologiczne. Gdy rzekomych wrogów starają się jak najbardziej od siebie oddalić i zerwać z nimi wszelkie kontakty, wówczas łatwiej jest malować ich charaktery według z góry założonych poglądów, idei, sposobów postępowania czy haseł. Propaganda hitlerowska ukazywała wrogów w najciemniejszym świetle. Inny typ propagandy, zmierzającej do pozyskania sobie sojuszników, stara się nawiązać z narodami zaprzyjaźnionymi

[1] N. Cameron: *The psychology of behaviour disorders. A biosocial interpretation*. Houghton Mifflin Company, Boston 1947.

[2] S. Freud: *Massenpsychologie und Ich-Analyse. Die Zukunft einer Illusion*. Fischer Bücherei, Frankfurt a. Main 1967.

bliższe kontakty, którym służy też otwieranie granic, popieranie związków handlowych i kulturalnych, ściąganie turystów.

Rozpiętość postaw uczuciowych jest u człowieka olbrzymia. Zenitem postawy „do" jest maksymalne złączenie się z otoczeniem, jakie osiąga się naturalnie w akcie seksualnym, a fikcyjnie w stanach mistycznej czy twórczej ekstazy; szczytowym punktem postawy „od" jest akt zabójstwa, który wprawdzie we wszystkich kręgach kulturowych potępiony, osiąga jednak społeczną aprobatę, gdy „ja morduję", zostaje zastąpione przez „my mordujemy", jak np. w wypadku wojen. W normalnym życiu społecznym związki uczuciowe rzadko dochodzą do swych ekstremalnych granic. Wszystko rozgrywa się gdzieś pośrodku, w strefie uczuć letnich. Wprawdzie w myślach często gwałci się i morduje, ale na szczęście rzadko te skrajne myśli się realizuje.

W schizofrenii, jeszcze na długo przed wybuchem psychozy, obserwuje się często tłumienie uczuć. Chory nie ma dostatecznego kontaktu uczuciowego z otoczeniem, by mógł swe postawy uczuciowe realizować. Często żyje w skorupie uczuć sztucznych, narzuconych mu przez otoczenie („idealny synek"), a swoje prawdziwe uczucia — zarówno o znaku ujemnym, jak pozytywnym — realizuje w marzeniach na jawie lub we śnie. W nich mści się nad wrogami, zdobywa najpiękniejsze kobiety, prowadzi krwawe wojny itp. Tylko bardzo silne uczucia są dla niego prawdziwe; letnie są fałszywe, gdyż zbyt często jest zmuszony okazywać je w swych kontaktach z otoczeniem. Z chwilą wybuchu psychozy te silne uczucia wydobywają się na zewnątrz. Siła ich niejednokrotnie przekracza zdolność wczucia się i ich zrozumienia ze strony obserwatora.

Chory na schizofrenię zamiast żyć w środku osi uczuciowej, żyje na obu jej krańcach — lęku i nienawiści oraz miłosnej ekstazy. Oczywiście takie życie na dłuższą metę jest niemożliwe, przekracza bowiem wydolność ustroju. Wyładowanie wegetatywne towarzyszące maksymalnym napięciom uczuciowym prowadzi wcześniej czy później do wyczerpania i objawów uczuciowego otępienia.

Trudno na razie powiedzieć, co jest pierwsze, czy zmiany biochemiczne, czy zmiany uczuciowe prowadzące do zakłócenia podstawowych procesów biochemicznych. Niemniej jednak między obu zjawiskami zachodzi zależność typu błędnego koła. Wywołane przez silne uczucia zmiany biochemiczne (np. podwyższenie się poziomu amin katecholowych i serotoniny we krwi i w mózgu) odbijają się z kolei na dynamice uczuć, staje się ona silniejsza, co znów podwyższa dynamikę biochemiczną. W chronicznej schizofrenii obserwuje się na ogół równorzędnie z wygasaniem uczuć osłabienie dynamiki biochemicznej[1].

Co silne nieraz na otoczeniu robi wrażenie, to właśnie niezwykła dynamika procesów uczuciowych w schizofrenii; przekraczają one zwykłą ludzką miarę, są niezwykłe, a wskutek tego budzą grozę. Można by powiedzieć, że specjalnie do nieschizofreników odnoszą się słowa Apokalipsy: „Znam sprawy twoje, iż nie jesteś ani zimny, ani gorący. Bodajbyś był zimny albo gorący! Ale iżeś letni, i ani zimny, ani gorący, pocznę cię wyrzucać z ust moich" (Objawienie św. Jana, 3, 15–16).

Seks

Erotyzm wczesnej młodości

Zrozumienie tematyki seksualnej w świecie schizofrenicznym wymaga, jako wstępu, wczucia się w atmosferę wczesnej młodości, na jej podłożu rozwijają się bowiem koncepcje schizofreniczne. Najbardziej może typową cechą erotyki wczesnomłodzieńczej jest dysproporcja między marzeniem a możliwością jego realizacji. W związku z przełomem hormonalnym okresu pokwitania dynamika marzeń erotycznych jest większa niż w innych okresach życia. Nie zawsze marzenia występują w formie jawnej, ich treść może ulec stłumieniu lub sublimacji. Jednocześnie wszelkie formy ich realizacji są niewspółmiernie nikłe, a najłatwiejsza z nich — autoerotyzm — wzbudza uczu-

---

[1] Zob. m.in. S. Słowik: *Zespołowe badania biochemiczne u chorych na przewlekłą schizofrenię*. „Folia Medica Cracoviensia", 1968, t. X, z. 2, str. 291–366 (tamże obszerna bibliografia). — K. Spett: *Badania czynnościowe gospodarki węglowodanowej w schizofrenii urojeniowej*. „Neurologia, Neurochirurgia i Psychiatria Polska", 1953, nr 5, str. 491–506. — K. Spett, Kaz. Spett: *Blood sugar tolerance curves in schizophrenia*. „Bulletin of Polish Medical History and Science", 1959, t. II, nr 5, str. 33–34 i 47.

cie negatywne do własnej osoby i do życia seksualnego. Tworzy się *schizis* między marzeniem erotycznym a jego realizacją. Marzenia są piękne, a rzeczywistość życia płciowego — odrażająca. Hamulce natury społecznej pogłębiają to rozszczepienie.

Atmosfera tajemniczości i intymność, która u większości kręgów kulturowych otacza życie płciowe, a w pewnym stopniu istnieje też u niektórych gatunków zwierząt, pobudza fantazję do tworzenia nierealnych obrazów życia seksualnego. Nierealność wyolbrzymia proporcje. Dochodzi do demonizacji życia seksualnego. Występuje ona silniej u chłopców niż u dziewcząt. Zasłona tajemnicy, oddzielająca przedmiot pożądania od pożądającego, sprawia, iż obok biologicznie uwarunkowanej tendencji „do" rodzi się tendencja o kierunku przeciwnym. Przedmiot pożądania budzi równocześnie lęk i agresję. Kobieta staje się „narzędziem szatana", Vehini-hai, która niezwykłą urodą zwabia mężczyzn po to, by po miłosnych uniesieniach ich pożreć, czarodziejką, wampirem itp. W mniej demonicznej formie staje się tą, która może ośmieszyć, a ośmieszenie jest społecznym uśmierceniem, i która wymaga od chłopca heroicznych czynów, walki o nią i zwycięstwa. Pewną obroną przed ambiwalentnym nastawieniem do obiektu miłości jest rozszczepienie go na dwa odrębne przedmioty: „kobiety-ideału" — tej, która zaspokaja wzniosłe uczucia i marzenia, uosobienie piękna, dobra itp., i „kobiety seksu" — tej, która zaspokaja zmysły i „niskie" pożądania. Nie bez wpływu na kształcenie się życia seksualnego są panujące w danej epoce czy kręgu kulturowym wyobrażenia i normy społeczne.

Rozszczepienie dotyczy też obrazu własnego ciała. Genitalia stają się odrębną, autonomiczną całością, rządzącą się swoimi nieznanymi prawami — przynosząc rozkosz, ale też niepokój i cierpienie. Koncentrują na sobie uwagę i uczucia. Nastawienie do nich jest ambiwalentne: wielbi się je i nienawidzi. Napięcie sprzecznych uczuć bywa tak silne, że marzy się o kastracji jako jedynym sposobie uwolnienia się od stałego źródła niepokoju. Ale też są one atrybutem męskiej siły, bez nich grozi społeczne ośmieszenie. Odcięcie penisa jest jedną z częstszych form schizofrenicznego samookaleczenia.

Analogicznie rozszczepia się obraz ciała kobiety pożądanej. Sfera genitalna budzi ambiwalentne uczucia, pożądania, a jednocześnie lęk czy nawet wstręt. Społecznym objawem tych spornych nastawień uczuciowych są przekonania o „nieczystości" kobiety w okresie menstruacji u niektórych ludów tzw. pierwotnych, obawa że w czasie stosunku penis może być przytrzymany zębami znajdującymi się w pochwie, a w społeczeństwach cywilizowanych lęk przed zakażeniem się chorobą weneryczną.

U dziewcząt objawy rozszczepienia w życiu seksualnym są rzadsze i słabiej zaznaczone. Natomiast wpływ życia seksualnego na ukształtowanie linii życiowej wydaje się silniejszy. Erotyka jest nadrzędnym sprawdzianem własnej wartości, jak u chłopców heroika. Kochać i być kochaną jest może największą potrzebą kobiety. Brak realnego przedmiotu miłości odczuwa ona boleśniej niż mężczyzna; traci wówczas sens swego życia, rodzi się pragnienie samounicestwienia, broni się przed nim próbami przyjęcia postawy męskiej, heroicznej, co jednak uczuciowo jej nie zaspokaja. Staje wobec pustki uczuciowej, przed którą uciec może przez samobójstwo lub pozorne życie polegające na kurczowym trzymaniu maski społecznych form i powinności, wewnętrznie jednak czuje się martwa. Trzecim wyjściem jest rozbicie świata realnego i zastąpienie go nierealnym, w którym jej potrzeba ma większe szanse spełnienia. Uwagi te można ująć w ogólną formułę, że życie seksualne u kobiet nie jest wprawdzie, jak u mężczyzn, rozszczepione, ale za to łatwiej niż u nich do rozszczepienia prowadzi.

Idealizacja

W schizofrenii zaostrzają się, a nieraz w karykaturalny sposób deformują cechy młodzieńczego erotyzmu. Jako najbardziej charakterystyczne można wymienić siedem objawów — idealizację, demonizację, ambiwalencję, autoerotyzm, automatyzację i magię, zaburzenia identyfikacji.

Idealizacja schizofreniczna jest wprawdzie odpowiednikiem młodzieńczej, lecz jest od niej gwałtowniejsza i silniejsza. Jest dążeniem do nie zbrukanej zmysłowością miłości, harmonii dusz, złączenia się z pięknem, którego symbolem jest przedmiot uczucia; cielesność jest w tym dążeniu przeszkodą wskutek swej nieczystości i przyziemności. Własne ciało budzi odrazę i agresję — zniszczyć je to znaczy stać się całkowicie wolnym, czystym, zdolnym do prawdziwej, wielkiej miłości. Przedmiotem uczucia może być realna osoba z otoczenia chorego — odpowiednio wyidealizowana, lub osoba mu osobiście nie znana, ale popularna w danym okresie i kręgu kulturowym; postać znana z historii, z kultu religijnego, wreszcie wytwór własnej fantazji.

Demonizacja

Demonizacja jest odwrotnością idealizacji — tu przedmiot uczucia jest symbolem cielesności, rozpętania zmysłów, złych sił itp. Jego moc przyciągania jest tak wielka, że nie można jej nie ulec, wszelki opór jest bezskuteczny, jest się pod działaniem magicznego uroku. Budzi on lęk, narasta świadomość, że idzie się do własnej zguby, ale jednocześnie pragnie się spalenia w ogniu miłosnego szału. Podobnie jak w idealizacji, przedmiotem uczucia może być dowolna osoba realna lub fikcyjna.

Ambiwalencja

Ambiwalencja jest zjawiskiem normalnym w uczuciach erotycznych. W schizofrenii jednak, pomijając większą amplitudę oscylacji uczuciowych, nabiera ona cech specyficznych. Gdy życie erotyczne rozgrywa się w sferze marzeń, co w schizofrenii najczęściej się zdarza z powodu nieśmiałości i izolacji społecznej chorych, wówczas uczucia skierowują się do postaci, która jest wytworem ich fantazji. Dzięki temu obraz bardziej się utrwala, gdyż twory fantazji, uczuć, wspomnień i marzeń są na ogół mniej zmienne niż obrazy powstałe na skutek bezpośredniego kontaktu z rzeczywistością. Utrwala się też ambiwalentna postawa — jeden jej biegun stwarza obraz wyidealizowany, a drugi — zdemonizowany. Napięcie nie wyładowanych uczuć jest większe, w związku z tym większe też staje się ambiwalentne rozszczepienie.

W tych wypadkach, w których chory na schizofrenię ma już kontakty seksualne, trudniej na ogół tworzy się obraz fikcyjny, zwłaszcza wyidealizowany; przeszkadza w tym realność partnera seksualnego. Sprzeczne uczucia mogą wprawdzie zniekształcać odpowiednio jego obraz, ale zawsze coś z rzeczywistości w nim zostaje. Nie mogą powstać dwie osoby, lecz jedna łączy w sobie cechy ideału i demona, ukazując na kształt Janusa raz to, a raz tamto oblicze.

Osoba, z którą się żyje, budzi na przemian lub jednocześnie pożądanie i nienawiść, staje się źródłem stałego napięcia, które może doprowadzić do urojeniowej projekcji, zamienia się wówczas w groźną, wrogą postać, która czyha, by zniszczyć, wyssać żywotne soki, otruć, ośmieszyć, zamknąć wśród chorych umysłowo. Nie można się od niej oderwać, siła przyciągania w ambiwalentnych uczuciach jest bowiem na ogół większa niż w jednokierunkowych. Siłę przyciągania chory tłumaczy niekiedy niezwykłą atrakcyjnością partnerki — przyciąga nie tylko jego, ale wszystkich mężczyzn, każdy może być jej potencjalnym kochankiem.

Napięcie uczuciowe, które wywołuje partner seksualny, może w końcu tak wyczerpać chorego, że przychodzi okres zupełnego zobojętnienia, przerywany czasem wybuchami miłości lub nienawiści.

Autoerotyzm

Autoerotyzm w wieku młodzieńczym jest zjawiskiem tak powszechnym, że podobnie jak tendencje homoseksualne tego okresu można go traktować jako zjawisko normalne w rozwoju życia seksualnego. Patologia schizofrenicznego autoerotyzmu polega na tym, że droga do dalszego rozwoju została zamknięta. Chory nie ma odwagi nawiązać kontaktu erotycznego. Zamyka się on w erotyce marzeniowej; kontakt z rzeczywistością jest tak przykry, jałowy i pusty, iż może ją tylko skalać i zniszczyć. Świat erotyczny staje się z konieczności tworem fantazji, a samo wyładowanie seksualne jako akt budzący uczucia negatywne — w stosunku do samego siebie, na zasadzie mechanizmu obronnego — „co złe to nie moje" — zostaje zepchnięty ze sfery podmiotowej w przedmiotową (ciało staje się przedmiotem i ulega automatyzacji). Masturbacji nie towarzyszą marzenia erotyczne, staje się ona czynnością mechaniczną, nawykową, dokonywaną nieraz z częstością przekraczającą wyobrażenia o seksualnej wydolności (zdarza się, że chroniczni schizofrenicy masturbują się kilkanaście razy dziennie). Niekiedy znów, przeciwnie, samogwałt jest jednym ze sposobów poniżenia siebie, wzbudzenia jeszcze większego wstrętu i nienawiści do samego siebie.

Rozszczepienie między fizjologią życia seksualnego a jego sferą uczuciowo-marzeniową jest zbyt silne, by masturbacja rozładowywała napięcie uczuciowe związane z erotycznymi marzeniami. Osłabia ona jednak i tak nikłe tendencje chorego do kontaktowania się ze światem społecznym, zarówno na skutek poczucia winy, które wywołuje i które przeradza się w urojenia (wszyscy wokół wiedzą o jego nałogu), jak i na skutek pozbawienia go tak istotnego motywu kontaktów społecznych, jakim jest chęć erotycznego wyładowania.

Kontakt seksualny ma duże znaczenie dla afirmacji obrazu własnego ciała. Widzi się je oczyma swego partnera. Odgrywa tu rolę atmosfera tajemnicy, która otacza życie seksualne, i która w pewnym stopniu otacza też własne ciało. Tęsknota za cielesnym zbliżeniem jest też tęsknotą za sprawdzeniem własnego ciała, własnej męskości czy kobiecości. Przymiotnika „cielesny" w wielu językach używa się zastępczo zamiast „płciowy", język więc oddaje ścisły związek cielesności z seksualnością. Brak sprawdzianu w postaci kontaktu seksualnego sprawia, że obraz ciała jest jakby nie wykończony, brakuje tego, co decyduje o jego wartości. W takiej sytuacji łatwo tworzą się hipochondryczne koncepcje.

Automatyzacja

Masturbacja stwarza fałszywy obraz ciała, a wskutek tego, że wyładowanie seksualne następuje w drodze prostej, mechanicznej aktywności — obraz ciała ulega też mechanizacji. Zjawisko to obserwuje się czasem w rysunkach schizofrenicznych, w których ludzkie ciało przybiera formę skomplikowanego automatu. Nie jest też wykluczone, że w powstaniu takiego obrazu ciała odgrywają rolę wpływy kulturowe — jest on dość typowy dla cywilizacji technicznej. Techniczne spojrzenie na świat obejmuje też obraz własnego ciała. Wydaje się jednak, że w schizofrenii istotnym czynnikiem jest automatyzacja życia seksualnego polegająca na tym, że dzięki masturbacji ma się poczucie kierowania aktem seksualnym. Poczucie to przenosi się na całe ciało, staje się ono maszyną podporządkowaną własnej woli. Ma tu też znaczenie schizofreniczny autyzm przez odcięcie się od otaczającej rzeczywistości; terenem wolicjalnego działania staje się własne ciało, zmienia się w przedmiot — maszynę, którą można dowolnie kierować.

W ostrej fazie chorzy czasem odczuwają moc kierowania swymi fizjologicznymi funkcjami.

Magia

Poczucie całkowitego podporządkowania ciała własnej woli łączy się zwykle z poczuciem wszechmocy, tak jakby własne ciało wypełniało świat otaczający — kierując nim, chory kieruje całym światem. Przypomina się zachowanie magów, cyrkowych hipnotyzerów itp.; zanim przystąpią oni do magicznego działania na otoczenie, demonstrują swą moc nad własnym ciałem — wstrzymują oddech, nadymają się, wpatrują się w jeden punkt.

Nie można jednak bezkarnie przekraczać granic władzy. Pełnia władzy nad własnym ciałem i światem mści się nad chorym w ten sposób, że przechodzi on w ręce fikcyjnego otoczenia. Z wszechmocnego władcy staje się bezwolnym automatem, kierowanym przez siły z zewnątrz. Nie może kierować własnym ciałem; władzę nad nim ma już ktoś inny. Fakt, że ręka, noga, usta itd. wykonują ruchy niezależnie od woli, skłania do magicznej interpretacji świata. Tylko magia może dawać efekty nie mieszczące się w ramach zwykłego doświadczenia.

Magiczny aspekt ciała tworzy się wówczas, gdy dzieją się z nim niezwykłe rzeczy. Niezwykły jest ruch wykonany wbrew własnej woli, gdyż jest się przyzwyczajonym od najwcześniejszego okresu życia do kierowania swoimi ruchami. Niezwykłe jest też każde doznanie cielesne, przyjemne czy przykre, którego przyczyny nie umie się wytłumaczyć. Nagle odczuty ból głowy, serca, brzucha itp., którego charakter nie przypomina dotychczasowych sensacji bólowych, budzi niepokój, skłania do magicznych interpretacji — dzisiaj rak, dawniej rzucanie uroku, kara boża itp. Cechą magii jest nieproporcjonalny stosunek przyczyny do skutku; mały wysiłek — ruch ręki, wypowiedzenie zaklęcia — daje nieprzewidziany efekt.

Posiadanie zdolności magicznych zawsze nęciło człowieka. W dążeniu do władzy magicznej można doszukać się pewnego lenistwa, osiągania dużych rzeczy małym wysiłkiem, ale z drugiej strony było ono bodźcem do poszukiwań naukowych i współczesna technika jest rezultatem tego dążenia. Autoerotyzm daje w pewnej mierze poczucie magicznej władzy nad własnym ciałem — małym wysiłkiem osiąga się przeżycie zbliżone do rozkoszy kontaktu seksualnego, unikając wszystkich trudności i upokorzeń związanych ze zdobyciem partnera.

Poczucie magicznej mocy nad własnym ciałem jest niebezpieczne, gdyż, jak wspomniano, może rozszerzyć się na świat otaczający. W marzeniu wszystkiego w nim można dokonać. A gdy świat realny staje się nie do zniesienia, może dokonać się psychotyczne przesunięcie poczucia rzeczywistości. Realny staje się wówczas świat marzeń i snów.

Autoerotyzm ułatwia przesunięcie poczucia rzeczywistości, jest jakby namacalnym dowodem, że można małym wysiłkiem osiągnąć duży efekt, czyli że rzeczywiście ma się władzę magiczną.

Gdyby traktować schizofrenię jako zaburzenie postawy „do” otoczenia, wówczas nienawiść do matki i niemożność nawiązania kontaktu erotycznego byłyby dwoma ogniskowymi punktami tej postawy. Początkiem i końcem tej samej drogi. Ruch w kierunku matki jest pierwszym ruchem w kierunku otaczającego świata. W miarę rozwoju penetracja świata osiąga coraz dalsze kręgi, ale pierwszy związek uczuciowy jest jej zasadniczym modelem, mimo że na skutek rozszerzenia swej przestrzeni życiowej dziecko coraz bardziej od niego się oddala. Końcowym etapem drogi do złączenia się ze światem otaczającym jest związek seksualny.

W marzeniu, a rzadziej w rzeczywistości, zespolenie z drugą osobą, która staje się uczuciowym przedstawicielem całego świata, jest tu równie ścisłe, jak w pierwszym związku z otoczeniem, tj. z matką. Gdy człowiek, zamiast zbliżać się do świata, chce od niego uciec, wówczas szuka schronienia w punkcie wyjściowym lub końcowym podstawy „do”, tj. u matki lub u partnera erotycznego związku. Przestawienie postawy z „do” w „od” w obu tych węzłowych punktach równa się zerwaniu z życiem. Traci ono swój koloryt i smak, staje się szarą udręką, choć może przybierać fantastyczne formy. Forma bowiem jest wyrazem konstruktywnej, twórczej postawy wobec otaczającego świata („nad"), a kolor — realnego, uczuciowego z nim związku („do", „od"). W ciemności świat przybiera różnego rodzaju kształty — twory, fantazje, ale barwę nadaje mu realność dnia.

W teście projekcyjnym Rorschacha, zastosowanym wobec chorych na schizofrenię, forma wyraźnie dominuje nad kolorem[1]. Świat schizofreniczny oscyluje między białym i czarnym; w stanach zejściowych jest monotonnie szary. Dlatego przypomina on bardziej widmo życia niż życie prawdziwe. Brak poczucia barwy i smaku życia upodabnia je do „snu śmierci".

Po przejściu ostrej fazy chorzy często czują się „żywymi nieboszczykami" i stąd płynie ich tęsknota za pełnią barwy, która obsesyjnie nurtowała np. van Gogha.

Identyfikacja seksualna[2]

W okresie wczesnomłodzieńczym prawie każda dziewczyna i każdy chłopiec mają kłopoty ze swoją identyfikacją płciową. Nie czują się pewnie w swej roli kobiety czy mężczyzny, którą świeżo przyjęli, wyszedłszy z roli dziecka. Dziewczęta niejednokrotnie zazdroszczą chłopcom, że są oni chłopcami, i chętnie wymieniłyby z nimi swą płeć (psychoanalitycy traktują to jako jeden z objawów kompleksu Edypa — „zazdrość o penisa" — *penis envy*). U chłopców chęć zmiany roli na kobiecą spotyka się rzadko, choć w ostatnich czasach częściej niż dawniej; zwykle wskazuje ona na wyraźne zaburzenie procesu identyfikacji seksualnej. Ludzie dorośli też na ogół nie czują się stuprocentowymi mężczyznami czy stuprocentowymi kobietami; nigdy identyfikacja seksualna nie jest idealna, zawsze znaleźć w niej można

---

[1] Badany tym testem ogląda serię reprodukcji standardowych plam, powstałych po złożeniu kawałków papieru, które uprzednio zwilżono atramentem, i opowiada, co w swej wyobraźni dostrzega w tych kształtach. Opis testu Rorschacha podaje m.in. E. R. Hilgard: *Wprowadzenie do psychologii*. PWN, Warszawa 1967, str. 678–681.

[2] Zob. m.in. J. Bomba: *Zaburzenia w systemie psychoseksualnym*. „Psychiatria Polska", 1971, nr 5, str. 551 i nast.

pewne braki, które ujawniają się w przeżyciach świadomych lub, tłumione, dają znać o sobie w formie objawów nerwicowych czy nawet psychotycznych.

Postawa autystyczna utrudnia kontakty z płcią przeciwną. Nie ma możności sprawdzenia swej męskości czy kobiecości. Własny autoportret seksualny realizuje się wówczas w świecie marzeń we śnie i na jawie. Wzrasta niepewność co do własnej roli seksualnej. Dręczą pytania: „czy jestem kobieca", „czy jestem męski". Niekiedy młody mężczyzna czy młoda kobieta tłumią swą niepewność, wyżywając się w pracy, w sporcie, w tęsknotach metafizycznych itp.

Ostatecznym sprawdzianem własnej męskości czy kobiecości jest kontakt erotyczny. Tylko partner związku erotycznego może rozwiać wątpliwości co do własnej roli seksualnej. On odkrywa męskość czy kobiecość osoby wątpiącej. On akceptuje jej ciało. Większość chorych na schizofrenię ma duże trudności w nawiązywaniu kontaktów erotycznych i są oni pozbawieni tego ostatecznego sprawdzianu. Stąd większa u nich (przynajmniej u mężczyzn) chęć sprawdzenia się z pomocą postawy heroicznej.

Niepewność identyfikacji niekiedy manifestuje się w schizofrenii bardzo dramatycznie. Chory ma wprost wrażenie, że jego płeć ulega zmianie, np. mężczyzna jest przekonany, że rosną mu piersi, że genitalia maleją i nabierają cech żeńskich, że zmienia mu się głos, że znika zarost itp., a kobieta, że rośnie jej penis, że zmieniają się rysy twarzy, zanikają piersi itp. Niekiedy chory odczuwa, że ma narządy płciowe płci przeciwnej i że we śnie jest wykorzystywany jako obiekt ekscesów miłosnych według swej nowej płci.

W słabszej formie zaburzenia identyfikacji manifestują się w postaci lęku przed homoseksualnym atakiem. Tendencje homoseksualne nie są czymś niezwykłym w okresie identyfikowania się płci, tj. w okresie wczesnomłodzieńczym; zwykle są one silnie tłumione i stopniowo wypierane przez popęd heteroseksualny. Gdy wyparcie nie jest pełne, ukryte tendencje homoseksualne manifestują się najczęściej w postaci lęku przed homoseksualizmem. W schizofrenii lęk ten urasta niekiedy do patologicznych rozmiarów i prowadzi do urojeniowej projekcji.

Za Freudem[1] psychoanalitycy uważają, że leży on zawsze u podłoża urojeń prześladowczych, w myśl równania: „ja go kocham" = „ja go nienawidzę" = „on mnie nienawidzi" = „on chce mnie zniszczyć". Wydaje się, że twierdzenie takie jest przesadne i trudno wszystkie urojenia prześladowcze sprowadzić do tajonych tendencji homoseksualnych, niemniej jednak niekiedy spotyka się tego typu ich genezę.

Najczęściej jednak w schizofrenii występują znaczne wątpliwości o własnej męskości czy kobiecości, co powoduje jeszcze większy lęk przed kontaktami z płcią przeciwną i na zasadzie błędnego koła wzmaga z kolei identyfikacyjne niepewności. W socjoterapii schizofrenii ważną rolę odgrywa przerwanie tego błędnego koła. Znajomości z pacjentami płci przeciwnej, jakie chory ma zawsze okazję zawrzeć na oddziale psychiatrycznym, wzmacniają jego poczucie wartości seksualnej, zmniejszają nieśmiałość, uczą form zachowania się wobec ewentualnych partnerów erotycznych.

Codzienne życie

Wymiana „na drobne"

Sprawy codzienne, drobne kłopoty, radości, zmartwienia, troska o zapewnienie środków utrzymania — stępiają ostrze wielkich uczuć, marzeń, pomysłów. Wzniosłe sprawy zamieniają się na drobną monetę spraw małych. Dobrą stroną tej wymiany „na drobne" jest zmniejszanie oscylacji napięć uczuciowych. Wiadomo, jaką ulgą w wielkich przeżyciach jest krzątanina koło zwykłych, małych spraw. Największe napięcie emocjonalne rozładowuje się stopniowo w drobnych sprawach dnia codziennego.

Ujemną zaś stroną tej wymiany „na drobne" jest stępienie wrażliwości uczuciowej, moralnej, estetycznej i intelektualnej. Działa tu zasada perspektywy. Sprawy drobne przez to, że są

---

[1] S. Freud: *A case of paranoia running counter to the psycho-analytical theory of the disease.* W: S. Freud: *Collected papers.* T. II, L. and V. Woolf at the Hogarth Press, London 1942, str. 150–161.

bliskie, zostają wyolbrzymione i przesłaniają wielkość spraw naprawdę istotnych w życiu człowieka. Powstaje fałszywy — w pewnym sensie urojeniowy — obraz życia, a jeśli za taki nie jest uważany, to dlatego, że jest własnością większości ludzi, a przynajmniej treścią ich komunikacji. Nie ma bowiem sposobu wiernego wyrażenia tego, co naprawdę się czuje, a łatwo wyrazić rzeczy zwykłe i codzienne (język jest przystosowany do „bilonu", a nie do „wielkich papierów wartościowych"). Trudno ludzi zadręczać swymi stanami uczuciowymi, tragediami, marzeniami. „Bilonowy" obraz rzeczywistości został społecznie zaakceptowany i stał się obrazem rzeczywistym. Kto ten obraz odrzuca, nie dba o środki utrzymania, formy towarzyskie, ambicje zawodowe, drobne sukcesy, a zastanawia się nad sensem swego życia, prawdziwym obrazem rzeczywistości, jest wierny swym młodzieńczym marzeniom, wielkim uczuciom, ten łatwo zdobywa etykietę schizofrenika. Lecz próbując obiektywnie rozstrzygnąć prawdziwość obrazu świata, można by się długo zastanawiać, któremu z nich przyznać pierwszeństwo; czyj obraz świata jest prawdziwszy: człowieka, który poświęcił całe życie zaspokajaniu swych ambicji, nie widząc w życiu niczego poza awansem służbowym, imponowaniem otoczeniu pozycją społeczną, pieniędzmi, sukcesami erotycznymi itp. czy tego człowieka, który odrzuca powierzchnię życia, szuka prawdziwego oblicza świata i w przekonaniu, że znalazł prawdę, gotów dla niej poświęcić swe życie.

Walka o środki utrzymania, pozycję społeczną, sukcesy życiowe byłaby prawdopodobnie mniej brutalna, gdyby nie wspomniane perspektywiczne wyolbrzymienie drobnych spraw, które w sumarycznej ocenie nie są tak istotne ani dla życia indywidualnego, ani społecznego. Wskutek nich twardnieje „naskórek psychiczny". Dla osiągnięcia celu krzywdzi się innych, łamie się ich uczucia, poczucie własnej wartości, zabiera się im lub marnuje ich czas, lekceważy się owoce cudzej pracy, cudzy wysiłek, okłamuje się siebie i innych maską pozornej życzliwości, społecznego obowiązku, społecznej moralności, pod którą ukrywają się nieraz egoistyczne, drobne cele codziennego życia. Obojętnieje się na los i krzywdę ludzi, z którymi nie jest się w bezpośrednim kontakcie uczuciowym.

„Ptaki niebieskie"

Chorzy na schizofrenię mają coś z „ptaków niebieskich", nie troszczą się o codzienne środki do życia, przyzwoity wygląd zewnętrzny, pozycję społeczną, ambicje zawodowe itd. Nie zależy im na pracy jako źródle utrzymania i awansu społecznego. Zachęcani do pracy, nierzadko odpowiadają filozoficznym wywodem na temat bezsensu pracy i życia. Jeżeli pracują, to siłą nawyku lub traktując pracę jako swą misję społeczną, poświęcenie dla innych, pole dla własnych fantastycznych pomysłów.

Troski codziennego życia mało ich obchodzą; ich perspektywa jest odwrócona: gdy zwykli ludzie patrzą blisko, oni patrzą w dal. Ważniejszy jest dla nich sens życia, cierpienia ludzi w odległych krajach, los ludzkości itp. Nie są nastawieni na bliski cel; dzięki temu, żyjąc w zbiorowości, np. na oddziale psychiatrycznym, wykazują postawę bardziej altruistyczną i społeczną niż np. chorzy z zaburzeniami nerwicowymi. Są mniej niż oni egoistycznie nastawieni. Czasem się wydaje, jak gdyby chorzy w schizofrenii odpowiadali treści następujących słów: „Nie troszczcie się o duszę waszą, co będziecie jedli, ani o ciało, w co będziecie się odziewali. Dusza jest czymś więcej niż pokarm, a ciało czymś więcej niż odzienie. Przypatrzcie się krukom, iż nie sieją, ani żną, nie mają one spiżarni ani spichlerza, a Bóg je karmi (...). Przypatrzcie się liliom, jak rosną; nie pracują ani przędą, a powiadam wam: ani Salomon we wszystkiej chwale swojej nie był tak ubrany, jak jedna z nich" (Ewangelia św. Łukasza, 12, 22–27).

Schizofreniczny altruizm

Świat nerwicowca zamyka się w kręgu codziennych spraw, a świat chorego na schizofrenię, jak wspomniano, ogarnia krąg ludzkości, cały glob ziemski itp. Dzięki temu w codziennym życiu chory na schizofrenię jest znacznie mniej egocentryczny niż nerwicowiec, a także niż przeciętnie zdrowy psychicznie człowiek.

Porównanie życia społecznego na oddziałach nerwicowych i psychotycznych, zanalizowane dzięki badaniom psychosocjometrycznym[1], wypada na korzyść chorych w tym drugim typie oddziałów. „Naskórek psychiczny" w schizofrenii nie grubieje — dzięki temu może, że chorzy ci mało stykają się z otoczeniem, a ich wrażliwość utrzymuje się na poziomie wieku dziecięcego czy wcześnie młodzieńczego. Nie zawsze umieją oni lub chcą wyrazić to, co przeżywają. Wrażliwość ta może im utrudniać nawiązywanie kontaktów z otoczeniem, podobnie jak delikatny naskórek utrudnia ciężką pracę fizyczną. Ale tam, gdzie chory na schizofrenię czuje się względnie bezpieczny, jak np. na dobrze prowadzonym oddziale psychiatrycznym, gdzie styka się ze zrozumieniem i ze szczerą życzliwością — wrażliwość swą okazuje w formie przejęcia się losami współpacjentów i spieszeniem im z pomocą w miarę swych możliwości.

Nerwicowiec czy „psychopata" zachowuje „krótkowidztwo" ludzi zdrowych psychicznie, współpacjenci są dla niego rywalami w dążeniu do zwrócenia na siebie całej uwagi personelu lekarskiego i pielęgniarskiego.

Obserwując życie społeczne psychotyków, a zwłaszcza chorych na schizofrenię, odnosi się wrażenie, że *societas schizophrenica* jest zdrowsza niż przeciętna społeczność, ludzi psychicznie zdrowych. Więcej jest w niej wzajemnego zrozumienia, szczerego współczucia, gotowości pomocy, a nie ma rywalizacji, intryg, wzajemnego niszczenia się. Jeśli to wrażenie jest słuszne, należałoby się zastanowić, jak jest możliwe, że życie indywidualne wykazuje duże odchylenie od normy, a zbiorowe jest zdrowsze od normalnego. Oczywiście można by tę „dobroć" społeczeństwa schizofrenicznego tłumaczyć brakiem dynamiki życiowej, otępienia uczuciowego itp. objawami schizofrenicznymi, założywszy, że dynamika i żywość uczuciowa wyraża się w bezwzględności i egoizmie.

Próbę analizy socjologicznej tego zjawiska należałoby, jak się zdaje, zacząć od wyjaśnienia patologii życia zbiorowego ludzi zdrowych psychicznie, którą określa dosadnie stare powiedzenie: *senatores boni viri — senatus mala bestia.* W wypadku *societas schizophrenica* powiedzenie to można odwrócić, traktu-

[1] A. Walczyńska: *Interpersonal relations among neurotic and psychotic patients.* „Acta Medica Polona", 1968, nr 3, str. 281 i nast.

jąc oczywiście przymiotniki *bonus* i *malus* jako określenie zdrowia, a nie dobra czy zła. Nie jest wykluczone, że w życiu zbiorowym odgrywają większą rolę ukryte cechy członków społeczności, nie manifestujące się wyraźnie przy indywidualnej ich obserwacji, a występujące jaskrawo, gdy w społecznym życiu ulegną zsumowaniu. W ten sposób np. tlejące w każdym prawie człowieku pogotowie urojeniowe, niewidoczne u jednostki, uwidacznia się niejednokrotnie w tragicznej formie w życiu całych społeczeństw.

Odwrotnie, w wypadku społeczności schizofrenicznej cechy takie, jak wrażliwość, delikatność, chęć wczucia się w drugiego człowieka i gotowość niesienia mu pomocy, które przy rozpatrywaniu poszczególnej sylwetki kryją się pod bogatą symptomologią schizofreniczną, ujawniają się dopiero w zbiorowości. Wyraźne objawy bowiem w zbiorowości znoszą się, gdyż u różnych jednostek mają przeciwne znaki, np. inteligencja — głupota, dobroć — złośliwość u zdrowych; podniecenie i zahamowanie u schizofreników itp., natomiast dyskretne objawy, jak wspomniane pogotowie urojeniowe u psychicznie zdrowych a społecznie dodatnie cechy chorych na schizofrenię, istniejąc w małych dawkach u wszystkich, ulegają zsumowaniu.

Nie wiadomo oczywiście, czy przedstawiona interpretacja jest słuszna. W każdym razie społeczeństwo schizofreniczne może być niezwykle interesującym terenem pracy dla socjologa, a właściwe korzystanie z tendencji społecznych tych chorych odgrywa dużą rolę w leczeniu.

Zdarzają się — wprawdzie niezbyt często — wśród chorych na przewlekłą schizofrenię osoby, które świetnie w życiu sobie radzą, wykazują dużo sprytu, załatwiają doskonale interesy, dorabiają się nawet majątku. Mimo sukcesów w codziennym życiu można u nich zauważyć nieco lekceważący, jakby hebetymny stosunek do spraw życiowych; może właśnie dzięki tej „lekkości" tak dobrze im się wiedzie. Niemniej jednak do większości chorych na schizofrenię stosuje się powiedzenie, że „królestwo ich nie jest z tego świata".

Kłamstwo

Potrzeba kłamstwa

Normalne stosunki międzyludzkie wymagają zachowania pozorów, tzn. maskowania własnych uczuć, pragnień, myśli, oraz utrzymania sposobów zachowania się w granicach własnej roli społecznej i przestrzegania obowiązujących norm. Warunki te są konieczne dla utrzymania stabilizacji życia społecznego. Z punktu widzenia socjologicznego pozory są więc korzystne, natomiast co do ich znaczenia psychologicznego można mieć zastrzeżenia. Wpływają wprawdzie stabilizująco na rozwój jednostki, ale mogą też wpłynąć hamująco.

Do najbardziej ujemnych skutków należy zaliczyć zakłamanie, które bywa nieraz tak duże, że człowiek przestaje zdawać sobie sprawę z niego. Zatraca wówczas swoją indywidualność, a zamiast niej zyskuje indywidualność kolektywną, tzn. normy społeczne grupy, do której należy; rola w niej spełniana wypełnia prawie bez reszty jego świat przeżyć. Ludzie tacy stają się do siebie podobni; tracą w ten sposób jedną z najcenniejszych cech przyrody ożywionej, a zwłaszcza człowieka, mianowicie własną indywidualność.

W tematyce świata schizofrenicznego wyraźnie zaznacza się dążenie do prawdy. Chory na schizofrenię nie potrafi pogodzić się z powierzchnią życia, z zewnętrznym, formalnym aspektem rzeczywistości; szuka odpowiedzi na pytanie: „czym jestem naprawdę i czym jest świat, który mnie otacza". Niestety, to samodzielne szukanie prawdy prowadzi do tragicznych skutków. Widocznie nie można być filozofem na serio, tzn. wyznawać filozofię własnym życiem, a nie tylko słowem. Normy społeczne są zbyt silne, by nawet największy filozof mógł się z nich wyłamać.

Młodzieńcza, jak gdyby romantyczna walka z normami i zakłamaniem życia społecznego występuje w przedchorobowej historii życia chorych na schizofrenię zwykle silniej niż w przeciętnej populacji w tym okresie życia. Walka ta przybiera najczęściej formę cichego buntu, wewnętrznego sprzeciwu; przyszły chory nie ma na tyle odwagi, by jawnie swą postawę wyjawić; dzieje się to dopiero z chwilą wybuchu psychozy. Rzadziej bunt objawia się w nieposkromionym, trochę hebetymnym zachowaniu się. Arieti określa taką osobowość przedchorobową jako burzliwą — *stormy personality*[1].

Sam wybuch choroby jest jakby przełamaniem tamy zewnętrznej, społecznie akceptowanej formy osobowości, przez spiętrzone uczucia, marzenia, myśli, które, dotąd ukryte, w burzliwy sposób wydostają się na zewnątrz. Trudno tu mówić o odwadze, gdyż wybuch dokonuje się sam z siebie, bez świadomego współudziału chorego. Chory na schizofrenię nie kłamie, nie ma zresztą powodu, bo dla niego sprawy, które dla przeciętnych ludzi mają istotne znaczenie, straciły swą wartość.

Kłamie się najczęściej dla zachowania lub polepszenia swej pozycji społecznej. Dziecko okłamuje rodziców, nauczycieli czy rówieśników, gdyż chce, by widzieli w nim — choć wie, że tak nie jest naprawdę — posłuszne dziecko, pilnego ucznia, „równego" kolegę. W tym samym celu okłamuje się zazwyczaj swoich partnerów związku erotycznego, zabawy, pracy, swoich przełożonych itd. Dzięki kłamstwu można zyskać czyjąś sympatię, np. za pomocą pochlebstwa, ukryć nieczyste cele pod maską dobrych intencji, uniknąć kary itd. Kłamstwo jest dość wygodnym, bo wymagającym stosunkowo niedużego wysiłku sposobem dostosowania się do sytuacji lub poprawienia obrazu siebie w otoczeniu. Dzięki kłamstwu można oszukać zwierciadło społeczne. Presja zwierciadła społecznego w okresie przedchorobowym jest zwykle w schizofrenii szczególnie dotkliwa. Paraliżuje ruchy takich ludzi, uniemożliwia kontakt z otoczeniem, skłania do przyjęcia postawy wycofującej się. Możliwe, że gdyby potrafili oni lepiej kłamać, nie doszłoby do silnego rozszczepienia między światem własnych przeżyć a zewnętrzną rzeczywistością.

Dodatnią stroną kłamstwa jest bowiem to, że łączy ono postawę własną z postawą otoczenia. Dobrze kłamać, znaczy umieć poznać intencję otoczenia i odpowiednio do niego dostosować swoją ekspansję, zachowując jednocześnie w ukryciu własną postawę i własne cele. Wymaga to nie tylko pewnej psychologicznej znajomości środowiska, lecz też akceptacji wyma-

---

[1] Swoje poglądy S. Arieti przedstawił między innymi w książce pt. *Interpretation of schizophrenia*. Brunner, New York 1955.

gań otoczenia na tyle, by móc własne zachowanie według nich kształtować. Jest to pierwszy etap internalizacji norm otoczenia — zostają one przyjęte jako przykra konieczność. Wewnętrznie jednak jest się do nich nastawionym negatywnie i wymyśla się sposoby ich ominięcia. Jest to okres walki między własną postawą a postawą otoczenia; nie jest to jednak walka otwarta, ale zamaskowana, w której widząc przewagę przeciwnika, przyjmuje się dla pozoru jego stanowisko. Człowiek kłamiący składa się jakby z dwóch warstw: zewnętrznej — zgodnej, a wewnętrznej — niezgodnej z otoczeniem.

Społeczne znaczenie kłamstwa jest duże. Stanowi ono uznanie racji silniejszego, a więc zwykle grupy, gdyż ona jest silniejsza od jednostki. Poddanie się jest wprawdzie pozorne, tylko zewnętrzne, ale mimo to zapewnia gładsze spełnianie norm społecznych niż w tym wypadku, gdyby każdy ujawniał swą wewnętrzną postawę. Poza tym zawsze jest szansa, iż z czasem duch walki osłabnie. Zewnętrzna warstwa przeniknie w wewnętrzną, człowiek uwierzy we własne kłamstwo. Wówczas można mówić o całkowitym przyjęciu postawy grupy, której było się dawniej skrytym antagonistą.

Mimo to kłamstwo spotyka się z ostrym potępieniem społecznym. Kłamca jest zdyskwalifikowany, traci kredyt zaufania. Ale tylko wykryte kłamstwo budzi taką reakcję. W społeczeństwach w mniejszym lub większym stopniu — zależnie od tradycji danej grupy — obowiązuje zasada wyrażona w angielskim powiedzeniu, że dżentelmen nigdy nie kłamie i nigdy nie mówi prawdy. Potępieni są tylko ci, którzy dają się złapać na kłamstwie.

Zostaje wówczas podważona zasada odpowiedzialności. W stosunkach społecznych od najmłodszych lat człowiek jest obarczony określoną rolą: dziecka, ucznia, towarzysza zabawy, partnera seksualnego, pracownika, ojca itd. Z każdą rolą wiąże się zakres obowiązków, norm zachowania się, przywilejów itp. Zasada odpowiedzialności polega na tym, że z góry zakłada się, iż każdy rolę swą wypełnia. Ułatwia to stosunki społeczne, gdyż wystarcza znać rolę danego człowieka, by wiedzieć, czego się można po nim spodziewać. Nie stoi się wobec niewiadomego. W istocie jest to podejście techniczne; ocenia się wartość przedmiotu według tego, jak spełnia on swą funkcję. Nikogo nie obchodzi, jak dana część maszyny czuje się w roli kółka, trybu, lampy katodowej itp.; ma tylko dobrze spełniać swą funkcję, być częścią odpowiedzialną, tak by cała maszyna mogła sprawnie pracować. O kłamstwie lub oszustwie mówi się, gdy dana część, sprzedana jako nowa i dobra, zadań swych nie spełnia. Nie spełnia ona pokładanych w niej nadziei, przez nią cierpi praca całej maszyny.

Przedstawione porównanie stosuje się tylko do tych wypadków, gdy kłamstwo jest nieudałe, gdy wychodzi na jaw, że ktoś umyślnie wprowadził w błąd otoczenie. Nie spełnił funkcji związanej z rolą, jaką pozorował. Nie przedstawił wydarzeń zgodnie z prawdą, mimo że tego się po nim spodziewano; ujawnił swoją negatywną postawę uczuciową, choć demonstrował nastawienie pozytywne; nie spełnił obowiązków związanych ze swoją rolą, mimo pozorów ich spełniania.

Kłamca budzi agresję otoczenia, gdyż próbował wywieść je w pole i jego próba została zdemaskowana. Kłamstwo udałe agresji nie budzi, gdyż zostało przyjęte przez otoczenie za dobrą monetę. Przewidywanie, że człowiek spełnia rolę, jakiej się po nim spodziewamy, nie zostało zachwiane. Wykryte kłamstwo godzi w pozorny obraz rzeczywistości, który przyjmuje się za prawdziwy, dlatego wywołuje niepokój, irytację, potępienie, a śmiech wówczas, gdy obraz nie ulega wskutek tego zachwianiu. Podobną reakcję wywołuje przedmiot, który okaże się nie tym, czym — sądząc po zewnętrznych cechach — być powinien, np. sztuczny kwiat, makieta jedzenia, ślepe drzwi czy okno, postać z gabinetu figur woskowych, które wzięło się za przedmioty prawdziwe, itp.

Presja otoczenia społecznego zmusza do posługiwania się kłamstwami; kto miałby odwagę szczerze swoje postawy manifestować, naraziłby się wkrótce na potępienie otoczenia i wykluczenie z grupy, do której należy. Powstaje jakby zabawa w chowanego, w której jednostka, by nie zostać ukaraną, stara się przyjąć obowiązujące w danej grupie normy społeczne, jednocześnie zachowując swoją własną wobec nich postawę, a grupa wprawdzie toleruje tych, którzy dobrze udają, ale z tym większą surowością odnosi się do tych, których przyłapie na nieudałym kłamstwie. Pogotowie urojeniowe, o jakim uprzednio wspomniano, w dużej mierze pochodzi ze świadomości, którą stosunkowo wcześnie się zdobywa, że pod maską zewnętrznego zachowania może ukrywać się całkiem coś innego.

Bunt przeciw kłamstwu

Jedną z cech kryzysu psychologicznego wczesnej młodości jest „święte oburzenie" na społeczne kłamstwo. Wykrycie kłamstwa u starszego pokolenia, zwłaszcza u rodziców, jest często momentem zwrotnym w uczuciowym do nich stosunku. W miarę psychicznego dojrzewania wzrasta tolerancja na obłudę życia społecznego. U chorych na schizofrenię nie obserwuje się tego wzrostu tolerancji. Można by powiedzieć, że traktują oni całą sprawę zbyt serio.

W kontaktach społecznych jest uchwytny element zabawy, teatru, w którym przyjmuje się wciąż inne role, gra się je z mniejszym lub większym przekonaniem, raz lepiej, a raz gorzej, w końcu tak dobrze, iż traci się poczucie własnego aktorstwa, jest się w nich sobą. Duże znaczenie ma tu zasadnicza postawa wobec otoczenia; gdy otoczenie przyciąga i kontakt z nim jest przyjemny, nie odczuwa się obowiązujących w danej sytuacji reguł zachowania w sposób przykry; odgrywanie roli bawi, maska społeczna nie tylko nie uwiera, ale nawet nie odczuwa się jej istnienia, podobnie jak nie czuje się na sobie ubrania, ale odczuwa się swą nagość.

Przeciwnie przy negatywnym nastawieniu do otoczenia, każdy gest i ruch wydaje się sztuczny; człowiek niedobrze czuje się w swojej roli, ma sam wrażenie, że gra komedię.

Ludzie zrośnięci z otoczeniem, czyli o małym w stosunku do niego dystansie — ekstrawertycy, syntonicy lub cyklotymicy — zrastają się też ze swoją rolą, jest ona ich integralną częścią. Natomiast ci, którzy konstytucjonalnie są od otoczenia bardziej oddaleni, więcej „abstrakcyjni" — introwertycy, ludzie autystyczni, schizotymicy — nigdy nie czują się całkiem dobrze w swej masce; zawsze im ona choć trochę przeszkadza, stale mają świadomość, iż „w środku" są inni. Często przygotowują się do swej roli, ale w kontakcie z rzeczywistością wypada ona inaczej, niż planowali.

Chory na schizofrenię nie może jakby przyjąć momentu zabawy istniejącego w stosunkach między ludźmi, a polegającego na ciągłej grze, przybieraniu takiej czy innej maski zależnie od sytuacji otoczenia, połączonego z satysfakcją, iż gra się udała i wywarła należyte wrażenie. Gra ta męczy go, wywołuje poczucie sztuczności siebie i otaczającego świata. Stąd rodzi się pytanie: jak jest naprawdę, co pod maską się kryje, jak rzecz sama w sobie się przedstawia.

Poczucie sztuczności i pytanie, jak jest naprawdę, dręczą każdego człowieka, a nie tylko przyszłego schizofrenika. Dręczą jednak w wyjątkowych sytuacjach, gdy się jeszcze do swej roli nie przywykło, gdy czuje się w niej źle, słowem, gdy jest ona jeszcze najbardziej zewnętrzną, obcą warstwą osobowości. Chory na schizofrenię, szczególnie w okresie przedpsychotycznym, czuje się stale źle we „własnej skórze", tj. w aktualnie odgrywanej roli.

Prawo automatyzacji

Zachowanie się w kontaktach społecznych, czyli odgrywanie pewnej roli, która odpowiada mniej więcej temu, czego się po nas w aktualnym otoczeniu spodziewają, jest w istocie jedną z wysoko zorganizowanych form reakcji ruchowych. Obowiązuje w nim — jak w każdym ruchu — prawo automatyzacji. Póki ruch jest nowy, znajduje się on w centrum świadomości, widzi się dużą niewspółmierność między jego planem a wykonaniem, plan uważa się za „swój", a wykonanie za coś obcego — „nie mojego", w myśl zasady: „co dobre, to moje, co złe, to nie moje".

Gdy ktoś uczy się tańczyć, jeździć na nartach, na rowerze itp., ma wrażenie, że części ciała zaangażowane w danej aktywności ruchowej nie słuchają go, on chce czego innego, a one — czego innego, nie ma nad nimi władzy, są jakby nie jego. Własne ruchy wydają się mu niezgrabne, sztuczne, obce. Jest wyraźne rozszczepienie (*schizis*) między planem działania a jego wykonaniem, między przyszłością a teraźniejszością, między marzeniem a rzeczywistością. W miarę opanowywania danej aktywności ruchowej coraz mniej angażuje ona myśli, uczucia, marzenia, wykonuje się ją bezwiednie, automatycznie, nie odczuwa się już rozszczepienia, staje się ona integralną własnością. Nie mówi się, że „moja ręka pisze" lub „moje nogi chodzą", tylko „ja piszę", „ja chodzę". W okresie uczenia się danej aktywności trzeba było użyć dużego wysiłku, by ręce czy nogi były posłuszne, gdyż wykonywały one ruchy chaotycznie, nie słuchając swego właściciela, jakby na własną rękę. Wówczas pierwsza forma — „nogi chodzą", „ręka pisze" — lepiej oddawała prawdziwy stan rzeczy.

Podobnie przedstawia się sprawa z już bardziej skomplikowanymi i różnorodnymi formami reakcji ruchowych w kontaktach społecznych. Wystarczy uzmysłowić sobie trudności, jakie napotyka się, nim wejdzie się w swą rolę — ucznia, towarzysza zabaw, partnera seksualnego itd. Rola jest w centrum świadomości, analizuje się ją w każdym szczególe, istnieje wyraźna rozbieżność między przyszłością — a teraźniejszością, tj. między marzeniem a jego realizacją. Gdy przeważa postawa „do" otoczenia, interakcja jest żywsza, szybciej rola ulega automatyzacji, znika świadomość, że „trzeba" w ten czy inny sposób się zachowywać, człowiek jest sobą. Przy przewadze postawy „od" — dystans jest większy, interakcja słabsza, rozszczepienie między rolą a sobą wciąż się utrzymuje, jest się w „środku" innym niż na zewnątrz.

Rozszczepienie między sobą a maską

Stała świadomość rozbieżności między własną koncepcją siebie i swej roli w otoczeniu a stanem faktycznym, tj. realną rolą, jaką się odgrywa, jest jednym z objawów rozszczepienia. Oczywiście rozszczepienie takie nie jest jeszcze objawem schizofrenii; zdarza się ono u wielu ludzi, zależnie od ich konstytucji, a także od aktualnej sytuacji, w której się znaleźli. Największy syntonik może czuć się nieswojo, sztucznie w towarzystwie, które mu nie odpowiada. Trudno powiedzieć, w którym momencie rozbieżność ta staje się patologiczna. W szukaniu przyjaźni, zbliżenia erotycznego, kontaktów metafizycznych, w zmniejszaniu samokontroli za pomocą środków narkotycznych czy zwłaszcza alkoholu, istnieje wyraźna tendencja do zmniejszenia dystansu, jaki człowieka dzieli od jego otoczenia społecznego prawdziwego czy fikcyjnego, do zrzucenia z siebie maski i pozostania choćby na moment nagim, takim, jakim się naprawdę jest wobec świata, który chciałoby się do siebie przybliżyć. Możliwe, że jest to, jak utrzymują psychoanalitycy, tęsknota do cofnięcia się w najwcześniejszy okres życia, gdy całym światem była matka i bezpośrednie z nią złączenie nie było tak trudne.

U każdego człowieka obserwuje się stałą oscylację rozpiętości między tym, jakim czuję się naprawdę, a jakim jestem w aktualnej swojej roli. Chwilami nie odczuwa się żadnej różnicy — jest się sobą, innym znów razem rozbieżność między zewnętrznym zachowaniem się a wewnętrznym przeżywaniem jest tak duża, że z trudem znosi się daną sytuację, wymagającą takiego zachowania. Takie maskowanie, choć przykre i wymagające nieraz dużego wysiłku woli, daje jednak satysfakcję panowania nad sobą i zewnętrzną sytuacją.

Patologia zaczyna się wówczas, gdy rozpiętość między tym, co na zewnątrz, a tym, co wewnątrz, staje się nie do zniesienia i gdy znika normalna oscylacja, dzięki której raz człowiek czuje się w swej roli dobrze i naturalnie, a raz znów źle i sztucznie. Stają wówczas naprzeciw siebie dwa światy: własny, wewnętrzny, i obcy, zewnętrzny. Przepaść pomiędzy nimi staje się tak duża, że nie można nad nią przerzucić mostu kłamstwa, tj. maski, która po jednej stronie ma odbicie świata zewnętrznego, a po drugiej wewnętrznego. W niej oba światy się ścierają i na skutek tego zwarcia część świata zewnętrznego zostaje wchłonięta, tworząc z czasem świat własny. Sama zresztą aktywność sprawia, że rola, którą się gra, staje się coraz bardziej własna. Zwłaszcza gdy gra się ją dobrze, bo gdy źle, to się ją zwykle odrzuca — na zasadzie „co złe, to nie moje". Odczuwana jest wówczas jako coś obcego, a nie jako naturalne, własne zachowanie się.

Aktorstwo życia

Sprowadzanie życia wśród ludzi do aktorstwa jest dużym uproszczeniem, nie można jednak zaprzeczyć, że w każdym działaniu ludzkim, zwłaszcza skomplikowanym i niezrutynizowanym, element ten istnieje. Nie darmo słowo aktor pochodzi od łacińskiego *agere* — działać. Stojąc wobec konieczności działania, ma się do wyboru wiele form aktywności; człowiek jedną z nich wybiera i wybraną rolę stara się już dobrze odegrać. Ale fakt, że obok roli wybranej istnieją też inne, odrzucone, i że to, co zostało „odegrane" przez samo wyrzucenie na zewnątrz, staje się częścią świata otaczającego, a nie własnego, a więc podlega nie tylko własnej obserwacji, lecz też otoczenia, sprawia, iż własna aktywność krytykowana jest z dwóch stron, od wewnątrz i od zewnątrz. Obserwując siebie, przyjmuje się punkt widzenia otoczenia, a jednocześnie swój własny. Jest się aktorem, na którego patrzą obcy ludzie z widowni i koledzy zza kulis. Niezadowolenie z własnej aktywności wzrasta, im większa jest rozbieżność między wybraną rolą a rolami odrzuconymi, między planem a wykonaniem i między spodziewaną a rzeczywistą reakcją otoczenia.

Taką rozbieżność obserwuje się często u chorych jeszcze przed wybuchem schizofrenii. Nurtuje ich niezadowolenie z samych siebie, chcieliby być czymś innym, niż są w rzeczywistości. A w roli, którą zmuszeni są wbrew swej woli odgrywać, wychodzi im wszystko inaczej, niż sobie zaplanują, tym bardziej więc odczuwają jej obcość. Mają wrażenie, że stale uwiera ich maska, że nie są na zewnątrz tym, czym są naprawdę, że otoczenie widzi ich złą grę i odczytuje, co za nią się kryje.

W stosunku do otoczenia mają oni dwie drogi do wyboru: uległości lub buntu. W pierwszym wypadku z pokorą przyjmują narzuconą rolę i choć źle się w niej czują, starają się być takimi, jakimi chce ich widzieć otoczenie. Są ulegli, cisi, skromni, obowiązkowi, słowem — idealni w domu i w szkole. Boją się wyjść poza krąg rodziny i szkoły, bo w tych kręgach normy zachowania się są im znane, podczas gdy na zewnątrz nie wiadomo jaką maskę przyjąć, czego się trzymać. W drugim wypadku, zresztą rzadszym, odczuwają narzuconą przez otoczenie rolę, buntują się, robią wszystko na przekór, są trudni do prowadzenia, niepodporządkowani. Ale w tej negatywnej jakby roli, polegającej na robieniu wszystkiego odwrotnie, niż chce tego otoczenie, też nie czują się dobrze, nie są sobą. By czuć się sobą, trzeba własną ekspresję na tyle opanować, by o niej nie myśleć; podobnie jak nie myśli się o tym, jak się chodzi, mówi, pisze.

W obu więc wypadkach sprawa sprowadza się do niemożności nawiązania właściwego kontaktu z otoczeniem. Między przyszłym chorym a jego otoczeniem powstaje jakby zapora, która uniemożliwia normalną wymianę między światem własnym a otaczającym. Niezależnie od tego, czy przyjmuje on postawę uległą czy buntowniczą, świat zewnętrzny pozostaje obcy.

Obca też staje się ta część własnej osoby, która bezpośrednio ze światem tym się styka, a więc ekspresja, stąd poczucie krępującej maski i sztuczności, rozszczepienie między tym, co wewnątrz się czuje, a tym, co się na zewnątrz manifestuje.

Autyzm bogaty i pusty

Niezadowolenie z własnej aktywności w świecie zewnętrznym powoduje, że aktywność przenosi się w świat wewnętrzny; dysproporcja między marzeniem a rzeczywistością staje się coraz większa. Rozszczepienie między światem wewnętrznym a zewnętrznym tylko do pewnej granicy działa pobudzająco; świat nie zrealizowanych marzeń, myśli, uczuć nie wzrasta w nieskończoność. W pewnym momencie dysonans między światem rzeczywistym a nierzeczywistym staje się tak wielki, iż zaczyna się proces odwrotny; kurczenie się świata marzeń. Człowiek ulega presji rzeczywistości, nagina do niej swój świat wewnętrzny. A ponieważ jego kontakty z rzeczywistością są nikłe i frustrujące, świat wewnętrzny staje się szary i pusty.

Zgodnie więc z podziałem zaproponowanym przez Minkowskiego[1] można rozróżnić dwa rodzaje autyzmu: bogaty i pusty. W okresie przedchorobowym autyzm pełny lub bogaty odpowiadałby pierwszej fazie rozszczepienia między światem wewnętrznym a zewnętrznym, kiedy człowiek przed ujawnieniem się schizofrenii ma jeszcze siły przeciwstawić niepowodzeniom kontaktów z otoczeniem własny świat marzeń, który nawet pod wpływem niepowodzeń bujniej się rozrasta. Natomiast autyzm pusty odpowiadałby drugiej fazie, w której pod presją rzeczywistości świat własny ubożeje.

Dopiero podczas wybuchu psychozy okazuje się, że była to tylko cisza przed burzą. Dynamika świata schizofrenicznego jest tym większa, im bardziej stłumiony był świat marzeń w okresie przedchorobowym. Póki można otaczającemu światu przeciwstawić swoje skryte marzenia, myśli, uczucia i skryć się w tym własnym świecie przed naporem przykrej rzeczywistości, to jeszcze rozpiętość między obu światami nie jest tak wielka jak wówczas, gdy świat wewnętrzny musi zniknąć ze świa-

[1] E. Minkowski: *La schizophrenie*. Brouwer, Paris 1953.

domości, gdy jest zbyt sprzeczny z tym, co wokół się dzieje. Prawdopodobnie tylko w marzeniu sennym pojawiają się fragmenty tego wyklętego ze świadomości świata, ale o tym trudno się przekonać, gdyż na skutek tejże samej sprzeczności między rzeczywistością a marzeniem pamięć snu nie sięga poza moment obudzenia.

Wybuch psychozy byłby zatem wyzwoleniem tej części własnego świata, która została brutalnie wyrzucona ze świadomości przez poczucie rzeczywistości. I realność tego wyklętego świata jest w psychozie tym większa, im większa była rozpiętość między nim a światem realnym. U osób, które z racji swego talentu artystycznego przed chorobą mogły łatwiej uciec w świat fantazji niż przeciętni ludzie, schizofrenia przebiega zwykle w nieco odmienny sposób nie tylko dlatego, że bogactwo ich świata jest może większe i ekspresja łatwiejsza, lecz też na skutek mniejszej rozpiętości między światem rzeczywistym a nierzeczywistym. Osoby takie są przyzwyczajone do jednoczesnego poruszania się w rzeczywistości i nierzeczywistości i dzięki temu łatwiej jakby „adaptują się" do świata psychotycznego niż te osoby, u których marzenia zostały stłumione przez rzeczywistość.

Autyzm pusty w okresie przedchorobowym jest niewątpliwie bardziej niebezpieczny niż autyzm pełny, gdyż to, co zostało stłumione i przestało być tematem świadomych przeżyć, większą ma dynamikę i łatwiej prowadzi do psychotycznego wybuchu i do rozbicia struktury osobowości niż to, co w świadomości pozostało i tym samym jest bardziej zbliżone do świata realnego.

W okresie chorobowym znaczenie autyzmu pełnego i autyzmu pustego jest odmienne. Presja otaczającej rzeczywistości nie działa już redukująco na świat marzeń, gdyż poczucie rzeczywistości przesuwa się ze świata zewnętrznego na świat wewnętrzny, dzięki czemu rzeczywiste staje się to, co wewnątrz, a nie to, co na zewnątrz. Jednocześnie na skutek rozbicia granicy oddzielającej świat własny od otaczającego to, co wewnątrz, projektuje się na zewnątrz tak, że rzeczywisty jest nadal świat zewnętrzny, który jednak naprawdę jest światem wewnętrznym.

Autyzm pełny wynika z niemożności wyrażenia tego, co się przeżywa, z braku odpowiednich środków ekspresji, a także z nieumiejętności i niechęci otoczenia do zrozumienia i wczucia się w świat chorego. Natomiast autyzm pusty jest następstwem stopniowego wyczerpywania się tematyki świata chorego, która, nie zasilana z zewnątrz, ubożeje.

Wypowiedzenie prawdy

Wybuch psychozy można by traktować jako gwałtowne wypowiedzenie prawdy. To, co dotychczas było ukryte, a nawet ze świadomości zepchnięte, wydostaje się na wierzch i, co więcej, zajmuje przestrzeń należącą do świata zewnętrznego. Chory nie potrzebuje kłamstwa, by bronić się przed naporem rzeczywistości. Rzeczywistość bowiem przeistacza się według jego wewnętrznej prawdy. W stosunkach z ludźmi nie obowiązuje już maska, nie liczy się to, co jest na zewnątrz, ale wewnętrzna istota człowieka.

Dysymulacja

Wyjątkiem w tej atmosferze prawdy jest dysymulacja. Polega ona na tym, że chory kryje się ze swoim światem, który dla niego jest jedynym prawdziwym. Zdaje sobie on sprawę, iż ujawnienie własnych myśli grozi społecznym potępieniem — wyśmianiem, utratą dotychczasowej pozycji społecznej, pozbawieniem wolności przez umieszczenie w szpitalu psychiatrycznym.

Dysymulacja jest możliwa tylko wówczas, gdy istnieje podwójna orientacja, tj. gdy obok rzeczywistości własnego świata przyjmuje się rzeczywistość zewnętrzną. Obie rzeczywistości, choć antagonistyczne, wzajemnie się nie wykluczają. Sytuacja taka może wystąpić na początku psychozy, o ile początek ten nie jest gwałtowny, lub po przejściu ostrej fazy, gdy obok rzeczywistości subiektywnej zaczyna wyłaniać się rzeczywistość obiektywna. Dysymulacja nie jest niczym innym jak przyjęciem zasady maski, tj. konieczności ukrywania własnego świata przed światem otaczającym. Jak łatwo się domyślić, wzrasta ona w miarę presji otoczenia, toteż częściej spotyka się dysymulację u chorych przebywających w szpitalach psychiatrycznych, w których zachowanie psychotyczne jest traktowane jako nienormalne i złe, niż w tych, w których panuje postawa tolerancyjna.

Czy można żyć bez kłamstwa?

Jak uprzednio powiedziano, chory na schizofrenię nie kłamie. Czy jednak życie bez kłamstwa jest możliwe? Człowiek nie mógłby wówczas przyjąć żadnej z narzuconych mu przez otoczenie ról społecznych, gdyż czując się w niej źle, zwłaszcza z początku, odrzucałby ją otwarcie. Byłby wprawdzie sobą, ale właśnie dlatego, że nie miałby wewnętrznej i zewnętrznej presji zmuszającej do utrzymania takiego zachowania się, jakiego wymaga dana sytuacja, byłby do niej zupełnie niedostosowany. Zmieniałby swoją postawę i swoje zachowanie w zależności od chwilowego nastroju i nastawienia uczuciowego, przelotnej fantazji itp. lub tkwiłby w jednej postawie, nie zwracając uwagi na to, co wokół niego się dzieje. Pierwszym warunkiem interakcji z otoczeniem jest bowiem przyjęcie, choćby pozorne, wbrew własnej postawie uczuciowej, porządku panującego w danej sytuacji zewnętrznej.

Oczywiście łatwiej jest przyswoić ten porządek przy pozytywnej niż przy negatywnej postawie emocjonalnej wobec otoczenia. Przyswajalność jest łatwiejsza, a tym samym słabsze jest poczucie maski w miarę zmniejszania się dystansu w stosunku do otoczenia. Już samo działanie zmniejsza ten dystans i dlatego, grając jakąś rolę, słabiej odczuwa się jej sztuczność, niż przygotowując się do niej lub retrospektywnie oceniając jej odegranie. W wypadku postawy konkretnej, tj. związanej z otoczeniem, problem maski na ogół nie istnieje, nie odczuwa się jej lub tylko bardzo słabo, natomiast występuje on wyraźnie w wypadku postawy abstrakcyjnej, tj. oderwanej od otoczenia.

Ścisła zależność maski od dystansu przejawia się wyraźnie w stosunkach społecznych. Tam gdzie są one oficjalne, tj. gdy odległość między członkami grupy jest duża, obowiązuje rygorystyczne trzymanie się form, nie wolno zdjąć maski, zakłamanie jest duże; natomiast tam, gdzie są one bezpośrednie, łatwiej być sobą.

Maska ułatwia wejście w sytuacje trudne, w których napięcie emocjonalne mogłoby prowadzić do różnorodnych — nawet ucieczkowych i agresywnych — form zachowania się. W takich sytuacjach formy zachowania się są przez społeczeństwo ujęte w określony rytuał, który zmusza jednostkę do podporządkowania swoich stanów emocjonalnych obowiązującej masce. Rytuał jest tym sztywniejszy, im większe jest potencjalne niebezpieczeństwo rozbicia maski pod wpływem napięć uczuciowych, np. wobec bóstwa — rytuał religijny, w obliczu walki — rytuał wojskowy, wobec najwyższych zwierzchników — rytuał dyplomatyczny, itp.

Działanie kłamstwa, polegającego na przywdziewaniu takiej czy innej maski i odpowiednim odgrywaniu roli, jest w dużej mierze integrujące. Człowiek musi podporządkować się określonemu celowi, wyznaczonemu w roli, którą aktualnie odgrywa. Musi stłumić w sobie uczucia i dążenia przeciwstawne, a także zmusić się do działania i wejścia w sytuację, z której chętniej by uciekł. Przyjmuje określony porządek otaczającego świata i jednocześnie zmusza się do kontaktu z otoczeniem. Presja otoczenia działa więc nie tylko integrująco, lecz też antyautystycznie. Prawdziwym sobą można być tylko w samotności, ale wówczas, uwolniwszy się od presji otoczenia, człowiek ulega rozprężeniu, staje się chaotycznym zlepkiem przeciwstawnych uczuć, myśli i marzeń. Jednocześnie, nie działając na otoczenie, nie dysponuje on własnym odbiciem w otoczeniu; obraz samego siebie staje się nierealny — oscyluje między przeciwstawnymi biegunami. W ten sposób jedyna droga wiodąca do bycia sobą prowadzi na manowce chaosu i nierzeczywistości.

Proces identyfikacji

Nie można bezkarnie zdzierać masek, gdyż dochodzi się w końcu do pustki lub prymitywnych i zmiennych przeżyć związanych z podstawowymi potrzebami biologicznymi. Problem identyfikacji jest w istocie problemem maski. Z czasem rola, początkowo obca i budząca uczucia buntu, staje się integralną częścią osobowości. O zaburzonym lub niepełnym procesie identyfikacji można mówić wówczas, gdy utrzymuje się on wciąż na pierwszym etapie, tj. gdy odczuwa się obcość odgrywanej roli, gdy ma się przeświadczenie, że na wewnątrz jest się zupełnie innym niż na zewnątrz.

W sylwetce przedchorobowej chorych na schizofrenię często spotykamy się z takim właśnie osłabieniem procesu identyfikacji. Trudność identyfikacji wiąże się też z samym okresem życia, w którym schizofrenia najczęściej występuje. Jest to okres przełomu, w którym w stosunkowo bardzo krótkim czasie trzeba zmienić dotychczasowe role. Trzeba porzucić rolę dziecka, a przyjąć rolę kobiety czy mężczyzny. Największe trudności w nowej roli sprawiają problemy płci i odpowiedzialności. W roli dziecka jest się zależnym, ale mało odpowiedzialnym, płeć jest sprawą ważną, ale nie zasadniczą. W okresie młodzieńczym rola dziecka jest nieodpowiednia i śmieszna, a rola dorosłego za trudna. Problemy płci urastają do katastroficznych rozmiarów, a poczucie odpowiedzialności oscyluje między skrajnymi postawami — z jednej strony zależności i szukania oparcia, a z drugiej — buntu przeciw zwierzchności i dążenia do całkowitej samodzielności. W okresie młodzieńczym może najsilniej odczuwa się potrzebę zrzucenia maski, gdyż w żadnej z ról człowiek w tym wieku nie czuje się dostatecznie dobrze; chce być sobą, nie wiedząc jednocześnie, jaki jest naprawdę. Niedostateczność identyfikacji powoduje, że w tym okresie pytania: „jaki ja jestem” i „jaka jest moja rola w świecie”, najbardziej dręczą i niepokoją.

Łaska (*charisma*) prawdy

Odpowiedź na te pytania uzyskuje się w olśnieniu schizofrenicznym. Widzi się wówczas jasno swój prawdziwy cel życia i swoje prawdziwe oblicze. Dla otoczenia jest to wprawdzie urojenie, ale dla przeżywającego niezwykły dar łaski — *charisma,* dzięki któremu znika nękająca każdego człowieka wątpliwość co do prawdziwego obrazu siebie i sensu swego życia.

Zamiast wielu ról, rozmaitych celów i odpowiadających im obrazów siebie samego, które zmieniają się jak w kalejdoskopie i przez swą zmienność uniemożliwiają odpowiedź na pytania, „jaki jestem naprawdę” i „jaki mam cel przed sobą”, objawia się w schizofrenii sens własnego życia. A że świat własny jest ściśle zespolony ze światem otaczającym, więc w schizofrenicznym olśnieniu wyjaśnia się zagadka obu. W tajemniczym znaku, magicznym słowie, w zrozumieniu własnego posłannictwa zamyka się w przekonaniu chorego sens zarówno własnego życia, jak i całego świata. Niekiedy sens ma znak ujemny; chory odczuwa wówczas pustkę i bezsens tak w sobie, jak i wokół siebie. Tylko śmierć może przerwać to przykre odczucie.

Wobec odkrycia prawdziwej istoty rzeczy wszystko inne staje się dla chorego mało ważne, błahe i fałszywe. Pod maską komedii życia odkrywa on istotną w swym pojęciu rolę innych osób i rzeczy, podobnie jak odkrył własną. Ludzie i rzeczy nie są tym, czym się wydawały; objawił się ich właściwy sens, odsłoniło się kantowskie *Ding an sich*.

Perseweracja

Jedną z charakterystycznych cech rysunku schizofrenicznego jest jak wiadomo ornament. Jeden fragment powtarza się, uwielokrotniony, niezależnie od treści i formy rysunku. Podobnie w zachowaniu chorego powtarzają się z monotonną stereotypowością pewne gesty, grymasy twarzy, frazy itp. Jest to inny rodzaj perseweracji niż spotykana w zespołach psychoorganicznych. Główna różnica polega na znaczeniu. W perseweracji „organicznej" powtarzający się fragment jest zwykle przypadkowy, nie ma on większego znaczenia dla chorego, poza tym, że ułatwia mu ekspresję tam, gdzie brakuje innych, bogatszych środków uzewnętrznienia się. Ornament wypełnia tu lukę powstałą na skutek zniszczenia bardziej odpowiednich typów ekspresji słownej i ruchowej.

Odpowiednikiem tego typu perseweracji w życiu ludzi zdrowych jest wykonywanie bezcelowych ruchów w rodzaju drapania się po głowie lub wypowiadania niepotrzebnych słów, jak „panie dziejku", które zapełniają chwilową lukę w strumieniu aktywności. Natomiast perseweracja schizofreniczna odpowiada rytuałowi. Powtarzający się fragment aktywności ma symboliczne znaczenie — ukrywa się pod nim głęboka treść, zawierająca niejednokrotnie kwintesencję jakby tajemnicy życia. Z czasem słabnie jednak siła uczuć związana z powtarzającym się znakiem, zaciera się pamięć jego symbolicznej treści, staje się on tylko pustą formą. Dla obserwatora powtarzające się formy wydają się dziwacznościami pozbawionymi jakiegokolwiek sensu, gdyż nie odpowiadają one formom obowiązującym w otaczającym świecie. Dla chorego — przeciwnie — tylko one mają sens, a wszystko inne staje się puste, fałszywe i bez sensu. „Jak nudnym, nędznym, lichym i jałowym zda mi się cały obrót tego świata”[1].

Powrót do kłamstwa

Odkrycie sensu własnego życia, jakie dokonuje się w olśnieniu schizofrenicznym, grozi zawsze tym, że wszystko inne staje się bez sensu, pustym kłamstwem. Dopiero wówczas, gdy siła „prawdziwego znaku” osłabnie, na skutek stałego powtarzania i samego wygasania wybuchu schizofrenicznego, z powrotem nabierają znaczenia formy życia tzw. normalnego. Chory stara się do nich powrócić. Przez pewien czas przyjmuje istnienie obu — w okresie podwójnej orientacji. Wreszcie rezygnuje z form chorobowych, stają się one tylko wspomnieniem. W powrocie do zdrowia kryje się smutek utraty sensu życia — zwykłe formy życia stały się puste na skutek odkrycia w chorobie form innych, „prawdziwych”, a te z kolei okazały się formami chorobowymi.

Często spostrzegamy, że chory na schizofrenię ma w sobie coś z dziecka, które nie umie kłamać ani grać komedii; może specjalnie do niego odnoszą się słowa Chrystusa: „Dopuśćcie dziateczkom przychodzić do mnie, a nie zabraniajcie im; albowiem takich jest królestwo Boże. Zaprawdę wam powiadam: ktokolwiek by nie przyjął królestwa Bożego jako dzieciątko, nie wejdzie do niego” (św. Łukasz, 18, 16–17).

Zawiść i władza

„Moje” i „nie moje”

Zawiść, która obok pokrewnej sobie zazdrości należy do uczuć najbardziej destrukcyjnych, wiąże się z chęcią posiadania i władania, co w języku określa się formą zaimka dzierżawczego „mój”. Słowo „zawiść” podobnie jak łacińskie *invidia* ma ten

[1] W. Szekspir: *Hamlet*. Akt I, scena 2. W: *Dzieła dramatyczne*. T. II. PIW, Warszawa 1964, str. 20.

sam źródłosłów: „widzieć”, *videre*. Jest to jednak złe spojrzenie, co oddaje przedrostek „za” lub łaciński *in*. Język wyraża tu dość subtelnie stosunek emocjonalny do otaczającego świata. Na to, co jest [nie] „moje”, a chciałoby się, żeby „moim” było, patrzy się okiem zawistnym. Jest więc w tym negatywnym uczuciu odcień pozytywny — walki o ekspansję własnego świata. Dla człowieka zawistnego świat dzieli się na „mój” i „nie mój”. Nie ma w jego języku zaimków „my” i „nasz”. U podłoża zawiści leży nerwicowy egocentryzm. Liczą się tylko „ja” i „mój”. To, co się posiada i nad czym się ma władzę, wzmacnia poczucie własnej wartości i bezpieczeństwa. Na tym terenie jest się władcą, z tym, co jest „moje”, można robić, co tylko się zechce. I ten tylko typ relacji do otaczającego świata jest źródłem pozytywnych uczuć. To, co jest poza granicami „mojego”, budzi niepokój, gdyż pewnym czuć się można tylko na własnym terenie, tam gdzie jest się niepodzielnym władcą. Z drugiej strony chce się swój teren rozszerzyć, zdobyć to, co „nie moje”; umocnić swoją pozycję kosztem tych, którzy mają to, czego samemu się nie posiada.

Samotność władcy

Atrybutem władzy jest samotność. Świat otaczający leży u nóg władcy, może on nim dowolnie kierować, jest jego własnością, lub gdy jego własnością nie jest, gdy nie może nim rządzić, jest mu obcy, wrogi, budzi zawiść i lęk. I nie może władca zaznać spokoju, póki nań swej władzy nie rozszerzy. Płaszczyzna związku z otoczeniem jest tu zawsze pochyła — władca u szczytu, świat u jego stóp, lub gdy nie jest on na swoim terenie, gdy nie może rządzić, wówczas pozycja jego automatycznie przesuwa się ze szczytu pochyłości na jej sam dół. W obu wypadkach ma uczucie samotności i lęku. W żadnej bowiem pozycji, górnej czy dolnej, nie ma on wokół siebie ludzi równych sobie; albo oni są automatami, którymi może dowolnie sterować, albo sam jest takim automatem przez nich kierowanym. Samotność na szczycie pochodzi stąd, że wszyscy są niżej, nie ma o co się oprzeć, nie ma się kogo poradzić, trzeba samemu decydować, dostaje się zawrotu głowy od samej władzy, a jednocześnie odczuwa się lęk przed strąceniem w przepaść. Każda sytuacja, każdy człowiek może władzy zagrażać. Samotność na dnie jest wywołana tym, że wszyscy są wyżsi, szczęśliwsi i potężniejsi, można ich tylko podziwiać, słuchać i im zazdrościć, ale nie można ich zrozumieć ani być przez nich zrozumianym.

Postawa despotyczna

Z typowym przykładem postawy despotycznej można się spotkać we wczesnym dzieciństwie, zwłaszcza u jedynaków. Każdy gest, grymas, krzyk, śmiech dziecka wywołuje natychmiastową reakcję otoczenia. Cały jego świat, którym we wczesnym okresie jest matka, a który później rozszerza się na innych członków rodziny, obraca się koło niego, spełnia jego życzenia. Z drugiej jednak strony utrata tego świata czyni go całkowicie bezradnym. Wzajemna zależność jest typu pana i niewolnika. Pan nie może żyć bez swego niewolnika, zginąłby bez niego, a niewolnik nie może żyć bez swego pana, straciłby cel swego życia, nie miałby wokół czego się obracać.

Płaszczyzna wzajemnego stosunku jest tu pochyła: można podziwiać, potępiać, wydawać rozkazy, gniewać się, gdy nie zostaną spełnione itd., ale nie można wzajemnie się zrozumieć — kąt widzenia jest zbyt ostry. Dziecko musi zadzierać głowę, by spojrzeć na swych rodziców, a rodzice muszą spojrzeć w dół, by przyjrzeć się swemu dziecku; w obu wypadkach proporcje ulegają zniekształceniu. Świat dziecka jest tajemnicą dla dorosłych, mimo że sami kiedyś byli dziećmi, a świat dorosłych jest tajemnicą dla dziecka. Cechą też rodziny dwuosobowej (matka — dziecko), która w naszej cywilizacji staje się coraz bardziej typowa, jest — mimo bardzo silnych, zwykle ambiwalentnych, powiązań uczuciowych — samotność, wynikająca z pochyłej płaszczyzny wzajemnego stosunku.

W życiu społecznym przykładem postawy władcy jest stosunek człowieka do otoczenia, które stara się on sobie podporządkować, nad nim panować. W cywilizacji naukowo-technicznej to odwieczne dążenie człowieka osiąga swoją realizację. Poznanie zostaje w niej ograniczone wyłącznie do poznania naukowego, tj. takiego, w którym panuje się całkowicie nad przedmiotem obserwacji i można nim dowolnie w eksperymencie manipulować. Ujęcie wyników obserwacji w matematyczną strukturę zapewnia maksimum panowania, gdyż jest to struktura najbardziej ludzkiemu umysłowi podległa, może dlatego, że sam układ nerwowy wydaje się na jej zasadzie zbudowany. Poczucie samotności — alienacja[1], o której tak żywo się obecnie dyskutuje, jest jedną z zasadniczych cech cywilizacji naukowo-technicznej, której dewizą jest panowanie nad światem.

„Rządzę" i „jestem rządzony"

W życiu jednostki problem władzy kształtuje się na zasadzie oscylacji między „rządzę" i „jestem rządzony". Oscylacja ta przebiega tym mniej boleśnie, im płaszczyzna wzajemnych stosunków jest bardziej zbliżona do poziomej. Dziecko łatwiej może wymieniać rolę rządzonego i rządzącego z rówieśnikami niż z rodzicami. Najłatwiej oscylacja taka przebiega w zabawie, gdzie wszystko dzieje się „na niby" i płaszczyzna stosunków jest pozioma. Dzięki temu między innymi zabawa ma duże znaczenie wychowawcze; nie pozwala ona na skostnienie w jednej postawie, uczy identyfikować się z różnymi rolami. Ludzie o utrwalonych cechach despotycznych zwykle nie potrafią się bawić lub dążą do zajęcia w zabawie postawy władczej, a gdy się im to nie udaje, wycofują się. Zachowanie takie spotyka się często u rozpieszczonych jedynaków.

Autyzm a postawa despotyczna

Nierzadko u podłoża autyzmu tkwi niezdolność oscylowania między postawami „rządzę" i „jestem rządzony". Środowisko, w którym nie można być władcą, staje się obce i wrogie, wyzwala tendencję do ucieczki na teren bezpieczny, oznaczony zaimkiem „mój". Zawiść wzbudzają ci, którzy swobodnie poruszają się poza tym obszarem. Powstają marzenia, by ich pokonać i zaimponować obcemu otoczeniu, a samemu nad nim zapanować. Im silniej jest utrwalona postawa władcy, tym większa staje się rozpiętość między ambicjonalnym marzeniem a rzeczywistością, tym trudniej być pokonanym, pogodzić się z porażką, a zdolność

[1] K. Horney: *Our inner conflicts*. Norton, New York 1945.

oscylacji między przeciwstawnymi postawami „nad" i „pod" jest właśnie koniecznym warunkiem ekspansji własnego świata, wyjścia poza granice „mojego".

Utrwalona postawa despotyczna prowadzi w końcu do rezygnacji z ekspansji w świat „nie mój". W rezygnacji tej można odróżnić dwie fazy: zawiści i obojętności. W pierwszej fazie rezygnuje się wprawdzie z ekspansji poza teren własny, w którym człowiek czuje się pewnie, jest władcą, snując jednocześnie marzenia o tym, jak piękne byłoby życie na innych terenach i zazdrości tym, którzy się na nich swobodnie poruszają. Im mniejsza istnieje możność ekspansji i większe jest poczucie ograniczenia własnej przestrzeni życiowej, tym bogatsze i mniej realne stają się marzenia. W życiu na jawie istnieje jednak pewna granica tolerancji dla własnej fantazji. Struktura świata rzeczywistego, która przenika i formuje świat przeżyć każdego człowieka, działa pobudzająco, a równocześnie hamująco na świat marzeń.

W końcu granica tolerancji dla własnej fantazji zostaje przekroczona. Fantazja staje się zbyt fantastyczna, tj. nie może już zmieścić się w strukturze świata rzeczywistego. Staje się czymś zaskakującym i dziwnym, groźnym lub komicznym. Wytrzymuje się z nią tylko chwilowe zetknięcia, tak jak w baśni, w której mimo jej zaskakujących efektów całość podlega prawom rzeczywistego życia. Tolerancja dla własnej fantazji maleje wyraźnie z wiekiem. Stosunek świata „na niby" do „świata naprawdę" kształtuje się u dziecka na korzyść pierwszego, choćby z tego względu, że jego doświadczenia życiowe są jeszcze nikłe. Świat rzeczywisty, za który uznaje się świat dorosłego człowieka, jest dla niego również fantastyczny jak świat „na niby"; gdyż po prostu go nie zna. Dlatego natarczywie nieraz dziecko pyta: „jak jest naprawdę".

Z wiekiem człowiek uczy się rezygnować z własnych marzeń zarówno pod wpływem kontaktów z otoczeniem, jak i wskutek oceny swych własnych możliwości. Może najtragiczniej zderzenie między marzeniem a rzeczywistością występuje w wieku młodzieńczym. Człowiek jest wtedy na tyle samodzielny, że może już podjąć próbę urzeczywistniania swych marzeń, a z drugiej strony jest przytłoczony dysproporcją między marzeniem a możliwościami jego realizacji.

Pod wpływem nacisku rzeczywistości dokonuje się redukcja świata marzeń; to, co jest nierealne, schodzi na margines lub w ogóle znika ze świadomości. Nie znaczy to jednak, by to, co do struktury świata rzeczywistego nie pasuje, całkowicie się rozpłynęło; występuje ono w marzeniu sennym. Ale nawet tu działa presja rzeczywistości, czy w postaci freudowskiej cenzury sennej, która zniekształca i maskuje właściwą treść sennej fantazji, czy też w postaci natychmiastowego zapominania treści fantazji sennej po obudzeniu.

Struktura świata dziecka jest mniej spoista niż struktura świata człowieka dorosłego. Elementy życzeniowe i fantazyjne łatwiej mieszają się w niej z elementami rzeczywistymi; dopiero z wiekiem granica między rzeczywistością a marzeniem staje się ostra i hermetyczna. Tzw. niedojrzałość emocjonalna polega między innymi na zachowaniu dziecięcej przepuszczalności granicy między rzeczywistym a nierzeczywistym. Życzenia i marzenia są łatwo brane za rzeczywistość; jaskrawym przykładem jest tu „pseudologia fantastyczna"[1].

Stosunek marzenia do rzeczywistości jest istotnym elementem omawianego tu zagadnienia władzy. Marzenie jest czymś najbardziej „moim", ma się nad nim absolutną władzę (traci się ją dopiero po przejściu z jawy w sen; w marzeniu sennym człowiek znajduje się pod władzą własnych majaków). Rzeczywistość jest, można powiedzieć, tym, nad czym władzy się nie ma, tylko o nią się walczy; raz się w tej walce ulega, a raz zwycięża. Na tym polega interakcja między światem własnym a światem otaczającym. Własną strukturę próbuje się narzucić otoczeniu, a jednocześnie przyjmuje się strukturę świata zewnętrznego jako własną. Poczucie rzeczywistości kształtuje się w tym wzajemnym oddziaływaniu. To, co rzeczywiste, jest na zewnątrz, stawia opór. Z rzeczywistością można walczyć i przed nią ustępować, przekształcać ją i być przez nią przekształcanym, ale zawsze pozostaje ona czymś zewnętrznym, w mniejszym lub większym stopniu obcym.

---

[1] *Pseudologia phantastica* (*mythomania*), polegająca na życiu w urojonym świecie fantazji, ze skłonnością do podporządkowywanych mu zmyślań i tworzenia odpowiednich pozorów, jest terminem objaśnionym m. in. przez T. Bilikiewicza; *Psychiatria kliniczna*. Wyd. 4, PZWL, Warszawa 1969, str. 92.

Poczucie rzeczywistości tworzy się na powierzchni styku świata własnego z otaczającym. Nierealne są własne marzenia, plany, koncepcje (im bardziej własne, tym mniej realne), ale też nierealne są dalekie lądy czy epoki, tj. odcinki „czasoprzestrzeni", z którymi samemu się nie zetknęło. Realne jest to, co można dotknąć, co stawia opór, na co można działać i co samo na nas bezpośrednio działa. Plany tracą swą nierealność w miarę ich urzeczywistniania, a odległe odcinki czasu i przestrzeni, gdy się w nich żyć zaczyna.

Postawa despotyczna hamuje rozwój poczucia rzeczywistości. Interakcja z otoczeniem redukuje się do narzucania mu własnej struktury. Nie ma normalnej oscylacji między postawą „nad" i „pod" — „przekształcam" i „jestem przekształcany". „Moje" jest tylko to, czym się włada, co można do woli przekształcać. Własna przestrzeń życiowa kurczy się. Ale właśnie na skutek tej redukcji przestrzeni własnej znika opór rzeczywistości, zaciera się granica między marzeniem a rzeczywistością. Dziecko z cechami despotycznymi ucieka przed zabawą, w której nie może przodować, lub atakami złego humoru wymusza w niej swoje wodzostwo. Cechą niedojrzałości uczuciowej jest też despotyzm i zmniejszone poczucie rzeczywistości.

Gdy terenem własnym staje się tylko ta przestrzeń, w której jest się absolutnym władcą, wówczas przy zachowanym jeszcze poczuciu rzeczywistości zawiść budzą wszyscy ci, którzy poruszają się swobodnie na innych terenach, a przy zmniejszonym lub zanikłym poczuciu rzeczywistości terenem realnym staje się coraz bardziej świat własnych marzeń, a tereny „nie moje" nie budzą już zawiści; stają się obojętne, gdyż rzeczywistość ich jest blada i daleka. Obojętność więc dla „rzeczy tego świata" jest często wyrazem pychy.

Może też zaistnieć sytuacja, w której pod presją rzeczywistości świat marzeń ulega stopniowej redukcji, a jednocześnie postawa despotyczna uniemożliwia ekspansję w świat otaczający. Jest się wówczas zamkniętym w ciasnej i pustej, bo pozbawionej marzeń, przestrzeni życiowej. Należy przypuszczać, że człowiek taki dopiero w marzeniach sennych znajduje pełną swobodę poruszania się; tam jego przestrzeń nie ma granic. Można tu jednak opierać się tylko na przypuszczeniach, gdyż w takich wypadkach struktura marzenia sennego tak dalece odbiega od struktury przeżyć na jawie, iż treść snu nie może być zrekonstruowana na jawie; znika też natychmiast ze świadomości po obudzeniu, zostawiając po sobie osad niepokoju i przygnębienia.

W rezygnacji z ekspansji w świat otaczający, wynikającej z niemożności przyjęcia własnej klęski, istnieją dwie fazy: w fazie zawiści pozostaje jeszcze nadzieja zdobycia pozycji nadrzędnej w świecie, którego rzeczywistość się przyjmuje, w fazie obojętności — rzeczywistość świata otaczającego staje się odległa i obca, ucieka się w świat marzeń na jawie lub gdy ten pod presją rzeczywistości stopniowo zaniknie, pozostaje świat snów. Tak więc w żadnym wypadku przestrzeń życiowa człowieka nie może być całkowicie pusta.

Marzenie można by zaliczyć do tego typu struktur czynnościowych, które zajmują centralny odcinek łuku odruchowego, nie angażując jego końcówek aferentnych i eferentnych. Należałoby więc do tej samej kategorii przeżyć, co myślenie, planowanie i marzenie senne, przy czym w wypadku pierwszym i drugim hamujące działanie struktury świata rzeczywistego byłoby znacznie silniejsze, a w wypadku trzecim — znacznie słabsze.

Nacisk rzeczywistości ogranicza swobodę formowania planów i myśli. W marzeniu na jawie swoboda ta jest największa, jest się panem i władcą świata własnych marzeń. Natomiast w marzeniu sennym sytuacja się odwraca — wprawdzie aktualna rzeczywistość w minimalnym stopniu wpływa na jego treść i formę, ale jednocześnie nie ma się nad nim żadnej władzy. Przeciwnie, pozostaje się samemu pod władzą akcji marzenia sennego, spod której czasem tylko można dużym wysiłkiem woli uwolnić się przez obudzenie.

Odrywając się od konkretnej sytuacji, człowiek uzyskuje większą wolność i większą władzę nad światem, już nie konkretnym, ale mniej lub więcej abstrakcyjnym. Ale nigdy ta władza nie jest absolutna; na jawie jest ograniczona przez rzeczywistość i jej swoistą strukturę, spod której w żaden sposób wyzwolić się nie można, natomiast we śnie władza przechodzi ze śniącego na sam twór jego wyobraźni; staje się on niewolnikiem tego, co sam stwarza. Prawdopodobnie na skutek uniezależnienia się od władzy śniącego twory jego sennej wyobraźni nabierają charakteru świata zewnętrznego, a tym samym rzeczywistego. Istotna w tym przeskoku z despotyzmu marzenia na jawie do anarchii marzenia sennego jest zdolność utrzymania porządku; jak długo porządek ten może być utrzymany, odnosi się wrażenie panowania nad swoim światem, natomiast gdy się tę zdolność traci, własne struktury czynnościowe wyzwalają się i same przejmują władzę.

Różne poziomy integracji

Z neurofizjologicznego punktu widzenia stopień integracji czynnościowej układu nerwowego, tj. stopień całościowego uporządkowania poszczególnych struktur czynnościowych, jest proporcjonalny do stanu świadomości. W czasie snu czy narkozy impulsy nerwowe wywołane np. drżeniem receptorów łatwiej nawet niż w stanie czuwania dochodzą do kory mózgowej[1]. Ale na skutek obniżenia funkcji integracyjnej komórek nerwowych, zwłaszcza tych, które są filogenetycznie najmłodsze i tym samym najdelikatniejsze, tj. korowych, dochodzące impulsy nie zostają włączone w aktualną melodię pracy układu nerwowego. Póki organizm żyje, utrzymuje się melodia zintegrowanej pracy układu nerwowego. Tylko stopnie integracji mogą być różne — od integracji podstawowych funkcji wegetatywnych koniecznych do utrzymania życia, poprzez integrację podstawowych odruchów obronnych i postawnych (reakcja ruchowa na bodźce szkodliwe i na siłę ciążenia ziemskiego) aż do integracji różnorodnych struktur czynnościowych, wytworzonych i stale tworzących się w ustawicznej wymianie energetyczno-informacyjnej ze środowiskiem, w której organizm zwierzęcy dąży do utrzymania swego życia indywidualnego i gatunkowego, a ludzki ponadto do narzucenia własnej struktury otoczeniu (postawa „nad").

Zerwanie kontaktu ze światem otaczającym zmienia charakter integrującej aktywności układu nerwowego. Staje się ona bardziej luźna, w tym sensie, że elementy o charakterze autono-

---

[1] R. Granit: *Receptors and sensory perception*. Yale, New Haven, Conn., 1955. — E. G. Walsh: *Fizjologia układu nerwowego*. PZWL, Warszawa 1966.

micznym, tzn. nie wchodzące w zasadniczą strukturę czynnościową na jawie, mogą wejść w główną strukturę aktywności w czasie snu. Elementami takimi mogą być różnego rodzaju funkcje zautomatyzowane, nie wchodzące w treść przeżyć na jawie, jak też nie włączone w tę treść zapisy pamięciowe. Ponieważ dopływ bodźców ze świata otaczającego jest zredukowany do minimum, one stają się głównymi punktami krystalizacyjnymi, wokół których narastają struktury czynnościowe.

Ektoderma nerwowa jako system władzy

Problem władzy i porządku jest zasadniczym zagadnieniem czynności układu nerwowego. Zadania tego układu sprowadzają się do uporządkowania i sterowania procesami zachodzącymi wewnątrz organizmu i między ustrojem a jego środowiskiem. Fakt, że ten sterowniczo-integrujący układ rozwija się z tego samego listka zarodkowego co skóra, wskazuje na umiejscowienie zasadniczego procesu życiowego, tj. metabolizmu energetyczno-informacyjnego; nie jest on umieszczony ani wewnątrz, ani na zewnątrz ustroju, ale na granicy obu środowisk. Istotą procesu życiowego bowiem nie jest to, co dzieje się wewnątrz ani na zewnątrz żywego układu, ale to, co zachodzi między nim a środowiskiem.

Ektoderma nerwowa spełnia rolę kierującą i integrującą w tym procesie wzajemnego oddziaływania. Władza układu nerwowego polega na tym, że nadaje on swoistą strukturę procesom wymiany energetyczno-informacyjnej między ustrojem a jego otoczeniem. Bez tej władzy proces wymiany uległby rozprzężeniu i dezorganizacji, zaczęłyby nim rządzić prawa obowiązujące w układzie zewnętrznym, tj. w otaczającym świecie, a tym samym żywy układ przestałby być żywym, straciłby swoją autonomiczność i indywidualność. W chwili śmierci podmiot zamienia się w przedmiot, a władza, która jest atrybutem życia, przechodzi z niego na świat otaczający.

W ustrojach żywych, pozbawionych układu nerwowego, rola integrująca i sterująca przypada genom, które są biochemicznymi regulatorami procesu życiowego i interakcji ze środowiskiem.

Marzenie senne

Subiektywnym odpowiednikiem najwyższego poziomu integracji aktywności nerwowej w czasie snu jest marzenie senne. W marzeniu sennym[1] w znacznie większym stopniu niż na jawie podstawowe potrzeby związane z zachowaniem życia i zachowaniem gatunku stają się osiowym tematem, wokół którego grupują się w sposób najbardziej fantastyczny, bo uwolnione od nacisku rzeczywistości, świeże i dawne zapisy pamięciowe. Ból, głód, pragnienie, brak powietrza, potrzeba wyładowania seksualnego silniej niż na jawie modelują kształt przeżyć.

Niemożność działania w czasie snu z jednej strony daje przykre uczucie impotencji — w ostatnim momencie coś uniemożliwia osiągnięcie celu — z drugiej jednak strony uwalnia od przymusu redukcji. Na jawie wszystko to, co jest niepotrzebne, w aktualnej aktywności, zostaje zredukowane — usunięte z pola świadomości, konstrukcja przeżycia staje się zwarta pod naporem rzeczywistości. Nawiązując do modelu łuku odruchowego, można powiedzieć, że jego ramię eferentne działa redukująco na formowanie się struktur czynnościowych w jego części centralnej i w ramieniu aferentnym. Spostrzeganie, myślenie, marzenia itd. są uzależnione od aktualnego działania. Uwolnienie od przymusu działania daje im większą swobodę. Obserwując, myśląc, marząc, człowiek redukuje swoje działanie do minimum, nieruchomieje lub wykonuje ruchy automatyczne, nie angażujące jego procesów świadomych. Analogiczne zachowanie występuje też u zwierząt, gdy coś obserwują. Jeszcze większą swobodę uzyskuje się, odcinając przypływ bodźców, człowiek myśląc czy marząc, przymyka oczy.

Tego rodzaju sytuacja istnieje w trakcie snu; aktywność ramienia aferentnego i eferentnego łuku odruchowego jest zredukowana do minimum. Dzięki temu w jego części centralnej uzyskuje się jakby większy luz, struktury czynnościowe mogą się swobodniej tworzyć, nie znajdują się bowiem pod redukującą presją wymiany ze światem otaczającym. Dlatego w marze-

---

[1] E. L. Bliss, L. D. Clark, C. D. West: *Studies of sleep deprivation-relationship to schizophrenia*. „Archives of Neurology and Psychiatry", 1959. T. 81, nr 3, str. 348.

niu sennym obserwuje się wiele obrazów o charakterze artystycznym, niezwykłych połączeń, które by nigdy nie powstały na jawie. Za słabo jeszcze znana jest tematyka i geneza marzeń sennych, by odpowiedzieć na pytanie, czy i jakie istnieją reguły formowania się obrazów marzenia sennego. Fakt, że pewne elementy i konstrukcje marzenia sennego powtarzają się niezależnie od historii osobniczej i społecznej (kręgu kulturowego) śniącego, przemawia za istnieniem ogólnych prawidłowości, określonych przez Junga jako archetypy[1].

Ceną, którą płaci się za niezwykłą swobodę konstrukcji marzeń sennych, jest utrata władzy nad nimi i zwiększenie przepuszczalności granicy między światem własnym a otaczającym. Jak uprzednio wspomniano, w marzeniu na jawie dochodzi się do szczytu władzy nad swymi konstrukcjami myślowymi, by utracić ją całkowicie w marzeniu sennym. Tak jakby pewna presja rzeczywistości, która istnieje w marzeniu na jawie, była konieczna do utrzymania władzy. W marzeniu sennym zanika wymiana sygnałów ze światem otaczającym, a tym samym presja rzeczywistości, ale za wolność od nacisku świata otaczającego płaci się oddaniem się w niewolę własnych tworów wyobraźni. Traci się nad nimi władzę, jest się od nich uzależnionym.

We śnie znika też normalna granica między światem własnym a otaczającym. Własne konstrukcje przenikają na zewnątrz, dzięki czemu nabierają cech rzeczywistości. We śnie żyje się w świecie stworzonym przez samego siebie, choć nie ma się zupełnie poczucia jego tworzenia, a tym samym poczucia własności. W odczuciu śniącego świat marzenia sennego jest światem rzeczywistym, ale nie własnym. Czasem nawet silnie przeżywa się jego obcość. Poczucie rzeczywistości i poczucie własności stoją do siebie w odwrotnym stosunku, jeśli weźmie się poczucie władzy za ich punkt odniesienia. Ze wzrostem poczucia władzy rośnie poczucie własności, a maleje poczucie rzeczywistości. Moje jest to, nad czym mam władzę, czym mogę kierować, a rzeczywiste to, co stawia mi opór, nad czym władzy nie mam, o władzę tę walczę. Świat zewnętrzny jest realny,

---

[1] C. G. Jung: *The psychology of „dementia praecox"*. Williams and Willkins, Baltimore 1936. — Tegoż autora: *Psychologia a religia*. Książka i Wiedza, Warszawa 1970.

a świat własny marzeń, myśli, planów, uczuć — w porównaniu z nim — nierealny. O władzę nad pierwszym się walczy, a nad drugim władzę się posiada.

Hipnoza

W hipnozie[1] kontakt ze światem zewnętrznym nie zostaje całkowicie zerwany; utrzymuje się on z osobą hipnotyzera. Jest to jakby stan snu[2], w którym czuwanie jest zachowane tylko w miejscu kontaktu z hipnotyzerem. Jednocześnie występuje interesujące zjawisko przeniesienia władzy. Podobnie jak we śnie, w hipnozie nie ma się władzy nad własną aktywnością; zostaje ona przeniesiona na osobę hipnotyzera. I zakres jego władzy może być znacznie szerszy niż normalnie posiadany nad samym sobą w stanie świadomości. Zahipnotyzowany może najwyżej stawiać opór, nie zgodzić się na wykonanie rozkazu.

Na ogół wszyscy autorzy zajmujący się hipnozą są zgodni co do tego, że nie można zmusić zahipnotyzowanego do wykonania czynności sprzecznej z jego wewnętrznym przekonaniem. Do wprowadzenia w trans hipnotyczny jest zresztą konieczne wewnętrzne przyzwolenie osoby mającej być zahipnotyzowaną. Czasem trzeba wielu wstępnych posiedzeń, by takie nastawienie u danej osoby wywołać. Rozszerzenie zakresu władzy polega na tym, że czynności normalnie od woli niezależne zostają podporządkowane rozkazom hipnotyzera.

Pod wpływem rozkazu hipnotyzera może zmienić się percepcja bodźców, można odczuwać ból, zimno, ciepło, słyszeć, wi-

---

[1] *Psychophysiological mechanisms of hypnosis*. Praca zbiorowa pod red. L. Chertoka. Springer Verlag, Berlin, Heidelberg, New York 1969. — A. M. Weitzenhoffer: *General techniques of hypnosis*. Grune, New York 1957. — H. Spiegel: *Hypnosis and transference. A theoretical formulation*. „Archives of General Psychiatry", 1959, t. I, nr 6, str. 634–659. — I. I. Korotkin, M. M. Susłowa: *Issledowanije wnuszennogo w gipnozie usłownogo tormożenija na izwiestnyje i nieizwiestnyje po smysłu słowarazdrażytieli*. „Żurnał Wysszej Nierwnoj Diejatielnosti", 1958, z. 6, str. 820–827.

[2] L. Chertok, P. Kramarz: *Hypnosis, sleep and electroencephalography*. „J. Nerv. and Mental Dis.", 1959, nr 128, str. 227–258. — Zob. nadto: F. A. Veldiechi: *Szyzofrienija, szyzoidnyje psychopatii i ich gipnotierapija*. „Żurnał Niewropatołogii i Psichiatrii", 1958, z. 6, str. 728–733.

dzieć, odczuwać zapach i smak mimo braku jakiegokolwiek bodźca, lub — na odwrót — nic nie odczuwać mimo silnego nieraz zadrażnienia odpowiednich receptorów. (Stąd zastosowanie hipnozy w stomatologii i chirurgii). Choć wiadomo, że normalnie receptory są pod stałą kontrolą wyższych ośrodków, tak że już na samym obwodzie strumień bodźców mających dojść do układu nerwowego ulega selekcji, to jednak selekcja ta dokonuje się w głównej mierze automatycznie i percepcja jest niezależna od naszej woli. Również synteza percypowanych bodźców, mimo że w niej wpływ odgórnego sterowania jest jeszcze silniejszy, dokonuje się automatycznie, toteż nie można według własnej woli zmieniać percypowanych obrazów. Stąd zresztą pochodzi przekonanie o prawdziwości spostrzeganego świata; jest on rzeczywisty, bo od naszej woli niezależny, leży na zewnątrz „mojego", tzn. tej części świata, która jest zależna od woli.

Pod wpływem rozkazu hipnotyzera można wykonywać ruchy, których normalnie wykonać by się nie potrafiło mimo najwyższego nawet wysiłku woli, np. tak silnie usztywnić mięśnie karku, tułowia i dolnych kończyn, by móc jak struna zawisnąć poziomo w powietrzu, podpierając się jedynie czubkiem głowy i piętami o krawędź krzesła, i — na odwrót — nie móc wykonać ruchów, które normalnie nie wymagają najmniejszego wysiłku, np. otworzyć oczu lub podnieść ręki. Rozkaz hipnotyzera może też zmieniać różnego rodzaju aktywności wegetatywne, nad którymi nigdy nie ma się władzy, np. regulować akcję serca czy skurcz naczyń krwionośnych (stąd możliwość bezkrwawego przebicia skóry czy nawet mięśni lub na odwrót, wytworzenie stygmatów bez jakiegokolwiek urazu).

Hipnotyzer może nadto tak aktywować zapisy pamięciowe, że podległy mu partner przeżywa na świeżo to, co już dawno zostało zapomniane. Jak wiadomo, fakt ten Breuer i Freud[1] wyzyskiwali w celu oczyszczenia (*katharsis*) chorego z traumatyzującego przeżycia. Normalnie pamięć ma charakter integracyjny; z fragmentów dawnych zapisów pamięciowych tworzy się nowe struktury potrzebne w aktualnej sytuacji. Wyjątkowo tylko dawne przeżycie wraca ze swoją pierwotną świeżością. Takie

[1] J. Breuer, S. Freud: *Studies on hysteria* (1895). Basic, New York 1957.

żywe, obrazowe wspomnienie, połączone z całym ładunkiem uczuciowym pierwotnego przeżycia nie jest zależne od naszej woli. Występuje zwykle nagle pod wpływem przypadkowych bodźców zmysłowych, najczęściej węchowych i smakowych, rzadziej, jak się zdaje, pod wpływem bodźców słuchowych i wzrokowych. Jest dość typowe dla aury padaczkowej. Może też wystąpić u epileptyków przy drażnieniu płata skroniowego (Penfield)[1]. Doświadczenia z pamięcią hipnotyczną wskazują na to, w jak znikomym zapewne stopniu jest uaktywniona pamięć obrazowa w normalnym życiu. Zahipnotyzowani mogą cytować strony raz przeczytanego niegdyś tekstu, i to nawet w obcym dla siebie języku.

Przeniesiona na hipnotyzera władza obejmuje więc te aktywności, które normalnie władzy wolnej woli nie podlegają. Prawdopodobnie za pomocą długotrwałych i odpowiednich ćwiczeń (częstszych w kulturach Wschodu niż w kulturze zachodniej) można rozszerzyć na nie zakres świadomej władzy.

Na uwagę zasługuje także, iż człowiek poddany władzy hipnotyzera i znajdujący się wtedy w szczególnej sytuacji, mówiąc językiem pawłowowskim, częściowego hamowania, podlega także swoistemu rodzajowi działania sugestywnego. Sugestywność tę zwiększa zmęczenie zmysłowe. Istnieje pogląd, że hipnoza jest regresją z normalnego myślenia logicznego do poziomu archaicznego, opartego na sugestii[2].

Władza w schizofrenii

Władza chorego na schizofrenię nad światem otaczającym jest bardzo nikła. Czuje się on w nim niepewnie i wiele wysiłku musi włożyć, by się utrzymać na powierzchni życia. Tym bardziej więc jego władza przenosi się w świat wewnętrzny — nie spełnionych marzeń, uczuć, planów i myśli. Tam chory znajduje swoistą rekompensatę za brak władzy w świecie rzeczywistym, gdyż tu jego władza jest pełna. Jednakże pełnia wła-

---

[1] W. Penfield, H. Jaspers: *Epilepsy and the functional anatomy of the human brain*. Little, Boston 1954.

[2] A. Meares: *A working hypothesis as to the nature of hypnosis*. „Archives of Neurology and Psychiatry", 1957, nr 5, str. 549–555.

dzy trwa tylko do momentu przerwania granicy między światem własnym a otaczającym. Wszystko co wewnątrz się kotłowało, zostaje wyrzucone na zewnątrz, staje się światem rzeczywistym. Ale wskutek samego faktu, że treści te są bezładne i że znajdują się na zewnątrz, przestają podlegać woli chorego. Przeżycia są zbyt chaotyczne, by można nimi sterować, a tym samym władać, a wskutek tego, że zostały wyrzucone na zewnątrz, stawiają, jak rzeczywistość, opór woli chorego. Na tym polega owładnięcie przez świat psychotyczny. Zdarza się wprawdzie, zwłaszcza w ostrej fazie schizofrenii, że chory ma władzę nad swym światem, który na skutek przerwania wspomnianej granicy staje się wszechświatem, czuje swą boską wszechmoc, wszystko wokół przenika i wszystkim włada. Są to jednak raczej rzadkie odczucia; zwykle chory sam jest rządzony przez świat, który z jego wnętrza wydobył się na zewnątrz.

Sprawy „doczesne", świat realny, chorego nie interesują (zupełnie nie interesują go, w ostrej fazie psychozy, a na ogół słabo w fazie adaptacyjnej czy chronicznej), bledną bowiem wobec spraw świata psychotycznego. Jak już uprzednio podkreślono, królestwo schizofreniczne nie jest „z tego świata".

Struktura

Definicja

Struktura jest uporządkowaniem poszczególnych elementów w pewną całość. Rozrzucone cegły są zwałem gruzu, a uporządkowane tworzyć mogą wspaniałą budowlę. Atomy powiązane w różnorodnych strukturach tworzą bogactwo rozmaitych związków chemicznych, z których każdy charakteryzuje określona indywidualność chemiczna. Strukturę jako całość tworzą więc poszczególne elementy. Między nimi zachodzi funkcyjna zależność, tzn. zmiana położenia lub stanu jednego elementu wpływa na pozostałe. Tylko elementy funkcyjnie powiązane tworzą strukturę, inne są zbyteczne.

Kwadrat można narysować za pomocą nieskończonej liczby punktów, ale jego strukturę określają tylko cztery punkty odpowiednio ułożone na płaszczyźnie. Zmiana położenia jednego z nich przekształci kwadrat w inną figurę geometryczną. Struktura zależy więc od stosunku między elementami, a nie od samych elementów. Figura geometryczna pozostanie tą samą figurą niezależnie od tego, czy jej elementami są gwiazdy, kamyki czy punkty świetlne występujące przy naciśnięciu gałek ocznych. Roślina, zwierzę czy człowiek pozostają sobą, mimo że w ciągu stosunkowo krótkiego czasu ani jeden atom w ich organizmie nie pozostał ten sam. W każdym momencie coś innego się przeżywa, nie tracąc przy tym wrażenia, że się jest nadal sobą.

Proces życia polega na ustawicznej wymianie elementów energetycznych i informacyjnych między żywym ustrojem a jego środowiskiem. Z elementów tych ustrój tworzy swą własną, niepowtarzalną strukturę i ona stanowi o jego indywidualności i niepowtarzalności. Gdy wszystko w procesie metabolizmu energetyczno-informacyjnego ulega wymianie, struktura zasadniczo pozostaje ta sama.

Istotą struktury jest określony porządek. Struktura przeciwstawia się entropii, czyli dążności materii do nieuporządkowanego ruchu cząsteczek. Im tendencja do przeciwstawienia się entropii (negatywna entropia) jest silniejsza, tym bardziej skomplikowana staje się struktura. Struktura istot żywych jest znacznie bardziej skomplikowana niż struktura jednostek przyrody nieożywionej i świata technicznego, a z kolei wyznacznikiem ewolucji w przyrodzie ożywionej jest komplikowanie się jej struktur, zacząwszy od najprostszych drobnoustrojów, a na człowieku skończywszy.

Określona struktura decyduje o indywidualności danego układu. Im jest ona bardziej skomplikowana, tym silniej zaznacza się indywidualność i niepowtarzalność danego układu. W świecie nieożywionym i technicznym cechy te występują tylko śladowo i przypadkowo. W świecie ożywionym stanowią już stały jego atrybut i są tym wyraźniejsze, im wyższy jest stopień rozwoju filogenetycznego. Cechy te więc najwyraźniej występują u człowieka. Pod względem metabolizmu energetycznego człowiek niewiele różni się od wyższych form świata ożywionego. *Differentia specifica,* jak się zdaje, tkwi w metabolizmie informacyjnym. W nim też należy doszukiwać się indywidualności i niepowtarzalności ludzkiej natury. Jeśli zachowanie określonego porządku (struktury) w metabolizmie energetycznym nie wymaga wysiłku, przynajmniej świadomego, i realizuje się dzięki skomplikowanym automatyzmom fizjologicznym, to zachowanie porządku w metabolizmie informacyjnym jest połączone ze stałym wysiłkiem. Wprawdzie i tu wiele funkcji ulega automatyzacji w miarę ich powtarzania i tym samym wykonywane są one bez świadomego wysiłku (np. chodzenie, mówienie, pisanie), to jednak każda nowa forma interakcji z otoczeniem połączona jest z wysiłkiem. Wysiłek ten koncentruje się głównie na właściwej selekcji informacji dochodzących z zewnątrz i z wnętrza ustroju (koncentracja uwagi) i na właściwym wyborze odpowiedniej formy zachowania się z wielu możliwych (świadomy wybór — akt woli).

Układ nerwowy człowieka zapewnia w porównaniu ze światem zwierzęcym niezwykłe bogactwo struktur czynnościowych. Z nich prawdopodobnie znacznie większa część tworzy się bez udziału świadomości. Wiadomo, jak ważną rolę w powstaniu nowych pomysłów odgrywają procesy nieuświadomione. Z nich tworzą się obrazy marzeń sennych. One w znacznej mierze determinują nasze sposoby zachowania się. To, co dociera do świadomości, jest tylko drobną częścią niezwykle skomplikowanych procesów metabolizmu informacyjnego. W metabolizmie informacyjnym wysiłek integracyjny w znacznym stopniu nie jest więc wysiłkiem świadomym. To jednak, co dociera do świadomości, wystarcza zupełnie do zdania sobie sprawy, ile wysiłku wymaga utrzymanie porządku w chaosie sprzecznych uczuć, wyobrażeń, planów działania, sposobów patrzenia na otaczającą rzeczywistość i na siebie samego itd. Świadomy wysiłek integracyjny, który krystalizuje się w akcie woli, jest, jak się zdaje, dostatecznym dowodem na to, że przeciwstawienie się entropii nie jest zadaniem łatwym.

W subiektywnym odczuciu metabolizm informacyjny jest odczuwany jako napór doznań zarówno ze świata zewnętrznego, jak wewnętrznego ustroju, które człowiek z mniejszym lub większym napięciem stale porządkuje, dzięki którym świat przeżyć człowieka stale zmienia swą tematykę i koloryt. Ale mimo tej zmienności zachowana jest niezmienność i indywidualność człowieka. Jego tożsamość w tym nieustającym chaotycznym filmie życia pozostaje nienaruszona.

Trzy elementy struktury

„Ja"

Omawiając strukturę świata przeżyć, warto zwrócić uwagę na jej trzy zasadnicze elementy; na punkt centralny, czyli „ja", na granicę oddzielającą świat wewnętrzny od zewnętrznego i na swoisty porządek przestrzenno-czasowy, wedle którego układają się przeżycia. Przyjmując, że każdy fenomen życia łączy się z przeżyciem, czyli jego stroną subiektywną, należy przypuszczać, że poczucie własnego „ja" jest zjawiskiem najbardziej pierwotnym. W poczuciu tym jest przeciwstawienie się otaczającemu światu, a jednocześnie ciągłość indywidualnego życia. Każdy żywy ustrój zachowuje swą indywidualność, to jest swoisty dla siebie porządek, przeciwstawiając go, w pewnej przynajmniej mierze, porządkowi otoczenia — porządkowi, którego ostatecznym wyrazem jest chaos (entropia). Walka o zachowanie własnego porządku trwa całe życie, stąd poczucie ciągłości „ja". Poczucie, że „ja czuję", że „ja żyję", że „ja działam", jest, jak się zdaje, najbardziej pierwotną formą subiektywnego aspektu życia. Oczywiście nie wiemy, w jakich formach wyraża się ono u innych istot niż ludzie.

U człowieka „ja" jest punktem centralnym jego świata przeżyć. Wokół niego grupują się poszczególne fakty psychiczne według współrzędnych czasu i przestrzeni. Od punktu „ja" układa się czas przeszły, przyszły i teraźniejszy, a także kierunki przestrzenne: przód — tył, góra — dół, strona lewa — prawa. Gdy wszystko wokół człowieka i w nim samym się zmienia, poczucie, że „ja jestem ja", pozostaje niezmienne; tożsamość człowieka pozostaje zachowana.

Granica

Podobnie jak jądro komórki jest ściśle zespolone morfologicznie i funkcjonalnie z jej błoną, tak też i „ja" łączy się integralnie z granicą oddzielającą świat wewnętrzny od zewnętrznego. „Ja" jest podmiotem, który przyjmuje to, co z zewnątrz napływa, i wysyła to, co wewnątrz, w świat zewnętrzny. By skomplikowane procesy życiowe, w szczególności procesy metabolizmu informacyjnego stały się przeżyciem, muszą angażować „ja". Ujawnia się tu jego integracyjna rola. Podobnie jak jądro komórkowe steruje procesami życiowymi organizmu i wymianą energetyczno-informacyjną ustroju z jego środowiskiem, tak też „ja" jest sterującym ośrodkiem przeżyć człowieka.

Wiele aktywności ustroju nie dochodzi do świadomości lub rozgrywa się na jej marginesie; aktywności te nie są przeżyciami lub są tylko przeżyciami śladowymi, nie angażują one „ja" lub angażują je w stopniu bardzo nieznacznym. Do takich czynności należą aktywności wegetatywne i zautomatyzowane. Stąd wrażenie ich przedmiotowości — „nie ja je odczuwam i wykonuję, ale moje ciało".

Przed naporem bodźców ze świata otaczającego, a także z wnętrza ustroju układ nerwowy broni się za pomocą mechanizmów hamujących (barier). W ten sposób uwidacznia się jego rola chroniąca i osłaniająca, wywodząca się z faktu, że tak samo jak skóra, pochodzi on z zewnętrznego listka zarodkowego (ektodermy). Chronimy też własne przeżycia przed ciekawością otoczenia, przywdziewając maski odpowiadające wymaganiom otoczenia. W ten sposób wytwarza się *schizis* (rozszczepienie) między przeżyciem a jego zewnętrzną ekspresją.

PORZĄDEK CZASOWO-PRZESTRZENNY I HIERARCHIA WARTOŚCI

Analogicznie jak substancje wchłaniane przez ustrój zostają w nim rozbite na najprostsze elementy, z których ustrój buduje własną strukturę (własne białko itp.), tak i bodźce działające na ustrój zostają zredukowane do najprostszego elementu sygnalizacyjnego, tj. impulsu nerwowego.

Rola układu nerwowego sprowadza się do bariery, w której różnorodne informacje, płynące ze świata otaczającego, a także z wnętrza ustroju, zostają przekształcone na różnorodne struktury czynnościowe czasowo-przestrzenne sygnałów nerwowych. Obraz świata otaczającego zależy więc od stopnia rozwoju zarówno filogenetycznego, jak ontogenetycznego układu nerwowego (inaczej widzi świat człowiek, a inaczej koza, inaczej człowiek dorosły, a inaczej dziecko). Nie wiadomo jeszcze, w jakim stopniu układ czasowo-przestrzenny impulsów nerwowych, tj. metabolizmu informacyjnego, wpływa na morfologiczne kształtowanie się ustroju (symetria budowy — oś podłużna, powierzchnia przednia i tylna, biegun głowowy i odbytniczy, strona lewa i prawa). Metabolizm informacyjny w miarę rozwoju filogenetycznego zdaje się dominować nad metabolizmem energetycznym. I zapewne zależność taka rzeczywiście istnieje.

W subiektywnym odczuciu poza porządkiem czasowo-przestrzennym ważną rolę odgrywa porządek wartościujący. Prawdopodobnie istnieje gatunkowa hierarchia wartości (inne przeżycia są ważne dla kury, a inne dla lwa), hierarchia uwarunkowana genetycznie w obrębie już jednego gatunku i wreszcie, u człowieka chyba najważniejsza, hierarchia wytworzona w ciągu życia (ontogenetyczna).

Osiowe objawy schizofrenii

Słusznie Kolle[1] nazwał schizofrenię delficką wyrocznią psychiatrii. Bardzo wielu psychiatrów poświęciło swe życie dla zrozumienia tej tajemniczej choroby i wielu z nich pod koniec swego pracowitego życia zdało sobie sprawę, że celu swego nie dopięli, że wysiłek ich w dużej mierze poszedł na marne. Jak dotychczas, chyba najtrafniej rozpoznał istotne składowe schizofrenii cytowany już Eugeniusz Bleuler, ujmując je w dwa osiowe objawy: autyzmu i rozszczepienia.

Patologia granicy

Autyzm

Najłatwiej objawy te omówić w związku z zaburzeniami struktury świata schizofrenicznego. Autyzm jest przeciwstawieniem się metabolizmowi informacyjnemu. Człowiek wycofuje się z kontaktów z otoczeniem, zamyka w sobie, żyje we własnym świecie, stroni od ludzi, co oczywiście prowadzi do osłabienia wymiany informacyjnej z otoczeniem. Każdemu człowieko-

---

[1] Podstawowym dziełem K. Kollego jest: *Psychiatrie, ein Lehrbuch für Studierende und Ärzte*. Wyd. 6. Thieme, Stuttgart 1967. Zob. też K. Kolle: *Psychologie für Ärzte*. Lehmann, München 1967.

wi zdarza się takie wycofanie z kontaktów społecznych, np. gdy ktoś źle się czuje w jakimś towarzystwie, gdy ktoś chce się skupić nad jakimś zagadnieniem, gdy jest zmęczony i szuka spokojnego miejsca, by odpocząć itp. Takie okresowe „dawkowanie" autyzmu jest nawet bardzo potrzebne, by choćby przetrawić materiał informacyjny, którego życie dostarcza bez ustanku. Każdemu, jak się zdaje, pewna dawka kontemplacji może się przydać.

W życiu chorych na schizofrenię często jeszcze na długo przed wybuchem psychozy, zwykle od okresu pokwitania, czasem wcześniej, obserwuje się stopniowy wzrost proporcji autystycznej. Ludzie ci od wczesnej młodości, a niekiedy od dzieciństwa czują się inni, obcy, nie zrozumiani, przeważnie mają nastawienie lękowe do swego środowiska, rzadziej buntownicze lub błaznujące. W każdym razie można powiedzieć, że od wczesnych lat życia przeważa u nich postawa „od" otoczenia. Często są to „idealne" dzieci, najlepsi uczniowie, przykład dla innych. Ale pod tym idealnym podporządkowaniem się presji otoczenia kryje się lęk, brak spontaniczności, niemożność nawiązania kontaktów uczuciowych z otoczeniem, poczucie samotności i inności.

Opisany typ „linii" przedchorobowej nie jest wprawdzie regułą — schizofrenia zdarza się też u osób o wyraźnej sylwetce syntonicznej (przewaga postawy „do") — niemniej jednak jest dość typowy. Można więc przyjąć, że już przed wybuchem psychozy pęcznieje granica oddzielająca świat własny od otaczającego. Nie znaczy to, by młody człowiek stawał się mniej wrażliwy, przeciwnie, wrażliwość jego nasila się i na zasadzie błędnego koła na skutek zwiększonej wrażliwości zamyka się on w sobie. Zmniejsza się jego interakcja z otoczeniem. Utrzymuje się ona na zasadzie automatu, tzn. nie angażuje ona w pełni „ja". Młody człowiek często nie robi i nie odczuwa tego, co chciałby robić i odczuwać, ale ma wrażenie, jakby był do tego zmuszony, jakby to robił ktoś inny, a nie on, ma poczucie własnej obcości. Życie przestaje być dla niego przeżyciem, stopniowo traci to, co Minkowski nazywa *le sentiment du vécu*[1].

---

[1] E. Minkowski: *op. cit.*

Rozbicie granicy

Wreszcie przychodzi krytyczny moment wybuchu psychozy: można by go określić jako pęknięcie granicy. Prawo metabolizmu informacyjnego jest silniejsze od tendencji autystycznych. Gdy brak jest autentycznej wymiany z otoczeniem, tworzy się fikcyjna. Nie mogąc żyć w świecie rzeczywistym, człowiek zaczyna żyć w świecie urojonym. Zjawisko to w pewnym stopniu występuje w warunkach normalnych. Gdy człowiek jest samotny, jego świat zaludnia się fikcyjnymi obrazami, sytuacjami, ludźmi. Mówimy, że oddaje się on marzeniom. Zawsze jednak zdaje sobie sprawę z fikcyjności stworzonego przez siebie świata i łatwo może wrócić z powrotem w świat rzeczywisty.

W marzeniu sennym, gdy jest się odciętym na skutek snu od świata rzeczywistego, granica oddzielająca świat wewnętrzny od otaczającego zostaje przerwana; to, co dzieje się wewnątrz, zostaje wyrzucone na zewnątrz. W przeciwieństwie do marzenia na jawie marzeniem sennym nie można kierować, jest ono niezależne od woli śniącego, dlatego traci ono swą fikcyjność (fikcja bowiem jest czymś stworzonym, dlatego sztucznym, *fingo* — kształtuję, tworzę, buduję, rzeźbię, porządkuję, przekształcam). Z drugiej strony — w przeciwieństwie do świata rzeczywistego — w marzeniu sennym nie ma się żadnego wpływu na to, co się dzieje; śniący jest bezsilnym obserwatorem, a nie działającym podmiotem. Ze światem rzeczywistym można walczyć, zwyciężać i być przezeń zwyciężanym, zmieniać go i samemu się jego presji poddawać, natomiast wobec marzenia sennego człowiek jest bezsilny, jest się przez nie nawiedzonym i owładniętym.

Przebicie granicy między światem wewnętrznym a zewnętrznym w psychozie schizofrenicznej jest bardziej zbliżone do tego, co dzieje się w marzeniu sennym, niż do tego, co zdarza się w marzeniu na jawie. Chory jest owładnięty nowym światem psychozy, nie ma nań wpływu. Stopień owładnięcia zależy od tego, czy psychoza wybucha ostro, czy też łagodnie. Z wyjątkiem bardzo ostrych stanów psychotycznych połączonych z zamąceniem świadomość jest zachowana. Jest to zasadnicza różnica między marzeniem sennym a psychozą[1]. Rytm bioelektryczny odpowiada stanowi czuwania, a nie snu.

Projekcja uczuciowa

Podobnie jak w komórce, której uszkodzono błonę komórkową, substancje z zewnątrz zaczynają wpływać do środka, a z wnętrza wypływać na zewnątrz, tak i u chorego świat wewnętrzny wypływa na zewnątrz i staje się światem rzeczywistym, a odwrotnie, świat zewnętrzny staje się jego własnym światem.

Najłatwiej granicę przekraczają uczucia, gdyż one już normalnie nie mieszczą się w obrębie granicy oddzielającej świat wewnętrzny od zewnętrznego. Zależnie od stanu uczuciowego inaczej widzi się świat otaczający i siebie samego. Koloryt nie ma ostrych granic między światem wewnętrznym a zewnętrznym. Ale u człowieka zdrowego prawie zawsze możliwa jest korektura obrazu rzeczywistości, przyjęcie poprawki na błąd związany z nastawieniem uczuciowym.

Projekcja uczuciowa polega na tym, że uczucie żywione w stosunku do jakiejś osoby zostaje wyrzucone na zewnątrz i jakby przyklejone do niej. Twórca tego pojęcia, Freud, wyraził to równaniem: „ja go nienawidzę = on mnie nienawidzi". Tego rodzaju projekcja jest dość typowa dla stanów urojeniowych i różnego rodzaju nastawień urojeniowych. Te ostatnie zdarzają się tak często zarówno w stosunkach między poszczególnymi ludźmi, jak i między całymi grupami społecznymi, że trudno je zaliczać do ewidentnej patologii.

W schizofrenii uczucia często ulegają generalizacji; znika normalne zróżnicowanie uczuciowe. Na skutek tego żywione

[1] Używany powszechnie w języku ogólnonarodowym i w pracach naukowych termin „marzenie senne" nie jest precyzyjny, gdyż oznacza nie tylko „zespół procesów psychicznych zachodzących podczas snu, widzenie senne, majaczenie", lecz głównie oznacza rojenie, myśli o czymś upragnionym itp. Wyraz „sen" jest także wieloznaczny; znaczy m.in. marzenie senne, ale też spanie. Wyrazy „majaki senne" czy „majaczenie senne" również są obciążone ubocznymi znaczeniami i skojarzeniami z niektórymi objawami patologicznymi. Sformułowania: „to, co się komuś śni" czy „obrazy widziane w czasie spania", są długie i niewygodne. W tym jednak znaczeniu posługujemy się terminem „marzenie senne".

w danej chwili uczucie może jakby przykleić się do zupełnie obojętnej osoby lub osoby, która na nie wcale nie zasługuje. Ostrzej też niż u ludzi zdrowych pod wpływem uczucia przekształca się obraz danej osoby. Nabiera ona realnych, nieraz wprost fizycznych cech, zgodnych z nastawieniem uczuciowym chorego.

Pod wpływem schizofrenicznego kolorytu uczuciowego rodzą się jakby całkiem nowe postacie — skrajnie potworne lub skrajnie piękne. Ta skrajność wynika prawdopodobnie stąd, że w okresie przedchorobowym ubóstwo kontaktów uczuciowych z otoczeniem nie pozwoliło na należyte wykształcenie zróżnicowania jakościowego i ilościowego uczuć, toteż utrzymują się postawy uczuciowe ekstremalne. Poza tym tłumienie uczuć sprzyja ich akumulacji. Dlatego otoczenie społeczne chorego na schizofrenię składa się z aniołów i szatanów, ludzi niezwykle pięknych i niezwykle potwornych, przyjaciół i zaciętych wrogów itp. Świat społeczny staje się biało-czarny.

Introjekcja uczuciowa

Kierunek przepływu uczuciowego może być odwrotny — od otoczenia do chorego. Cudze stany psychiczne jakby wskakują do wnętrza chorego. Może on odczuwać, że pewne osoby z jego społecznego otoczenia do niego wprost wchodzą, że przez chwilę, a czasem przez dłuższy okres czasu przestaje być sobą, a staje się daną osobą (tranzytywizm). Częściej jednak chodzi tylko o wtargnięcie cudzego uczucia.

Pewna irradiacja uczuć istnieje w normalnych kontaktach między ludźmi; uczucia, zwłaszcza silne i o znaku ujemnym, łatwo przenoszą się z jednej osoby na drugą. W schizofrenii zjawisko to występuje znaczniej ostrzej. Przy tym cudze uczucie chory odczuwa albo jako własne, albo jako cudze. W drugim wypadku przykro odczuwa obcość stanu uczuciowego, często broni się przed wtargnięciem tego obcego uczucia, ale z reguły bezskutecznie.

Omamy i urojenia

Na otoczeniu chorego zwykle największe wrażenie wywierają omamy i urojenia. Fakt, że choremu „zwiduje się” i że „mówi od rzeczy", jest najczęściej przytaczany jako dowód choroby psychicznej. Omamowo-urojeniowy świat chorego staje się mniej zaskakujący, gdy za jego punkt wyjściowy przyjmie się przebicie granicy oddzielającej świat własny od otaczającego.

W wypadku uczuć zjawisko przechodzenia z wnętrza na zewnątrz (projekcja) i, odwrotnie, z zewnątrz do środka (introjekcja), nie jest szczególnie dziwne, gdyż normalnie — w znacznie słabszym wprawdzie stopniu, niż dzieje się to w schizofrenii — zjawiska te występują. Natomiast w obrazie świata zmysłowym (omamy i iluzje) oraz myślowym (urojenia) zjawiska te są bardziej zaskakujące. Obraz zmysłowo-myślowy świata tworzy się bowiem w ustawicznej interakcji z otoczeniem, w ustawicznym działaniu na otoczenie i z kolei w odbieraniu działania otoczenia na siebie. Aktywność sprawia, że świat otaczający nabiera cech rzeczywistości, stawia opór działaniu, człowiek narzuca mu swoją formę działania i sam poddaje się uformowywaniu przez otoczenie. Poczucie rzeczywistości wiąże się z aktywnością.

Postawa autystyczna, często obserwowana w przedchorobowej historii życia chorych na schizofrenię, zmniejsza stopień aktywności, zwłaszcza aktywności spontanicznej, a nie wymuszonej. W związku z tym już przed wybuchem choroby można u tych chorych obserwować zmniejszone poczucie rzeczywistości. Tym zresztą ludzie o sylwetce psychastenicznej, schizoidalnej, introwertywnej różnią się od ludzi stenicznych, syntonicznych, ekstrawertywnych.

Aktywność wymuszona, jaką często obserwuje się u przyszłych chorych na schizofrenię („idealny uczeń", „najlepsze dziecko"), jak się zdaje, nie wpływa na tworzenie się poczucia rzeczywistości, wykonuje się ją na zasadzie automatu; brak w niej spontanicznego stosunku do otoczenia, który jest istotny w nawiązaniu interakcji z otoczeniem. W pewnej mierze chorzy na schizofrenię są więc predysponowani do rozwinięcia omamowo-urojeniowego obrazu świata.

Jeśli uzmysłowimy sobie niezwykłą siłę uczuć, która jest dość typowa w początkowej fazie schizofrenii, możemy zgodzić się, że one odgrywają główną rolę w formowaniu się nowego nierealnego świata. Jeśli uczucia potraktujemy jako oświetlenie świata przeżyć — jego koloryt, a obraz zmysłowo-myślowy jako jego formę, to możemy przyjąć, iż pod wpływem niezwykle silnego kolorytu tworzy się nowa, nierealna forma.

Świat ludzki jest przede wszystkim światem społecznym. Dlatego w schizofrenii na pierwszy plan wysuwa się deformacja świata społecznego. Ludzie, wobec których zwykle od najmłodszych lat chory ma postawę lękową, przybierają formy groźne, zmieniają swą twarz, szepcą, knują spiski, potępiają, karzą. Urojenia prześladowcze i omamy słuchowe słowne wyraźnie dominują w obrazie chorobowym[1].

Węch w świecie zwierzęcym (przynajmniej w znacznej jego większości) odgrywa ważną rolę w zasadniczej orientacji (przyjęcie postawy „do" lub „od"). Węch decyduje o tym, czy zbliżyć się, czy oddalić. Analogiczna decyzja już w chwili zetknięcia się w miejscu, w którym rozpoczyna się wchłanianie świata otaczającego, tj. w otworze gębowym, dokonuje się na podstawie sygnałów smakowych. Omamy węchowe i smakowe co do częstości występowania zajmują w schizofrenii drugie miejsce. Są one zazwyczaj wyrazem zasadniczej postawy uczuciowej do otoczenia lub do siebie samego. W przypadku omamów węchowych zwykle ten drugi przypadek jest częstszy; choremu zdaje się, że z niego wydobywają się jakieś przykre zapachy, które odczuwa otoczenie. Rzadziej niezwykły zapach jest dla chorego ostrzeżeniem o niebezpieczeństwie czyhającym w otoczeniu lub oznaką niezwykłości sytuacji, np. w stanach ekstatycznych. W przypadku omamów smakowych zwykle chodzi o ostrzeżenie o grożącym niebezpieczeństwie; łączą się one najczęściej z urojeniami trucia.

Marzenie senne można by określić jako fizjologiczną halucynację wzrokową. W psychiatrii spotykamy się z omamami wzrokowymi też najczęściej przy zakłóceniach stanu świadomości. Zakłócenia takie zdarzają się w ostrych fazach schizofrenii, częściej jednak omamy wzrokowe są wyrazem osłabienia

[1] E. Broszkiewicz: *Analiza kliniczna omamów słuchowych słownych.* „Folia Medica Cracoviensia", 1961, t. III, nr 4, str. 577–597. — E. Broszkiewicz: *Patofizjologia omamów słuchowych słownych.* Tamże, 1962, t. IV, nr 1, str. 43–64. — Zob. też W. Chłopicki: *Omamy słuchowe jako swoiste zaburzenia czynności mowy ze stanowiska neuropatologii i psychopatologii.* PAU, „Rozprawy Wydziału Lekarskiego", t. X, nr 12, Kraków 1949.

poczucia rzeczywistości. Bodźce wzrokowe wzmacniają bowiem nasze poczucie rzeczywistości. W ciemności wszystko staje się niepewne, na pograniczu rzeczywistości i złudy.

Omamy[1] dotykowe, bólowe tudzież inne sensacje pochodzące z powierzchni ciała są związane zazwyczaj w schizofrenii z poczuciem, że obce siły działają na ciało chorego. Gdy jesteśmy czegoś niepewni, sprawdzamy to dotykiem (niewierny Tomasz). Dlatego halucynacje te są dowodem silnego zachwiania poczucia rzeczywistości.

Omamy pochodzące z wnętrza ciała nie należą do rzadkich w schizofrenii; wiążą się one najczęściej z urojeniami hipochondrycznymi lub z poczuciem zagrożenia z zewnątrz (radary, promienie kosmiczne, specjalne aparaty itp. siły działające na chorego).

Obraz własnego ciała, podobnie jak obraz otaczającego świata, może w schizofrenii ulec przekształceniu. Ponieważ sprawdzalność obrazu własnego ciała jest mniejsza niż obrazu otoczenia, dlatego w wolno rozwijających się procesach schizofrenicznych dość często spotykamy się z urojeniami hipochondrycznymi. Zmiana percepcji otaczającego świata, jak się zdaje, wymaga większej dynamiki procesu chorobowego niż zmiana percepcji własnego ciała.

Omamy, które szokująco działają na otoczenie, także na chorego, gdy zdaje on sobie sprawę z ich patologicznego charakteru, są wciąż w psychiatrii zagadnieniem otwartym. Wiadomo, że mogą one wystąpić nawet pod wpływem minimalnych dawek niektórych środków (np. delizyd, peyotl, psilocybina), że często dochodzi do nich w pełnej izolacji od otoczenia i od zwykłych jego bodźców, że łatwo występują one w przymroczonej świadomości.

W każdym razie stosunkowo łatwe występowanie zniekształcenia obrazu świata otaczającego świadczy o tym, że to, co spostrzegamy, nie jest tak pewne i trwałe, jak nam się wydaje na skutek przyzwyczajenia się do określonego obrazu świata. Musimy pamiętać, że obraz ten zależy od konstrukcji układu nerwowego, że wszystkie bodźce docierające do ustroju zostają

---

[1] Różne rodzaje omamów przystępnie wyjaśnia m.in. T. Bilikiewicz: *Psychiatria kliniczna*. Wyd. 4, PZWL, Warszawa 1969, str. 66–71.

zmienione na impulsy nerwowe, a ich swoiste ułożenie w siatce czasowo-przestrzennej oddaje to, co przyzwyczajeni jesteśmy traktować jako rzeczywistość. Obraz rzeczywistości nie jest więc tak pewny, jak nam się zdaje. Zresztą odkrycia fizyki dają nam obraz dalece odmienny od obrazu naszych zmysłów.

W jeszcze większym stopniu niepewny jest obraz myślowy zarówno otaczającego świata, jak własnej osoby. Wiadomo, jak bardzo zależy on od wpływów środowiska, dziedzictwa kulturowego itp. Może dlatego, że obraz ten jest znacznie niepewny, człowiek tym silniej go broni i wszelkie odejścia od powszechnie przyjętej koncepcji rzeczywistości budzą w otoczeniu społecznym lęk i agresję.

Tranzytywizm

Zarówno w omamach, jak i w urojeniach kierunek przejścia granicy biegnie od wewnątrz na zewnątrz. Kierunek odwrotny — od świata otaczającego do wnętrza — też nie jest rzadki w schizofrenii, może tylko trudniej go zauważyć, gdyż świat otaczający jest czymś dla wszystkich ludzi wspólnym, nie można jego struktury bezkarnie naruszyć, natomiast świat wewnętrzny jest czymś prywatnym i mniej ludzi obchodzi, co w czyimś wnętrzu się dzieje.

Klasycznym przykładem tego rodzaju przejścia jest wspomniany tranzytywizm. Chory ma wrażenie, że druga osoba — może to być postać realna, bliska lub daleka, albo też postać wyimaginowana, np. Pan Bóg, diabeł, święty, jakiś bohater historyczny itp. — wchodzi w niego. Chory na czas wtargnięcia tej obcej osoby przestaje być sobą, a staje się nią właśnie i zwykle odpowiednio się zachowuje. Jego sposób przeżywania upodabnia się do sposobu przeżywania tej osoby. Następuje tu sztuczna integracja przeżyć; jeśli przed wtargnięciem przeżycia chorego były chaotyczne, panował bezwład i pustka, to od chwili wtargnięcia następuje uporządkowanie, odpowiadające porządkowi charakterystycznemu dla osoby wchodzącej w psychikę chorego.

Zdarza się czasem, że do psychiki chorego wchodzi nie osoba, ale jakieś zwierzę, a nawet przedmiot. Chory np. czuje się psem, drzewem, stołkiem itp.

Opisane zjawisko, choć niezwykłe, występuje też w śladowej postaci u ludzi zdrowych. Internalizacja[1], tj. przyjmowanie różnego rodzaju wartości z zewnątrz i stopniowe przyswajanie ich sobie tak, że w końcu stają się własnymi, też w istocie polega na przekroczeniu granicy od zewnątrz do wewnątrz, tylko proces ten przebiega stopniowo, polega na asymilacji, a w schizofrenii przebiega gwałtownie. W stanach mistycznych obserwuje się nagłe wtargnięcie bóstwa do wnętrza człowieka. Na ogół w większości systemów religijnych zespolenie się z bóstwem jest ostatecznym celem. W skali społecznej wódz może porwać za sobą wielkie nieraz grupy społeczeństwa. Jego wyznawcy wchłaniają w siebie jego ideologię, a z nią razem, częściowo przynajmniej, jego postać. Ułatwia im to wewnętrzną integrację; sztuczny porządek jest lepszy nieraz od żadnego. Nagłe przekroczenie granicy nie jest więc wyłącznym atrybutem schizofrenii. W modelu biologicznym zjawisko to można by porównać do sytuacji, w której np. wirus wstrzykuje swoją substancję jądrową, tj. kwas dezoksyrybonukleinowy (DNA) do wnętrza bakterii i od tego momentu bakteria „przestaje być sobą", jej metabolizm jest sterowany przez DNA wstrzyknięte przez wirus.

Ding an sich

Granica oddzielająca świat otaczający od własnego zapewnia pewną intymność tego, co wewnątrz się dzieje. Człowiek wie, że jego własny świat jest niedostępny innym ludziom, czasem ukrywa go przed innymi, a czasem nie umie go innym ukazać. Nadto ma on analogiczne uczucie w stosunku do świata otaczającego; zdaje sobie sprawę, że zarówno ludzie, jak zwierzęta, rośliny i martwe przedmioty ukrywają przed nim swoje wnętrza, że to, co widzi, jest tylko zewnętrznym kształtem rzeczywistości. Dążenie poznawcze człowieka zmierza do odkrycia tego wnętrza, kantowskiego *Ding an sich* — rzeczy samej w sobie. Człowiek odczuwa, że jest ona niepoznawalna i to go

[1] W. R. D. Fairbairn: *An object-relation theory of personality*. Basic, New York 1954.

drażni, a zarazem pobudza do wysiłku poznawczego. Już dziecko rozpruwa lalkę, by zobaczyć, co ona ma w środku.

Opisane tęsknoty ludzkie realizują się w schizofrenii dzięki przerwaniu granicy między światem zewnętrznym a wewnętrznym. Chory ma często uczucie, że odsłonił mu się prawdziwy obraz rzeczywistości, że opadła z niej maska pozorów i że dzięki temu dane mu jest poznać, jak rzeczywistość wygląda naprawdę. Doznanie to przychodzi zwykle nagle; w momencie urojeniowego olśnienia odsłania się „rzecz sama w sobie". To odkrycie prawdy może odnosić się do otaczających ludzi, np. chory widzi nagle inne oblicza swych rodziców, rodzeństwa, żony, przełożonych, kolegów itp.; do otaczającej rzeczywistości, np. chory odkrywa sens świata i własne w nim posłannictwo; w ostrych formach schizofrenii obraz świata w ogóle się zmienia — ma inne kształty i kolory, staje się niebem, piekłem; wspomniane odkrycie może się też odnosić do osoby chorego, np. widzi on siebie zupełnie inaczej, odkrywa prawdę o sobie, odkrywa sens swego życia, swoje *charisma*; może się odnosić do własnego ciała, np. ujawnia się choremu jego niezwykła budowa i jego niezwykłe właściwości, ujawnia się tajemna i groźna choroba itp.

Automatyzm psychiczny i poczucie wszechmocy

Strefa intymności została przekroczona — chory ma to odczucie w stosunku do otoczenia, jest przeświadczony, że może np. odczytywać z łatwością cudze myśli, ale częściej w stosunku do samego siebie, inni ludzie czytają w jego myślach, nic przed nimi nie może on ukryć, obserwują go, znają jego najskrytsze przewinienia.

Najbardziej dramatycznie przerwanie granicy występuje w tym akcie psychicznym, który wymaga największego wysiłku integracyjnego, tj. w akcie woli. I tu też kierunek wpływów jest obustronny, znacznie częściej jednak z zewnątrz do wewnątrz. Chory ma wrażenie, że stracił władzę nad sobą, że stał się automatem, że z zewnątrz „oni" kierują jego myślami, uczuciami, słowami i ruchami (automatyzm psychiczny Clérambault[1]

[1] G. G. de Clérambault: *Oeuvre psychiatrique*. Presses Universitaires, Paris 1942.

i Kandinskiego[1]). Rzadziej on sam potrafi odczytywać cudze myśli, kierować nimi, wydawać na odległość rozkazy. Jego władza odnosi się nie tylko do ludzi, lecz także do zwierząt, roślin i przedmiotów martwych. Odczytuje ich myśli i kieruje ich zachowaniem, potrafi wpływać na zjawiska atmosferyczne — sprowadzić pioruny, deszcze, zatrzymać bieg słońca. Poczucie władzy wiąże się zazwyczaj z nastrojem; we wzmożonym samopoczuciu łatwiej rządzić, w obniżonym — być rządzonym. Ponieważ w schizofrenii przeważa raczej nastrój obniżony, dlatego częściej jest się kierowanym przez innych, niż innymi się kieruje.

Patologia „ja"

Patologia „ja" a osłabienie metabolizmu informacyjnego

Zaburzenia granicy są, jak już zaznaczono, ściśle powiązane z zaburzeniami „ja" (jak w modelu komórkowym: jądro i błona komórkowa). Jeśli omówiono je najpierw, choć właściwie powinno się zacząć od zaburzeń „ja" jako zasadniczego punktu odniesienia i zasadniczego ośrodka integrującego, to dlatego, iż są one najłatwiej dostępne zewnętrznej obserwacji. Granica jest bowiem powierzchnią styku z otoczeniem, przez którą zewnętrzne wchłaniane jest do wnętrza, a wewnętrzne — wyrzucane na zewnątrz. Nie da się określić, które zaburzenia są wcześniejsze; prawdopodobnie przebiegają one równocześnie. W celu prawidłowego funkcjonowania „ja" musi stale dokonywać się wymiana informacji między człowiekiem a jego otoczeniem. A dla prawidłowego funkcjonowania granicy musi „ja" odpowiednio sterować tymże procesem wymiany.

Postawa autystyczna godzi przede wszystkim we wspomniany proces wymiany. Człowiek, który wycofuje się z życia, coraz bardziej przeżywa sam siebie, a coraz słabiej świat otaczający. Dochodzi jakby do puchnięcia „ja" (dlatego może Freud określał schizofrenię jako nerwicę narcystyczną[2]). Wprawdzie

---

[1] W. Ch. Kandinski: *O pseudohalucynacjach.* PZWL, Warszawa 1956.

[2] S. Freud: *Collected papers.* T. I, Basic, New York 1959.

dla okresu wczesnomłodzieńczego zainteresowanie własną osobą („jaki ja naprawdę jestem", „jaki jest sens mego życia", „kim się stanę" itp.) jest typowe, ale, jak się zdaje, szczególnie silnie występuje ono u przyszłych chorych na schizofrenię. Wskutek bowiem wycofania się od kontaktów z otoczeniem mają oni coraz mniej szans sprawdzania siebie.

Obraz samego siebie raz jest ciemny, to znów jasny; raz człowiek czuje się wspaniały i doskonały, innym razem nędzny i bezwartościowy. Brak zewnętrznych sprawdzianów, które tworzą się w kontaktach z otoczeniem, sprawia, że obraz ten jest zależny głównie od nastrojów i dlatego zbytnio oscyluje. Człowiek młody ma przed sobą wiele ról społecznych, może zostać tym lub innym, może marzyć o swojej przyszłości. W miarę upływu czasu wchodzi w pewne role i już nie może się wycofać; zakres możliwości maleje. Czas obcina skrzydła marzeniom.

Wolność „ja"

Analizując okres życia przed wybuchem schizofrenii, odnosi się nieraz wrażenie, że chorzy ci byli jakby skrępowani, że nie czuli się swobodnie, że już wcześniej odczuwali ciężar maski. Wolność ich rozgrywała się głównie w świecie fantazji; rzeczywistość była dla nich często trudna do zniesienia, chętnie by od niej uciekli (hamletowskie *to die, to sleep*). Czuli, że „w środku" są inni niż na zewnątrz. Ta sprzeczność często im doskwierała.

Wybuch psychozy jest jakby pęknięciem tej zewnętrznej warstwy, która wytworzyła się na skutek wymagań życia i która choremu nieraz dokuczała. Dlatego często w czasie wybuchu psychozy chory ma wrażenie, że odsłoniła mu się prawda o nim samym i o otaczającym świecie. W olśnieniu poznaje siebie i swoje przeznaczenie, rolę, jaką ma w świecie spełnić (*charisma*). Wybuch psychozy jest jakby zrywem do wolności. Chory ma wrażenie, że wszystko może (poczucie boskiej wszechmocy, która przez psychoanalityków jest traktowana jako regresja do wczesnodziecięcego poczucia wszechmocy). Świat jest mały, on jest potężny. Na niego zwrócone są oczy wszystkich, on jest w centrum świata.

Ale to poczucie wszechmocy na ogół jest krótkotrwałe. Nie można za długo cieszyć się władzą. Chory, wyrwawszy się z niewoli otoczenia, staje się niewolnikiem tych wszystkich sprzecznych uczuć, dążeń, wyobrażeń, które gdzieś z głębi, dawniej zupełnie nieuświadomione, zostały na zewnątrz wyrzucone. „Ja" traci swoje panowanie. Chory z wszechmocnego staje się bezwolnym automatem, kierowanym przez siły z zewnątrz, które w rzeczywistości są fragmentami jego własnego świata, a obecnie na skutek zniszczenia granicy oddzielającej świat wewnętrzny od zewnętrznego stały się obiektywną rzeczywistością.

Wysiłek integracyjny (problem decyzji)

Jak wspomniano, w schizofrenii częściej spotykamy się z poczuciem owładnięcia niż z poczuciem wszechmocy. Wynika to nie tylko z obniżenia nastroju, ale też z faktu, że zdolność kierowania wiąże się z wysiłkiem integracyjnym. W akcie woli z wielu możliwości jedna musi być wybrana. Ten wybór jest połączony z dużym wydatkiem energii. We wszelkich układach samosterujących, zarówno technicznych, jak i biologicznych, zagadnienie właściwego wyboru, czyli decyzji, jest zagadnieniem osiowym. Od niego zależy sprawne funkcjonowanie układu i właśnie wybór wymaga największego wydatku energetycznego. Sama wymiana sygnalizacyjna zużywa bowiem stosunkowo minimalne ilości energii.

Budowa anatomiczna komórki nerwowej wskazuje na to, że problem decyzji jest w jej funkcjonowaniu istotny. Posiada ona wiele kanałów doprowadzających informacje (dendryty), a tylko jeden kanał wyprowadzający (akson). W komórce nerwowej musi więc zapaść decyzja, jak zareagować na różnorodne sygnały do niej dochodzące, czy wysłać sygnał: „tak", czy: „nie". I jeśli mózg ludzki, jak zresztą każdy aparat władzy, jest bardzo kosztowny, jeśli chodzi o zużycie zapasów energetycznych (1/5 do 1/4 zużycia tlenu całego ustroju), to właśnie dlatego, że miliardy komórek nerwowych bez ustanku muszą podejmować decyzje. Nie trzeba dodawać, że opisane prawo o kosztowności procesu decyzji odnosi się również do przeżyć psychicznych. Z własnego doświadczenia każdemu człowiekowi wiadomo, ile wysiłku nieraz wymaga decyzja, ile wahań, wewnętrznej walki, niepewności i niepokoju. „Ja" jako punkt centralny świata przeżyć odgrywa decydującą rolę w formowaniu się aktu woli (w procesie decyzji) i w nim koncentruje się wysiłek integracyjny związany z tym procesem.

Jeśli więc w schizofrenii przeważa poczucie owładnięcia i chory traci zdolność swobodnej decyzji, to głównie dlatego, że jest on już niezdolny do wysiłku integracyjnego. Wysiłek ten przy wyzwoleniu dotychczas stłumionych tendencji psychicznych musi być w psychozie znacznie większy niż w życiu normalnym. W tym ostatnim bowiem człowiek żyje jakby w bezpiecznej klatce różnych norm i nawyków, które wprawdzie zacieśniają zakres jego możliwości, niemniej jednak zapewniają pewne bezpieczeństwo przed chaosem sprzecznych sił psychicznych.

Już w starożytności zwracano uwagę na pokrewieństwo między geniuszem a chorym psychicznie — *Nullum magnum ingenium sine mixtura dementiae,* jak powiedział Seneca[1]. Z psychiatrów Kretschmer poświęcił temu zagadnieniu osobną monografię[2]. Wydaje się, że główna różnica tkwi właśnie w zdolności do wysiłku integracyjnego. Geniusz jest do niego zdolny, a chory nie.

Poczucie tożsamości

Akt woli jest jakby sprawdzianem „ja". Gdy człowiek jest do niego niezdolny, traci własne „ja", przestaje być sobą. Od „ja" zależy poczucie tożsamości; wszystko w człowieku się zmienia i zmienia się świat, który go otacza, nie można nieraz rozpoznać tego samego człowieka, gdyż inny był jako dziecko, inny jako młodzieniec, inny jako dorosły i jako starzec, a jednak wciąż jest tym samym. Ta najdziwniejsza dialektyka zmienności i niezmienności zależy, jak się zdaje, właśnie od „ja" — ono jest w subiektywnym odczuciu niezmienne. Ono odczuwa, decyduje i działa. Ono jest subiektywnym faktem życia. „Ja czuję", „ja myślę", „ja mogę podjąć decyzję", więc „ja żyję". Od poczucia własnego „ja" zależy zatem zdolność przeżywania własnego ży-

[1] L. S. Seneca: *De tranquilitate animi.* Rozdz. 17, wiersz 10.

[2] E. Kretschmer: *Ludzie genialni.* Warszawa 1938.

cia. To, co do człowieka dociera, i to, co z niego na zewnątrz zostaje wysłane, musi przejść przez „ja", inaczej nie stanie się przeżyciem, jest czynnością automatyczną.

Poczucie rzeczywistości własnego „ja"

Zachwianie poczucia „ja" ujawnia się najsłabiej w zjawisku określanym jako depersonalizacja i derealizacja. Człowiek traci poczucie własnej rzeczywistości, co zwykle łączy się z poczuciem zmiany kształtów własnego ciała, gdyż własna rzeczywistość ma zawsze aspekt cielesny (depersonalizacja), lub traci poczucie rzeczywistości otaczającego świata, nabiera on aspektu makiety teatralnej (derealizacja). Poczucie bowiem rzeczywistości, zarówno własnej, jak i otaczającego świata, zależy od stopnia zaangażowania w niej „ja" i jego zdolności integracyjnej.

W trakcie zasypiania ma się nieraz uczucie oddalania się rzeczywistości zarówno własnej osoby, jak i otoczenia, co wiąże się z osłabieniem czynności integracyjnych i tym samym ze słabszym przeżywaniem samego siebie i otaczającego świata. W marzeniu sennym człowiek przenosi się w inną rzeczywistość, w której własna osoba staje się czasem kimś innym. Wyładowanie padaczkowe, pociągające za sobą rozchwianie mechanizmów integracyjnych układu nerwowego, manifestuje się niekiedy objawami depersonalizacji i derealizacji. W nerwicach i w zaostrzeniach psychopatii, gdy człowiek nie czuje się zdolny do scalenia obrazu samego siebie i swojego otoczenia, nieraz pojawia się uczucie nierzeczywistości własnej i otaczającego świata. Uczucie to może też wystąpić przy nagłych i niezwykłych wydarzeniach, zarówno przyjemnych, jak przykrych („to był koszmarny sen", „jest tak pięknie, że to chyba sen").

Nierzadko też objawy depersonalizacji i derealizacji spotyka się w schizofrenii, zwłaszcza w jej fazie początkowej.

Zmiana „ja" (utrata tożsamości)

Na ogół jednak, podobnie jak w marzeniu sennym, w schizofrenii przenosi się chory w inną rzeczywistość. Jego „ja" staje się innym „ja". Zanika tożsamość chorego. Jest już kimś innym zarówno we własnym odczuciu, jak też w odczuciu otoczenia.

(Często w wywiadach najbliżsi fakt ten wyraźnie podkreślają: „on stał się kimś innym", „to całkiem inny człowiek", „zmienił się").

Zmiana „ja" a zmiana autoportretu

Należy rozróżnić zmianę obrazu siebie („autoportretu", *self-concept*) od zmiany „ja". Obraz samego siebie — analogicznie jak obraz otaczającego świata — stale ulega zmianom. Zależy on przede wszystkim od nastroju. W przygnębieniu staje się ciemny, w nastroju radosnym — jasny. Zależy od kontaktów z najbliższym otoczeniem, od sukcesów, wyników sprawdzania siebie itp. U ludzi młodych z natury rzeczy jest on bardziej oscylujący, gdyż młody człowiek jeszcze niepewnie czuje się w świecie otaczającym, jeszcze nie zdążył wejść w swoją rolę, sfera marzeń jest u niego duża.

Wycofywanie się od kontaktów z otoczeniem sprawia, że obraz ten jeszcze bardziej oscyluje, gdyż możliwości sprawdzania siebie są nikłe i często nieudałe, tym większa też tendencja do ucieczki w świat marzeń. Mimo jednak zmienności autoportretu człowiek jednak czuje się tym samym człowiekiem, widzi tylko różne strony medalu: to jest mądry, to głupi, dobry — zły, piękny — szkaradny itp. Nawet w histerycznej podwójnej osobowości (dr Jekyll i Mr Hyde w znanym utworze R. L. Stevensona), gdy raz jest tym, a raz zupełnie innym człowiekiem, w głębi duszy odczuwa, że jest on tym samym człowiekiem, zmienił tylko swoją rolę, co dla ludzi z cechami osobowości histerycznej nie jest trudne, gdyż łatwo oni swoje marzenia wprowadzają w czyn.

Utrata ciągłości czasowej „ja"

Zmiana „ja" jest inną zmianą. Przestaje się już być sobą, znika poczucie ciągłości, konieczne dla zachowania poczucia tożsamości. „Umarł dawny człowiek, rodzi się nowy" i nie jest to tylko poetycka metafora, ale rzeczywistość. Chory czuje, że nie jest tym, kim był, że coś zasadniczego w nim się zmieniło. Stąd prawdopodobnie bierze swój początek poczucie odkrycia prawdy o sobie i o otaczającym świecie. Mimo autyzmu świat własny jest zawsze zespolony ze światem otaczającym i gdy jeden się zmienia, zmienia się też drugi.

Człowiek zmienia się w czasie w zależności od swego rozwoju, zmienia się też w zależności od aktualnego sposobu widzenia siebie i od aktualnej sytuacji zewnętrznej, mimo to jednak zawsze pozostaje tym samym człowiekiem.

„Nas jest wielu" (rozszczepienie „ja")

Poczucie tożsamości jest zachowane dzięki zdolnościom integracyjnym, z tylu sprzeczności tworzy się jedna całość. W schizofrenii zdolności te są osłabione. Całość zostaje rozbita. Już nie ma jednego „ja", ale jest ich wiele. „Na imię mi wojsko, albowiem nas jest wielu". Na zewnątrz to rozbicie jedności najlepiej może uwidacznia się w mimice. Mimika jest zewnętrznym wyrazem emocjonalnej postawy wobec otoczenia (chodzi tu o mimikę spontaniczną, gdyż w wypadku maskowanych postaw uczuciowych jest ona zawsze odpowiednio do wyrobienia towarzyskiego mniej lub więcej sztuczna).

Zasadnicza postawa emocjonalna jest wyrazem sposobu przeżywania danej sytuacji, jest w niej więc zaangażowane „ja". Ono nastawia się „do" lub „od" tejże sytuacji. Na tym tle dopiero rozwija się dalsza interakcja z otoczeniem. Wskutek tego całościowego zaangażowania „ja" mimika też ma charakter całościowy: jest ona przychylna lub wroga, radosna lub smutna itd. W schizofrenii często nie da się określić wyrazu twarzy, gdyż całościowy charakter mimiki zostaje rozbity. Na twarzy malują się sprzeczne uczucia.

Gdy w ten sposób mówimy o ludziach zdrowych psychicznie, chodzi zwykle o szybką zmianę wyrazu mimicznego, we wzmożonym tempie przeciwne uczucia następują po sobie. Natomiast tutaj jednocześnie na twarzy malują się sprzeczne uczucia, toteż odnosi się wrażenie nieokreśloności mimiki schizofrenicznej lub jej „rozkojarzenia". Pozwala to nieraz na pierwszy rzut oka rozpoznać schizofrenię na podstawie tzw. „odczucia", określonego wspomnianym już terminem *Präcoxgefühl*[1].

[1] H. C. Rümke: *Die klinische Differenzierung innerhalb der Gruppe der Schizophrenien.* II International Kongress für Psychiatrie. „Der Nervenarzt", 1958, z. 29, str. 49–53.

Poza tym na skutek autyzmu mimika jest często nie dostosowana do sytuacji zewnętrznej.

Najwyższym sprawdzianem „ja", czyli sił integrujących, jest, jak już wspomniano, akt woli. Z wielu sprzecznych możliwości należy wybrać jedną. „Ja chcę" wyraża tę zdolność integracyjną, która jest w pewnej przynajmniej mierze wyrazem sił życiowych człowieka. Nawet w tych wypadkach, gdy „ja chcę" godzi w samo życie, gdy człowiek decyduje się na samobójstwo, to jednak ten akt decyzji jest wynikiem ogromnego nieraz wysiłku, jest jakby ostatnim wybuchem sił życiowych. Dlatego w bardzo głębokich depresjach na ogół chorzy nie popełniają samobójstwa.

Pustka schizofreniczna polega na niemożności wypowiedzenia „ja chcę". Otaczające życie przestało angażować „ja", przestało być przeżyciem, a stało się pustką, nie ma się już w nim żadnego kierunku, nic już się nie chce, nie żyje się, ale wegetuje — jest to stan charakterystyczny dla schizofrenii prostej i chronicznej. Natomiast gdy na skutek schizofrenicznej zmiany „ja" narodzi się nowy człowiek, gdy w olśnieniu chory odkryje w swej ocenie prawdę o sobie i o otaczającym świecie, jak to dzieje się w urojeniowych postaciach schizofrenii, wówczas „ja chcę" staje się nawet silniejsze niż było ono dawniej, lecz idzie ono na przekór otoczeniu i jego prawom; stąd wynika konflikt ze światem otaczającym, w którym prawie z reguły chory przegrywa.

Najczęściej jednak — na skutek osłabienia zdolności integracyjnych — „ja chcę" jest wahające. Raz idzie się w tym, a raz w przeciwnym kierunku. Człowiek chce walczyć, to znów się poddać, działać, to znów tkwić w bezczynności, kochać, to znów nienawidzić. Nawet w tak prostych czynnościach, które normalnie ulegają zautomatyzowaniu, jak chodzenie, mówienie, podanie ręki na powitanie itp., uwidaczniają się wahania między różnymi formami aktywności; chory nie może podjąć decyzji, którą z nich wybrać. Wyciąga rękę na powitanie i zaraz ją cofa. Siada na krześle i w połowie tego ruchu wstaje. Mówiąc, zastanawia się nad poszczególnymi słowami, nad ich właściwym znaczeniem, doszukuje się różnych analogii, ukuwa z nich nowe twory językowe; odnosi się wrażenie, że nimi się bawi. Chodząc, nieraz nie ma oznaczonego kierunku, nie idzie, lecz błądzi, czasem zastanawia się, jak postawić nogę, jaką przyjąć postawę, wskutek czego chód jego staje się dziwaczny.

Odsłonięcie mechanizmu decyzji

W normalnej pracy układu nerwowego każda aktywność jest połączona z decyzją. Z różnych możliwości jedna musi zostać wybrana, a inne odrzucone. Te „decyzje" neurofizjologiczne rozgrywają się poza świadomością. Akt woli, czyli świadomy wybór, jest zarezerwowany dla decyzji specjalnie trudnych, wymagających zaangażowania całego układu nerwowego, co subiektywnie jest odczuwane jako zaangażowanie „ja" — „ja chcę". Dzięki powtarzaniu niektóre czynności ulegają zautomatyzowaniu; gdy dawniej były połączone nawet z dużym wysiłkiem woli (np. gdy dziecko uczy się pisać, zastanawia się nad każdą kreską i pisze nieraz całym ciałem), z czasem wykonywane są mechanicznie, tj. bez udziału świadomości, „ja" nie bierze w nich udziału (wystarczy rozkaz „pisz" i litery same się kształtują, piszący nie zastanawia się, jak je uformować).

W schizofrenii niekiedy jakby odsłania się ukryty mechanizm formowania decyzji; to co normalnie dzieje się bez udziału „ja", nieświadomie, tutaj wchodzi w centrum świadomości, angażując i tak osłabione siły integracyjne „ja". Wskutek tego chory nie może podjąć decyzji, jest w stanie ciągłego wahania, a gdy ją podejmie, jest ona często zaskakująca dla otoczenia.

W ten sposób normalne życie staje się olbrzymim wysiłkiem, gdyż to, co normalnie wykonujemy bez zastanowienia, dla chorego staje się problemem, nad którym nieraz wiele rozmyśla, filozofuje, waha się, zmienia decyzje itd. Aż w końcu wycofuje się z wszelkiej aktywności, gdyż jest ona zbyt nużąca.

Rozbicie „ja"

W ostrych formach schizofrenii, gdy struktura własnego „ja" i otaczającego świata uległa gwałtownemu rozbiciu, „ja chcę" faktycznie przestaje istnieć; chory jest owładnięty niezwykłością wydarzeń, które zachodzą w nim i w otoczeniu, nie ma już zdolności wyboru, jest niesiony wartkim prądem omamów, urojeń, dziwnych doznań, gwałtownych uczuć. Taki nagły stan rozbicia dotychczasowego świata łączy się zwykle z niezwykle silnym uczuciem lęku (lęk dezintegracyjny), rzadziej z uczuciem ekstazy, wszechmocy, boskości, rozkoszy. Tego typu rozbicie struktury spotyka się najczęściej w postaci katatonicznej i w ostrych formach paranoidalnych (np. w onejroidalnej)[1]. Trudno nawet wyobrazić sobie, co z chorym wówczas się dzieje; jest to prawdziwa burza psychiczna, wszystko jest pomieszane, „ja" rozbite na drobne fragmenty.

Krystalizacja rozbitego „ja"

W schizofreniach o spokojniejszym przebiegu może dojść do utrwalenia się struktur patologicznych (usystematyzowane urojenia i omamy). Wówczas rozbite „ja" krystalizuje się w urojonej roli — chory staje się prześladowanym, zdobywcą świata, świętym, diabłem, Bogiem, chorym rozkładającym się za życia itp. Zachowuje się odpowiednio do nowej roli ujawnionej mu w chorobie, i odpowiednio do niej wszystko przeżywa.

Patologia porządku czasowo-przestrzennego i hierarchii wartości

Przyzwyczajenie do własnego porządku

Na ogół człowiek jest tak przyzwyczajony do swojego specyficznego porządku, w którym wydarzenia układają się wedle współrzędnych czasowo-przestrzennych i wedle określonej hierarchii wartości, że nie zdaje sobie z niego sprawy. Nie budzi w nim wątpliwości fakt, że wczoraj jest przeszłością, a jutro przyszłością, że nad głową jest niebo, a pod stopami ziemia, że są cztery zasadnicze kierunki, w których może się poruszać. Z punktu widzenia neurofizjologii sprawa nie przedstawia się jednak tak prosto i właściwie dotychczas nie bardzo wiadomo,

[1] Stany onejroidne (onejroidalne) są to zespoły, w których oprócz zamroczenia występują u chorego pierwiastki majaczeniowe w postaci omamów wzrokowych i słuchowych (zob. T. Bilikiewicz: *op. cit.*, str. 48 i 184).

jak impulsy rozkładają się w sieci czasowo-przestrzennej i na czym ten cały układ polega.

Hierarchia wartości w subiektywnym odczuciu budzi już pewne wątpliwości, zwłaszcza gdy chodzi o zagadnienia natury moralnej. Niemniej jednak nad wartościowaniem wielu spraw w ogóle się nie zastanawiamy, przywykliśmy do tego, że pewne sprawy są dla nas ważniejsze, a inne mniej ważne. Posługując się modelem komórkowym, można sobie wyobrazić, że między „ja" a granicą oddzielającą świat wewnętrzny od zewnętrznego wytwarza się gradient ważności, wedle którego do „ja" dociera tylko to, co dla niego jest ważne, a rzeczy mniej ważne są bliżej obwodu (analogicznie przepływ energetyczno-informacyjny układa się we wnętrzu komórki).

Zaburzenia porządku czasowego

„Czas stanął"

W schizofrenii cała ta skomplikowana sieć czasowo-przestrzenna i hierarchia ważności ulega rozbiciu. Chorzy mają nieraz wrażenie, że czas stanął — nie ma dla nich przyszłości ani przeszłości, wartki strumień czasu zamienił się w stojącą wodę. Nie odczuwają przepływu czasu, nie nudzą się ani nie spieszą, nie potrafią określić, czy czas biegnie im szybko, czy się dłuży. Swoisty „bezstan", jak to określił jeden z chorych krakowskiej kliniki psychiatrycznej.

„Burza" czasowa

Niekiedy, zwłaszcza w ostrych fazach choroby, występuje jakby „burza" czasowa, przeszłość miesza się gwałtownie z przyszłością i teraźniejszością. Chory przeżywa to, co było przed laty, jakby się działo bieżąco; jego marzenia o przyszłości stają się teraźniejszą rzeczywistością, całe jego życie przeszłe, teraźniejsze i przyszłe skupia się jakby w jednym punkcie (*telescoping* — wedle psychiatrów egzystencjalistycznych). Różne pod względem rozmieszczenia na współrzędnej czasu elementy z życia chorego mieszają się razem i występują wspólnie w jednym punkcie czasowym. Analogiczne zjawisko obserwuje się w marzeniu sennym, w którym odległe nieraz fragmenty przeszłości mieszają się z bliskimi i z marzeniami o przyszłości, a wszystko jest przeżywane jako teraźniejszość.

Na pewno na to rozbicie struktury czasowej wpływa wycofanie się z kontaktów z otoczeniem i brak aktywności. Aktywność jest bowiem tym głównym czynnikiem, który nadaje bieg czasowi. Współrzędna czasowa jest jakby nicią, na której są nanizane kolejno poszczególne wydarzenia.

Poczucie rozerwania ciągłości czasu

Czynnikiem istotnym dla utrzymania własnej tożsamości jest poczucie ciągłości czasu. W schizofrenii niejednokrotnie ulega ono zakłóceniu. W świadomości chorego wyłaniają się różne luźne fragmenty z jego przeszłości, niekiedy odległej (np. z okresu wczesnego dzieciństwa), mieszają się one z fragmentami najświeższej daty, a także z fragmentami dotyczącymi bliższej lub dalszej przyszłości. Obserwatorowi trudno ocenić ważność tych obrazów pamięciowych i wyobrażeniowych, czasem wydają się mu błahe i bez znaczenia. Nieraz uderza ich plastyczność; są przeżywane „na żywo", jakby działy się aktualnie, a nie w odległej przeszłości lub przyszłości. Chory też nie umie powiązać ich w całość. Zapytany o ich znaczenie lub o dalszy rozwój wypadków, zwykle nie potrafi dać odpowiedzi. Życie jego przeszłe, teraźniejsze i przyszłe staje się jakby mozaiką drobnych, nieraz bardzo plastycznie przeżywanych wydarzeń, które nie łączą się w jedną kompozycję.

Jest to jakby rozkojarzenie pamięci i wyobraźni. Normalnie w tworzeniu się zapisów pamięciowych, a także wyobrażeniowych (gdy chodzi o przyszłość) obowiązuje prawo selekcji. Zapisy te są jakby uporządkowane wedle hierarchii ważności. To, co nieważne, zostaje odrzucone ze świadomości i tkwi gdzieś głęboko w niepamięci. Może niekiedy ujawnić się w treści marzeń sennych. Nie pasując jednak do ogólnej kompozycji historii życia i rzutowania się w przyszłość, zostaje ze świadomości usunięte. Dzięki temu zachowana jest ciągłość czasowa jednostki, życie jej nie rozbija się na luźne, nie dające się ze sobą powiązać fragmenty. Pytaniem natury raczej filozoficznej jest, czy rzeczywiście życie przez nas przeżywane jest pasmem wydarzeń ze sobą powiązanych, czy nie są to tylko luźne obrazki, jak płytki mozaiki, z których my dopiero dzięki zdolnościom integracyjnym tworzymy jednolitą całość, dającą nam poczucie tożsamości w zmieniającym się czasie.

Nie należy jednak zapominać, że podobnie jak w schizofrenii rozbicie struktury czasowo-przestrzennej można uzyskać, stosując środki chemiczne (dysleptyki lub halucynogeny). Zdarza się też ono w atakach padaczkowych (zwłaszcza typu skroniowego), a także w ostrych zespołach psychoorganicznych.

Zaburzenia porządku przestrzennego

Swoboda poruszania się w przestrzeni

Jeśli chodzi o rozbicie porządku na współrzędnych przestrzennych, to nie występuje ono w schizofrenii tak dramatycznie jak w ostrych zespołach psychoorganicznych i w padaczce. W schizofrenii zaburzenia porządku przestrzennego odnoszą się raczej do przeżywania niż do działania. W przeciwstawieniu do swej zmniejszonej aktywności chorzy z największą swobodą poruszają się w miejscu i czasie. To, co odległe, staje się dla nich bliskie, jakby ich bezpośrednio dotyczyło i, na odwrót, to, co bliskie, staje się dalekie. Obojętne im jest to, co dzieje się w domu, ale bardzo silnie przeżywają tragedię ludzi żyjących o tysiące kilometrów od nich (np. wojnę w Wietnamie, głód w Indiach itp.). Przestrzeń nie stanowi dla nich przeszkody — na odległość w swym odczuciu wiedzą, co ktoś przeżywa, mogą na daną osobę wpływać i, odwrotnie, na nich mogą działać różne siły z dalekiej odległości.

Możność działania na odległość bez bezpośredniego zetknięcia się z przedmiotem oddziaływania stanowi jedno z charakterystycznych przekonań w magicznym myśleniu. U jednego z chorych krakowskiej Kliniki Psychiatrycznej pewność własnej zdolności swobodnego poruszania się w przestrzeni była tak wyraźna, iż odczuwał on, jak z jednego miejsca globu ziemskiego przenosi się na drugi, widział dokładnie, co w danym miejscu się działo, np. w Australii, w Afryce, przejmował się sprawami tamtejszych ludzi, tym wszystkim, co widział, czuł się za to odpowiedzialny, niekiedy miał wrażenie, że cała kula ziemska jest jakby u jego stóp i w każdym momencie wie on, co gdzie się dzieje. To były dla niego sprawy najważniejsze; zapominał o swojej żonie i dziecku, które w okresach poprawy bardzo kochał.

Fizjognomizacja

Najbardziej jednak charakterystycznym objawem schizofrenii, tj. zakłócenia współrzędnych przestrzennych, jest zbliżenie się otaczającego świata (fizjognomizacja według terminologii psychiatrii egzystencjalistycznej). Wszystko jest blisko, wszystko chorego dotyka, wszystko wokół ma jakieś znaczenie, oczy są w niego wpatrzone, usta o nim szepcą. Świat otaczający naciska na niego, tak jakby tylko on był na świecie — on jest prześladowany, jego myśli czytają, dla niego organizują się specjalne mafie, które mają go zniszczyć, on ma misję do spełnienia itp. On jest odpowiedzialny za to, że ludzie gdzieś cierpią, że na świecie nie jest dobrze, że ludzie są krzywdzeni. Wszystko godzi w niego. Bywa też odwrotnie: świat otaczający oddala się od chorego, otacza go tylko pustka i nicość, nic się wokół nie dzieje, nic go nie dotyczy.

Czasem odczuwa, jakby raz otaczający świat zbliżał się za bardzo, to znów oddalał.

„Pulsowanie” „ja”

Odnosi się wrażenie, jakby „ja” pulsowało, raz pęcznieje i wszystkiego wokół dotyka, to znów kurczy się, świat otaczający zamienia się wówczas w nicość i pustkę. W ostrych fazach schizofrenii, gdy chory ma poczucie wszechmocy, wówczas „ja” jakby wypełnia cały świat. Cała czasoprzestrzeń jest nim przepełniona.

Zaburzenia hierarchii wartości

Omawiając tematykę świata schizofrenicznego, przedstawiono dość szczegółowo zmianę hierarchii wartości, jaka w tej chorobie zachodzi. Szczególnie wyraźnie zagadnienie to uwypukla się w nurcie metafizycznym schizofrenii, gdy znane powiedzenie, jak uprzednio wspomniane, zostaje odwrócone na *primum philosophari, deinde vivere*[1].

Jest interesujące, że wybitny psychiatra egzystencjalistyczny, który przeżył hitlerowski obóz zagłady[2], uważa, że właśnie to odwrócenie łacińskiej sentencji pozwoliło mu przeżyć obóz.

Nawet w drobnych niefilozoficznych sprawach obserwuje się różnego rodzaju przemieszczenia w hierarchii wartości. One często sprawiają, że otoczenie zauważa u chorego zmianę. Dla chorego np. przestaje być ważny los jego rodziny, a cały swój wysiłek wkłada w to, by zwalczać wśród ludzi ich brzydki zwyczaj przeklinania i używania wulgarnych słów (jeden z chorych krakowskiej Kliniki Psychiatrycznej). Inny np. obojętnieje w stosunku do swych rodziców, a staje się przesadnie wrażliwy w stosunku do zwierząt domowych. Zabicie kury uważa za zbrodnię. Wzdraga się przed spożywaniem mięsa, traktując je na równi z kanibalizmem. Chory zaniedbuje swe obowiązki w nauce czy w pracy, a zajmuje się jakimiś błahymi przynajmniej dla otoczenia sprawami, które jednak dla niego mają największe znaczenie. Zmiana hierarchii wartości jest istotnym problemem w leczeniu i rehabilitacji chorych; nie można ich na siłę wtłaczać w normalną hierarchię wartości, należy uwzględnić to, co dla nich jest najważniejsze, i od tych spraw wychodząc, rozszerzać stopniowo ich krąg zainteresowań.

Chaos i pustka

Rozbicie struktury charakterystyczne dla świata schizofrenicznego prowadzi do chaosu w ruchach, w mowie, w aktach woli, w myśleniu, w uczuciach itd. Chorzy często wprost skarżą się na przytłaczające uczucie chaosu lub pustki w głowie. Uczucie pustki też bowiem może być wyrazem niemożności uporządkowania tego, co w środku się dzieje. Podobne skargi spotyka się dość często w nerwicach, w nich jednak dezintegracja jest znacznie płytsza.

---

[1] „Przede wszystkim filozofować, a potem myśleć o utrzymaniu swego istnienia".

[2] V. E. Frankl: *Psycholog w obozie koncentracyjnym.* W książce: *Apel skazanych.* Pax, Warszawa 1962.

Ale przyroda ożywiona nie znosi nieporządku. W chaosie schizofrenicznym zaczyna się kształtować nowy, patologiczny porządek — powstają nowe struktury, które na zasadzie obrony przed rozpadem są nieraz niezwykle trwałe; nie można ich w żaden sposób zniszczyć, jak to się dzieje np. w urojeniach usystematyzowanych. Psychiatrzy niejednokrotnie cały swój wysiłek leczniczy wkładają w dążenie, by zniszczyć utrwalone struktury chorobowe. Warto by się zastanowić, czy takie dążenie jest celowe. Często bowiem ich wysiłek idzie na marne, struktury te okazują się niezniszczalne i oporne na wszelkie lecznicze metody, co u psychiatry budzi niewiarę w możność wyleczenia chorego i czasem nastawia go do chorego negatywnie. Poza tym wydaje się, że struktury te niekiedy bronią chorego przed całkowitym chaosem.

Schizofreniczne rozbicie przedchorobowych struktur ma swoje dodatnie i ujemne strony. Chory dzięki niemu uwalnia się od dotychczasowych form zachowania się i przeżywania, które były dla niego przyciasne, odczuwał ich sztuczność i obcość. Powstały chaos pozwala na formowanie się nowych i niekiedy całkiem niezwykłych struktur czynnościowych, które by w normalnych warunkach nigdy powstać nie mogły. W rozmowie z chorymi na schizofrenię niejednokrotnie uderza ich bogactwo skojarzeń, skojarzenia są nieraz niezwykłe, przeciętnemu człowiekowi nigdy by do głowy nie przyszły, a czasem nawet w swej niezwykłości trafne, są to jakby przebłyski geniuszu, wyzwolonego przez rozbicie dotychczasowego porządku.

Z drugiej strony jednak chaos w przyrodzie ożywionej prowadzi do śmierci; odnosi się to zarówno do metabolizmu energetycznego, jak informacyjnego. Istotą przyrody ożywionej jest zapewne przeciwstawienie się chaosowi i przypadkowości (negatywna entropia). I niestety, w chronicznej schizofrenii chorzy nieraz przypominają umarłych za życia. Otacza ich pustka, popioły i zgliszcza, w środku też czują się wypaleni. Tematyka śmierci często przewija się w świecie schizofrenicznym. Szkielety, cmentarze, trupy, śmiertelna agonia itp. niejednokrotnie stanowią temat ich rozmyślań i marzeń sennych. Świat traci swój koloryt życia, staje się szary, smutny, ma coś z cmentarnej tajemniczości i zadumy.

KOLORYT

DEFINICJA

Przez koloryt czyjegoś świata będziemy rozumieć jego atmosferę emocjonalną — nastrój, dynamikę życiową, stosunek uczuciowy człowieka do siebie i do otoczenia. Określenie to — więcej literackie niż naukowe — oddaje jednak istotny sens zagadnienia. Koloryt jest bowiem tą cechą widzialnego świata, która nie zmieniając w zasadzie jego istoty, tj. struktury i tematyki, zmienia jednocześnie wszystko, sprawiając, że ten sam obraz w zmienionych barwach staje się innym obrazem. Ta zmienność w niezmienności jest też zasadniczą cechą naszego życia uczuciowego. W zasadzie nic się nie zmieniło — poza przejściowym nastrojem lub nastawieniem uczuciowym do innej rzeczy czy osoby, a jednocześnie w tym momencie zmieniło się wszystko. Świat, przed chwilą piękny i pociągający, stał się szary i ponury. Osoba niedawno podziwiana i pożądana odpycha swoją brzydotą fizyczną i psychiczną. A my sami z mądrych, pięknych i szlachetnych przekształcamy się w odwrotność tych przymiotów.

Drugą cechą kolorytu jest jego wszechobecność; każda widziana rzecz ma swą barwę. Podobnie ma się sprawa z życiem uczuciowym — przenika ono każde przeżycie. Najmniejszy szczegół ma swój znak uczuciowy. Wbrew temu, co się mówi, nie ma spraw „uczuciowo obojętnych". Określenie to wskazuje tylko na dystans, jaki chcemy w stosunku do danej rzeczy zachować, często go zresztą nie zachowując, a zatem bardziej dotyczy struktury naszego świata niż jego kolorytu. Mówiąc: „jest to mi obojętne", wyrażamy swój stosunek uczuciowy do danej rzeczy czy osoby, zazwyczaj negatywny, chcemy bowiem od danej sprawy oddalić się, przejść obok, traktować ją jako nie istniejącą.

Trzecia cecha jest natury metodycznej. W widzianym obrazie najtrudniej jest określić jego koloryt. Zapas słownych określeń jest dość skąpy, a naukowa terminologia — określania długości fal świetlnych — do nikogo nie przemawia. Podobnie najtrudniej jest określić uczuciowy komponent przeżycia. Jeśli jego tematykę i strukturę można oddać z mniejszą lub większą dokładnością, to opisując stan uczuciowy, zawsze natrafia się na brak właściwych, pożądanych określeń — język po prostu jest zbyt ubogi, służy bowiem komunikowaniu się ludzi ze sobą, a składa się przede wszystkim z tych symboli, które dotyczą aktywności człowieka w otaczającym świecie, a w znacznie mniejszym stopniu jego wewnętrzne przeżycia znajdują odpowiednik w słownictwie. Słownik życia uczuciowego jest niepomiernie ubogi w porównaniu z bogactwem słów związanych ze światem zewnętrznym i ludzką w nim aktywnością.

Odnosi się wrażenie, jak gdyby mowa, stanowiąc najwyższą formę aktywności ruchowej, w swym rozwoju skoncentrowała się na tejże aktywności, ekonomizując wysiłek organizmu przez uproszczenie niezliczonych form interakcji z otoczeniem do prostych symboli, dzięki którym człowiek wchodzi w gotowy schemat otaczającej rzeczywistości i form swej w niej aktywności. Natomiast to, co jest tylko wewnętrznym przejawem tej aktywności, jest bardzo pobieżnie poddane słownej abstrakcji i schematyzacji jakby w słusznym założeniu, że jest to część aktywności najbardziej własna, niepowtarzalna i nieprzekazywalna, a tym samym nie dająca się przedstawić w formie słownego symbolu.

Nie znaczy to bynajmniej, by z czyichś słów nie można było „wyczytać" stanu uczuciowego. Przeciwnie, zdarza się niejednokrotnie, iż nie bardzo rozumie się, o czym dana osoba mówi lub pisze, a odczuwa się jej nastrój i uczucia. Również posługując się środkami ekspresji artystycznej, można wywołać u odbiorcy stan uczuciowy odpowiadający w większym lub mniejszym stopniu zamierzeniom twórcy. Nie jest to jednak opis przeżycia uczuciowego, ale jego sztuczne wywołanie środkami emocjonalnymi lub artystycznej ekspresji. Jeśli bodźcem wywołującym rezonans uczuciowy jest słowo, to działa ono nie na zasadzie symbolu upraszczającego i redukującego wiele sytuacji analogicznych do jednego znaku, ale na zasadzie sygnału wyzwalającego dany stan uczuciowy. Znacznie lepszym zresztą sygnałem, jeśli chodzi o komunikowanie stanów uczuciowych, są bodźce pozasłowne: słuchowe, wzrokowe, dotykowe, węchowe itd. (mówiąc językiem pawłowowskim: pierwszosystemowe).

Nieliczne słowa w opisach emocjonalnej strony przeżycia, jak radość, smutek, lęk, ból, zachwyt, groza, wściekłość, miłość, nienawiść itd., brzmią pusto, gdy nie towarzyszy im opis szczególnej sytuacji, który pozwala nam w minimalnym choćby stopniu przeżyć dane uczucie, a wydają się niewystarczające, gdy chcemy wyrazić uczucie własne czy też osoby, w którą wczuć się potrafimy. Problematyczność jednoznaczności symboli słownych szczególnie ostro występuje w przypadku terminologii dotyczącej życia uczuciowego. Słowo „miłość" w znacznie większym stopniu dla każdego co innego oznacza niż słowo „stół".

Marginesowo potraktowano tu zagadnienie opisu stanów emocjonalnych, które w psychiatrii odgrywają zasadniczą rolę. Psychiatra jest tu w trudnej sytuacji; gdy nawet potrafi w pełni wczuć się w chorego, to brak odpowiedniej terminologii, by stronę uczuciową jego przeżyć opisać; znacznie łatwiej określić ich tematykę i strukturę. Mówiąc przykładowo, łatwiej jest opisać, kto kogo kocha czy nienawidzi i dlaczego, z czego się cieszy lub smuci, niż przedstawić jasno samo to uczucie. Tymczasem właśnie od tego należałoby zacząć, gdyż uczucie jest czymś bardziej pierwotnym. Wokół niego dopiero narastają temat i struktura. Uczucie miłości rodzi przedmiot i przyczynę tego uczucia, podobnie uczucie lęku czy nienawiści. W radości czy w smutku zawsze można znaleźć powody, które uczucia te tłumaczą itd.

Zależność tematyki i struktury przeżyć od życia uczuciowego występuje szczególnie wyraźnie w psychiatrii, gdzie niejednokrotnie uczucia wyzwalają fikcyjny obraz rzeczywistości i nieprawdziwe powiązania przyczynowe.

Rytm życia uczuciowego a rytm czuwania

U każdego człowieka występuje oscylacja nastroju i nastawień uczuciowych do otaczających go osób i rzeczy. Podobnie jak pogoda, pora dnia i roku zmienia krajobraz, tak i krajobraz naszego świata zmienia się w zależności od emocjonalnego kolorytu. Na ogół zapomina się o jego zmienności i przeżywając jakiś stan uczuciowy, ma się złudne wrażenie jego trwałości, że nigdy nie przestanie być zimno i pochmurnie lub ciepło i radośnie.

Mimo wielokrotnych doświadczeń nie można nauczyć się niedowierzania stanom afektywnym, według nich zawsze modeluje się nasz świat, który staje się beznadziejny w chwilach smutku, a promienny w chwilach radości.

Śledząc oscylacje kolorytu naszego świata, można rozróżnić rozmaite krzywe w zależności od amplitudy wahań i ich częstotliwości. Zbyt duża amplituda, wykraczająca poza ramy przeciętnego życia ludzkiego, jest ujęta w psychiatrii terminem cyklofrenii. Podobnie jak stan świadomości oscyluje od snu do maksymalnego napięcia uwagi, tak oscyluje życie uczuciowe od kolorów ciemnych, gdy człowiek jest smutny, nic go nie cieszy i myśli o śmierci, do kolorów jasnych, gdy odczuwa radość życia i jest pełen miłości do siebie i otaczającego świata.

Nie wiadomo, w jakim stopniu oba rytmy — czuwania i nastroju — są zależne od siebie. Według współczesnych poglądów neurofizjologicznych rytm czuwania wiąże się z aktywnością układu siateczkowego. Pewne substancje chemiczne obecne w ustroju — adrenalina, noradrenalina, serotonina — aktywują układ siateczkowy, jednocześnie zmieniając koloryt uczuciowy; zwykle wzmagają one stan pogotowia lękowego, podobnie zresztą działa sama aktywacja układu siateczkowego.

Reakcji obudzenia czy reakcji orientacyjnej towarzyszy uczucie lęku, który by można określić mianem dezintegracyjnego, gdyż wiąże się z koniecznością zburzenia starej struktury interakcji z otoczeniem i stworzenia w jej miejsce nowej. Leki antydepresyjne i euforyzujące działają zwykle przeciwsennie. W smutku człowiek czuje się często zmęczony i senny, a w radości i zabawie nie ma on ochoty na odpoczynek i sen. Natomiast patologicznym stanom radości czy smutku, jak w manii czy depresji, z reguły towarzyszy bezsenność. Podobnie silne uczucia miłości, nienawiści, lęku łączą się zwykle z bezsennością.

Doświadczenia na zwierzętach, a także dane kliniczne, w szczególności uzyskane przez neurochirurgów, zdają się przemawiać za tym, że struktury anatomiczne, wiążące się z podstawowymi reakcjami emocjonalnymi, zajmują przede wszystkim starsze filogenetycznie części mózgu, a to węchomózgowie, tzw. „mózg trzewiowy" (*Visceral brain*) i częściowo międzymózgowie, w szczególności podwzgórze, które stanowi główną stację przekaźnikową impulsów nerwowych na układ endokrynny. W tych częściach mózgu mieści się też górna część siateczkowego układu aktywującego. W ten sposób oba układy regulujące poziomem świadomości i życiem uczuciowym są w mózgu lokalizacyjnie ze sobą połączone. Starsze filogenetycznie części mózgu wykazują większą tendencję do rytmicznej aktywności niż części filogenetycznie młodsze. Możliwe więc, że rytm czuwania i stanów uczuciowych ma swe podłoże w swoistym rytmie odnośnych struktur anatomicznych.

Rytm aktywności i spoczynku obserwuje się u zwierząt jednokomórkowych i można go określić jako podstawowy rytm biologiczny. Patologiczny wzrost amplitudy tego rytmu można uznać za objaw osiowy cyklofrenii. W tym jednak wypadku należałoby postawić znak równości pomiędzy rytmem aktywności (czuwania) a rytmem nastroju. Czy rozumowanie tego typu jest słuszne, mogą okazać dalsze badania zarówno biologiczne, jak psychopatologiczne.

Warto wspomnieć, że zarówno współczesna biochemia[1], jak i farmakologia psychiatryczna raczej skłania się do dawnej koncepcji jednej psychozy: Vesania, Einheitspsychose (Zellera i jego ucznia Griesingera[2]), której dwa bieguny — podniecenie i zahamowanie — korelowałyby z odpowiednimi zmianami biochemicznymi i z odpowiednim postępowaniem psychofarmakoterapeutycznym. Tak radykalne uproszczenie klasyfikacji psychiatrycznej budzi oczywiście sprzeciw klinicystów i psychopatologów. Z drugiej strony jednak muszą oni przyznać, że dotychczasowa klasyfikacja jest nieprzydatna dla potrzeb leczniczych. W celu ustalenia właściwego leczenia somatycznego, zwłaszcza farmakologicznego, potrzebne jest określenie zespołu objawów, a nie rozpoznanie problematycznej „jednostki chorobowej". Z różnorodnych objawów tworzących określony zespół zwraca się szczególną uwagę na stan emocjonalny chorego i towarzyszące mu objawy zahamowania lub pobudzenia aktywności.

Rozliczne doświadczenia przemawiają jednak przeciw łączeniu obu rytmów — czuwania i nastroju. Wahania życia emocjonalnego przebiegają niezależnie od wahań poziomu świadomości. W marzeniach sennych, w marzeniach na jawie, na pograniczu drzemki, gdy myśli krążą tu i tam, przeżywa się

[1] D. W. Woolley: *The biochemical bases of psychoses.* J. Willey and sons, New York–London 1962.

[2] W. Griesinger: *Die Pathologie und Therapie der psychischen Krankheiten.* F. Wreden, Braunschweig 1876.

wahania nastroju i uczuć równie silnie, a nawet może silniej niż w stanach maksymalnego napięcia uwagi. Co więcej, skupienie uwagi często przyczynia się do złagodzenia napięcia emocjonalnego.

Oczywiście można zarzucić przedstawionemu rozumowaniu, że napięcie uwagi nie jest wynikiem aktywności psychicznej i że w marzeniu sennym może być ona znacznie wyższa niż na jawie. Argument taki jest o tyle słuszny, że siła przeżycia, określona na podstawie doznawanych uczuć i reakcji wegetatywnych, może być rzeczywiście większa w marzeniu sennym niż w stanie najjaśniejszej świadomości, za jaką uważa się stan maksymalnego skupienia uwagi. W tym wypadku należałoby jednak zrezygnować z rozróżnienia między snem i czuwaniem i ze wszystkich gradacji aktywności psychicznej, które w obu stanach występują i które upoważniają do traktowania ich jako różnych poziomów jednego z zasadniczych rytmów biologicznych, jakim jest rytm snu i czuwania. Ma on zresztą swój odpowiednik w zapisie elektroencefalograficznym; zwiększanie częstotliwości fal i zmniejszanie ich amplitudy odpowiada większemu natężeniu stanu przytomności.

U niemowląt obserwuje się rytm aktywności spoczynku w fazach od jednej do półtorej godziny. W tych samych odstępach czasu występuje u dorosłych ludzi i u ssaków w czasie snu przyspieszenie aktywności bioelektrycznej mózgu ze zmniejszeniem się amplitudy fal i z równoczesnymi ruchami skojarzonymi gałek ocznych. Są to objawy, które u człowieka, a prawdopodobnie też u zwierząt, towarzyszą marzeniom sennym. U ludzi pozbawionych przez dłuższy czas snu występują epizody halucynacyjne także w odstępach jedno- do półtoragodzinnych. Czyżby to był podstawowy rytm spontanicznej aktywności mózgu, który w ciągu życia zostaje przerwany przez strumienie bodźców płynących ze świata zewnętrznego i zmuszających do reakcji, toteż utrzymuje się tylko w czasie snu?[1] Czy istnieje analogiczny rytm życia emocjonalnego, powodujący, że niezależnie od bodźców zewnętrznych nastroje i uczucia oscylują między biegunami pozytywnym a negatywnym? Jeżeli tak jest,

[1] P. Snyder: *The new biology of dreaming*. „Archives of General Psychiatry", 1963, nr 8, str. 381–391.

to niezależnie od naszego losu i naszych wysiłków jesteśmy skazani na to, by nasz świat bez ustanku oscylował między jasnym a ciemnym kolorytem.

Przyczynowość wahań uczuć i nastrojów

Jeśli nawet istnieje zasadniczy rytm życia uczuciowego, to — podobnie jak rytm aktywności i spoczynku — jest on przysłonięty wtórnymi wahaniami powstałymi w czasie interakcji z otoczeniem. Trudno nawet w przybliżeniu wyliczyć wszystkie czynniki wpływające na zmianę naszego nastroju i nastawień uczuciowych wobec otoczenia. Znaleźć tu można wpływy meteorologiczne, treści marzenia sennego, zaspokajanie podstawowych potrzeb biologicznych, ogólny stan zdrowia, możność swobodnej aktywności i realizowania swych planów, stosunek otoczenia, sposób widzenia siebie w przeszłości i przyszłości itd. Ułożenie właściwych powiązań przyczynowych wydaje się tu prawie niemożliwe. I dlatego trudno nieraz odpowiedzieć na pytanie: „dlaczego jesteś smutny?" (lub „wesoły"?), „dlaczego mnie nie lubisz?" (lub „lubisz?"), „dlaczego boisz się?" Odpowiedź na pytania dotyczące etiologii stanu emocjonalnego są zwykle zdawkowe, oparte na przypadkowo lub konformistycznie wybranym powiązaniu przyczynowym.

Częstotliwość oscylacji kolorytu jest różna. Drobne wahania występujące w ciągu dnia nakładają się na dłuższe fale, trwające tygodniami, miesiącami, a nawet latami. Istnieje też podstawowy koloryt, jaśniejszy lub ciemniejszy, utrzymujący się od dzieciństwa lub wieku pokwitania przez całe życie. Mówi się o radości życia, którą jedni mają, a inni są jej pozbawieni i żyją tylko z poczucia obowiązku. Koloryt zmienia się z wiekiem. Często zaciemnia się i ma swoje wiosenne burze w okresie pokwitania w związku z przestrojem hormonalnym i z naporem konfliktów. Zwykle stabilizuje się w okresie dojrzałości i przybiera jesienny smętek na starość.

Istnieje też przeciętna amplituda wahań nastroju i uczuć. U jednych jest ona wysoka. Łatwo dochodzą oni do zenitu stanów uczuciowych, „szaleją" z radości czy z rozpaczy, z miłości czy nienawiści. U innych jest niska. Trudno ich wyprowadzić z równowagi. Tak samo częstotliwość zmian jest różna: jedni są bardzo stali, a inni bardziej zmienni w swych nastrojach i uczuciach. Zasadniczy poziom, amplituda i częstotliwość wahań życia uczuciowego pozwalają schematycznie oznaczyć typ czyjejś uczuciowości, określony zwykle jako temperament. Typ ten zarysowuje się wcześnie w życiu osobistym. Już u dziecka 5–6-letniego można go w przybliżeniu określić i na ogół nie zmieniony utrzymuje się przez całe życie.

Dotąd wśród psychiatrów nie ma zgody w ocenie wpływów genetycznych i środowiskowych na kształtowanie uczuciowości. Psychiatrzy przeceniający wpływy środowiskowe dzielą się z kolei na tych, którzy biorą pod uwagę momenty natury fizykalnej, np. urazy ciążowe, porodowe, konflikty immunologiczne, i na tych, którzy podkreślają przede wszystkim znaczenie czynników psychologicznych (szkoły psychodynamiczne).

Niezwykłość kolorytu uczuciowego w schizofrenii

Amplituda uczuć

Nastroje i uczucia przeżywane przez chorych na schizofrenię nie różnią się w zasadzie od tych, które są udziałem tzw. psychicznie zdrowych ludzi. W przeciwieństwie do cyklofrenii, w której na skutek przesunięcia w kierunku jednego bieguna — radości lub smutku — koloryt emocjonalny ulega redukcji: jest jasny lub ciemny, w świecie schizofrenicznym mogą wystąpić wszelkie kolory życia uczuciowego: jasne — radości, miłości, uwielbienia, olśnienia; ciemne: lęku, grozy, rozpaczy, nienawiści; szare: apatii, nudy, poczucia bezsensu itd. O chorym na schizofrenię można powiedzieć, że żadne uczucie nie jest mu obce.

Jeżeli w życiu przeciętnego człowieka koloryt uczuciowy jest ograniczony przez samą codzienność życia i niekiedy tylko w snach odsłaniają się silniejsze akcenty, to w schizofrenii (zwłaszcza w pierwszej jej fazie) ma się do czynienia z wybuchem jakby różnorodnych i sprzecznych często uczuć i nastrojów. Przede wszystkim uderza siła przeżyć emocjonalnych, lęk przeradza się w panikę, miłość w ekstazę, smutek w skrajną beznadziejność, radość w stan niezwykłego uniesienia z poczuciem lekkości i niezwykłej mocy itp.

Siła uczuć i nastrojów jest pierwszą cechą niezwykłości kolorytu świata schizofrenicznego. Nawet gdy na pierwszy plan wysuwa się otępienie uczuciowe — zobojętnienie, poczucie bezsensu wszystkiego i apatia, to jednak ta szarość jest tak intensywna, że wykracza znacznie poza ramy szarzyzny przeciętnego życia i nieraz prowadzi chorego do samobójstwa. To przekroczenie zwykłej amplitudy życia emocjonalnego sprawia, że nie tylko otoczenie patrzy na chorego ze zdumieniem lub ze zgrozą, lecz on sam znajduje siebie w innym świecie. Jest to sytuacja podobna — tylko znacznie bardziej natężona — do tej, gdy pod wpływem silnego uczucia wszystko nagle widzi się inaczej. Oczywiście zawsze otwarte pozostaje pytanie, co zmienia się najpierw, czy uczucie, czy temat i struktura naszych przeżyć. Pytanie niezbyt sensowne, gdyż nie można przeżycia podzielić na odrębne części; jeśli się to robi, to tylko dla ułatwienia analizy zjawiska. Traktując jednak uczucia jako zasadniczy składnik każdego przeżycia, można przyjąć, że widzenie świata zmienia się zależnie od kolorytu emocjonalnego.

Podobnie jałowe wydają się spory na temat, co najpierw zmienia się w przeżyciach chorego, co stanowi jądro schizofrenicznego przekształcenia rzeczywistości: czy zmiana uczuć, czy też spostrzeżeń, czy myślenia.

Nieprzewidzialność

Wydaje się jednak, że niezwykłość kolorytu świata schizofrenicznego stanowi przede wszystkim o jego odmienności. Nie tak rzadko bowiem zdarza się, że obraz schizofrenii jest „ubogi" — nie ma urojeń, omamów, jaskrawych zmian w zachowaniu się, a jednak w pierwszym nawet zetknięciu się z chorym odczuwa się jego „inność" czy niezwykłość. Ekspresja emocjonalna i jej percepcja stanowi oś naszego kontaktu z otoczeniem. Już bardzo wcześnie w życiu osobistym kształtuje się struktura interakcji uczuciowej z otoczeniem, toteż, co „niezwykłe" w uczuciach, silniej jest odczuwane niż niezwykłość w innych sektorach życia. Nie spostrzega się czasem jakiegoś niezwykłego szczegółu otoczenia, a z miejsca odczuwa się niezwykłość reakcji uczuciowych poszczególnej osoby czy też atmosfery panującej w grupie.

Nasza interakcja z otoczeniem opiera się na rachunku prawdopodobieństwa; to, co przekracza granice oczekiwania, wywołuje reakcję zaskoczenia. Otóż wydaje się, że w interakcji emocjonalnej z otoczeniem, tj. w odczytywaniu cudzych stanów uczuciowych i reagowaniu na nie uczuciem, „rachunek" ten jest bardziej rygorystyczny. Wystarczy zareagować śmiechem tam, gdzie spodziewają się od nas smutnego wyrazu twarzy, czy spojrzeć z niespodziewanym wyrazem miłości (nienawiści lub lęku), by ta nie mieszcząca się w „rachunku prawdopodobieństwa" reakcja zaskoczyła otoczenie.

Niezrozumiałość

Zastanawiające jest również to, iż intensywnie szukamy motywacji stanów uczuciowych, zarówno cudzych, jak własnych, mimo że doświadczenie uczy nas o zwodniczości naszych etiologicznych dociekań. Trapi nas czyjaś życzliwość czy nieżyczliwość, której nie umiemy sobie wytłumaczyć, pytamy kogoś o przyczynę jego smutku, sami staramy się znaleźć przyczyny naszych nastrojów czy nastawień uczuciowych, często niewytłumaczalnych. Cieszy nas możność znalezienia przyczyny własnego czy cudzego stanu uczuciowego.

Zdawać by się mogło, że nigdzie prawa przyczynowości nie rządzą tak rygorystycznie, jak w życiu uczuciowym, i to uporczywe szukanie przyczyny tam, gdzie nieraz znaleźć ją trudno, także wynika z rygorystycznych praw interakcji uczuciowej z otoczeniem. Nieprzewidziane jest tu gorzej tolerowane niż w tych typach interakcji, w których reakcje uczuciowe nie odgrywają większej roli. Nie intryguje nas fakt, dlaczego jednego dnia jest pogodnie, a drugiego pochmurnie i słotnie, ale nie daje nam spokoju myśl, że nie wiemy, dlaczego ktoś jest smutny, wesoły, zgnębiony, niechętny czy zbyt przychylny. Nie tolerujemy naszej niewiedzy psychologicznej, choć zdajemy sobie dobrze sprawę, że ustalenie etiologii stanów uczuciowych jest często niemożliwe.

Mimo tak dużej różnorodności reakcji uczuciowych, u każdego bowiem są one odmienne, istnieje pewna ich jednolitość uwarunkowana społecznie. W pewnych epokach czy kręgach kulturalnych pewne reakcje są dopuszczalne, a nawet pochwalane, a inne znów potępiane. Człowiek przeniesiony z jednego kręgu do drugiego może razić swą ekspresją uczuciową. Histeryk drażni swoją teatralnością reakcji uczuciowych i ich zbytnią amplitudą. Działają one na otoczenie jak zbyt jaskrawy kolor, nie harmonizujący z całością obrazu. Reakcje uczuciowe histeryka mieszczą się jednak w granicach przewidywalności, dzięki temu można je bez trudności zrozumieć. Pod pozorami niezwykłości kryje się zwykłość. Podobnie może razić człowiek przeniesiony z kręgu kulturowego, w którym przyjęte są gwałtowne formy objawiania swych uczuć, do kręgu, w którym są one potępiane. W obu jednak przypadkach niezwykłości ekspresji uczuciowej wynikającej czy to z typu osobowości, czy z różnic kulturowych, ma się do czynienia z niezwykłością pozorną. Kryją się pod nią zrozumiałe dla każdego przeżycia uczuciowe.

Niezwykłość schizofrenicznych reakcji uczuciowych polega na ich niezrozumiałości, tj. niemożności umiejscowienia ich w normalnej strukturze interakcji uczuciowej z otoczeniem. Nie chodzi tu o niemożność zrozumienia samego stanu uczuciowego; nieraz łatwiej go odczytać u chorych na schizofrenię niż u przeciętnego człowieka — jest on bowiem zwykle silniejszy, a poza tym umiejętność maskowania swych przeżyć u tych chorych jest z reguły nikła. Uczucie lęku, nienawiści, miłości, radości, smutku, które malują się na twarzy chorego bez uchwytnego dla nas powodu, czy odwrotnie — brak jakiejkolwiek reakcji uczuciowej, gdy należałoby się jej spodziewać, sprawiają, że chory zostaje wyłączony z normalnej interakcji uczuciowej, staje się dziwny lub dziwaczny. Terminu „dziwny" używamy wówczas, gdy reakcja chorego nas zaskakuje, a gdy do niej zdołaliśmy się przyzwyczaić i zamiast zaskoczenia budzi ona śmiech lub politowanie, mówimy o jej „dziwaczności".

Niezwykłość kolorytu emocjonalnego w schizofrenii nie polega na niemożności odczytania stanu uczuciowego chorego, ale na niemożności interpretacji tegoż stanu. Widzimy, że chory jest szczęśliwy, smutny, gniewny, apatyczny, zalękniony, ale nie potrafimy znaleźć żadnej interpretacji jego stanu uczuciowego. Nasze myślenie przyczynowe całkowicie zawodzi. Używając terminologii Jaspersa[1], reakcje psychiczne chorego nie mieszczą się w granicach psychologii zrozumiałej (*Verstehende Psychologie*), w której przeżycia psychiczne przyczynowo wiążą się ze sobą i dzięki temu są dla nas zrozumiałe, lecz należą do psychologii wyjaśniającej (*Erklärende Psychologie*), w której stają się one niezrozumiałe z powodu niemożności uchwycenia ich powiązań przyczynowych i dla nich szuka się przyczyn pozapsychicznych, np. biochemicznych itp.

Widząc np. kogoś, kto kuli się ze strachu lub śmieje się do rozpuku, a nie mogąc dojść do przyczyny jego niezwykłej reakcji uczuciowej, skłonni jesteśmy przypisywać ją jakimś przyczynom pozapsychologicznym, np. intoksykacji, lub jak dawniej, opętaniu przez duchy itp. Powyższy sposób myślenia wskazuje na to, że bardzo jesteśmy przyzwyczajeni do przyczynowości naszego życia uczuciowego, która w rzeczywistości nie jest tak pewna. Niewytłumaczalny dla nas stan uczuciowy jest czymś, co budzi niepokój, gdyż narusza normalną strukturę interakcji uczuciowej z otoczeniem.

Paradoksalność takiego podejścia polega na tym, że w dziedzinie życia uczuciowego, najtrudniej poddającej się rygorom przyczynowości, rygory te stosuje się najostrzej.

Nieadekwatność

Nie tylko niezrozumiałość jest cechą niezwykłości schizofrenicznego kolorytu uczuciowego. W kontakcie z chorym na schizofrenię uderza niedopasowanie jego reakcji uczuciowych do aktualnej sytuacji. Lęka się on, śmieje, płacze, irytuje lub zachowuje twarz maskowatą nie wtedy, gdy trzeba. Mówimy o nieadekwatności jego reakcji uczuciowych. To tak, jak gdyby ktoś obraz wymalował całkiem innym kolorem: niebo na zielono, trawę — na niebiesko.

To niedopasowanie reakcji uczuciowych utrudnia kontakt z chorym, nigdy bowiem nie wiemy, jak on za chwilę uczuciowo zareaguje. Schizofreniczna nieadekwatność reakcji uczuciowych wskazuje na istotną cechę naszych powiązań uczuciowych z otoczeniem, a mianowicie na ich dopasowanie do aktualnej sytua-

---

[1] K. Jaspers: *Allgemeine Psychopathologie*. Wyd. 6, Berlin 1953.

cji. Jest to cecha, której wewnętrznie często się zaprzecza, odczuwając własne niedopasowanie do nastroju otoczenia. Nieraz trzeba zmuszać się do uśmiechu, powagi, życzliwości itd. Założyć maskę, by odpowiedzieć na wezwanie uczuciowe otoczenia.

Ma to tę dobrą stronę, że wciąga nieraz do dalszej interakcji uczuciowej z otoczeniem. Początkowe wrażenie sztuczności stopniowo znika i wchodzi się w klimat otoczenia, narzucając mu jednocześnie swój własny. Otoczenie wprawdzie dość rygorystycznie domaga się dopasowania się do jego kolorytu emocjonalnego („Czemu pan dziś taki smutny?"). Z drugiej strony wykazuje jednak pewną tolerancję na odmienność nastawień i nastrojów. Bez tej odmienności nie mogłaby istnieć interakcja; środowisko żąda tylko zrozumienia jej przyczyn. Zrozumienie i dopasowanie są więc dwiema cechami interakcji uczuciowej z otoczeniem.

Zasadnicza orientacja uczuciowa

Ta przesadna rygorystyczność form interakcji emocjonalnej z otoczeniem, stojąca w jaskrawej sprzeczności z niesłychaną różnorodnością tychże form i ich nieprzewidywalnością, może stać się bardziej zrozumiała, gdy życie uczuciowe traktować się będzie jako najwcześniejszą postać orientacji w otaczającym świecie. Orientacja ta wymaga przyjęcia z miejsca określonej postawy zbliżenia (postawa „do") lub oddalenia (postawa „od"). By jedną z zasadniczych postaw przyjąć, trzeba z miejsca ocenić postawę otoczenia też w kategoriach „do" i „od". Ta wzajemna wymiana postaw — zbliżenia lub oddalenia — dokonuje się automatycznie, bez udziału naszej woli. Nie można narzucić sobie odruchu sympatii czy antypatii, najwyżej można swoje uczucia maskować, co jest procesem wtórnym, nałożonym na pierwotną, odruchową reakcję, procesem dającym się odkryć przez czujnego obserwatora.

Normalnie nie zwraca się uwagi na tę automatyczną interakcję emocjonalną z otoczeniem; dopiero gdy ktoś się z niej wyłamie, gdy na czyjejś twarzy natrafimy na nieobecność psychiczną, maskowatość, wyraz emocjonalny nie odpowiadający aktualnej sytuacji itp., wówczas momentalnie reaguje się na „inność" danego człowieka i szuka się jej przyczyny. Reakcje uczuciowe „nieadekwatne", nie harmonizujące z kolorytem interakcji, zostają poddane analizie etiologicznej. Wytłumaczenie sobie czyjegoś czy nawet własnego „nieadekwatnego" stanu uczuciowego działa uspokajająco. Nieadekwatność, a następnie niewytłumaczalność są więc dwoma sygnałami powstałymi na skutek wyłamania się z rygorystycznych praw interakcji z otoczeniem. Gdy oba sygnały dadzą znać o sobie, budzi się uczucie niezwykłości, dany człowiek staje się dziwny, dziwaczny, inny. Zaskoczenie wywołane niezwykłością stanów uczuciowych jest tak rozładowane wyjaśnieniem ich etiologii, że struktura interakcji uczuciowej nie zostaje wówczas naruszona.

Struktura interakcji uczuciowej z otoczeniem

Jak silna jest ta struktura, świadczy fakt, że człowiek nią obejmuje nie tylko ludzi, ale i zwierzęta, przynajmniej te, które z nim współżyją. U nich też nieadekwatność reakcji uczuciowych, np. gdy pies warknie na swego pana, wywołuje zaskoczenie, które rozładuje się próbami wytłumaczenia tejże reakcji (np. pies warczy, bo przeszkodzono mu w jedzeniu). Gdy nie umiemy wytłumaczyć sobie nieadekwatności reakcji uczuciowych zwierzęcia, np. gdy pies jeży się i szczeka bez powodu, szukamy przyczyny pozapsychologicznej — podejrzewamy, że pies jest zatruty, ma nosówkę itp. Z psychologii rozumiejącej przechodzimy do psychologii wyjaśniającej.

Nieadekwatność reakcji uczuciowych można zrozumieć tylko w całym kontekście interakcji z otoczeniem. Wiadomo, że uczucia i nastroje są różne, że są zmienne i nie zawsze odpowiadają kolorytowi emocjonalnemu otoczenia. Dlaczego, odczuwając niedopasowanie własnych stanów uczuciowych, tak wyczuleni jesteśmy na nieadekwatność cudzych reakcji emocjonalnych? Czy jest to tylko kwestia maskowania swych uczuć i nastrojów? Wydaje się, że nie. Trudno by było mówić o maskowaniu się u dzieci czy też u zwierząt, a zresztą na ogół maskowane uczucia odczuwa się z miejsca jako fałszywe. Z drugiej strony wyobraźmy sobie człowieka, który jest tak pochłonięty swymi myślami, że nie wie, co wokół niego się dzieje, lub człowieka, który w marzeniu sennym porusza się tak, jak na jawie; uczucia, które malowałyby się na twarzy takiego człowieka i całe jego zachowanie się nie pasowałoby do otoczenia, nie byłyby adekwatne i nie umielibyśmy ich sobie wytłumaczyć. Człowiek taki nie bierze udziału w interakcji uczuciowej z otoczeniem. Jest oderwany od rzeczywistości.

Nasze postawy uczuciowe są jakby wstępem, pierwszym zaangażowaniem się w tym, co wokół nas się dzieje. Po tym wstępie następuje dalsze zaangażowanie. Jest to proces ustawicznej wymiany ze środowiskiem. Nie można go przeciąć ani zatrzymać. Uczucie, które „zastygło" na twarzy, niezależnie od swej jakości, czy to będzie radość, czy rozpacz, czy lęk itp., budzi w otoczeniu zdziwienie, a nawet grozę. Człowiek taki przez to samo, że wyskoczył z nurtu interakcji z otoczeniem, staje się dziwny, dziwaczny czy trochę komiczny. Koloryt uczuciowy jest więc najbardziej zasadniczą, „wewnętrzną" częścią interakcji z otoczeniem, związaną z ogólną postawą i z przygotowaniem do aktywności bardziej konkretnej i szczegółowej. Dlatego jest on zmienny i oscylujący, bo zmienny jest proces wymiany ze środowiskiem. Zależy on od środowiska i samego ustroju. Dlatego wpływają nań zarówno czynniki egzogenne (środowiskowe), jak i endogenne (wewnątrzustrojowe). Koloryt uczuciowy oderwany od otaczającej rzeczywistości zostaje zawieszony w próżni, staje się niezwykły.

Mimo różnorodności form interakcji z otoczeniem istnieją w niej ogólne prawidłowości, zwłaszcza gdy zredukuje się ją do zasadniczych postaw wobec otoczenia („do" — „od"), a te właśnie postawy wiążą się subiektywnie z przeżyciami uczuciowymi. Postawy te można prześledzić nawet na najniższych szczeblach rozwoju filogenetycznego i dlatego pewne zasadnicze prawidłowości reakcji uczuciowych można obserwować nie tylko u człowieka, lecz także u zwierząt, zwłaszcza u ssaków, które filogenetycznie są nam najbliższe. Niezwykłość ich reakcji uczuciowych może równie rzucać się w oczy, jak u człowieka.

W ten sposób uczucia i nastroje, stanowiąc część przeżyć ludzkich, najbardziej subiektywną i najmniej komunikatywną, są jednocześnie ich częścią najbardziej wspólną wszystkim ludziom, a nawet w ogólnym zarysie światu zwierzęcemu, podlegają prawidłowościom, których przekroczenie natychmiast zwraca uwagę otoczenia. Koloryt więc uczuciowy, choć tak indywidualny, mieści się w ogólnym kolorycie otaczającego świata i podlega jego prawom. Niezwykłość życia uczuciowego w schizofrenii, której uchwytnym dla otoczenia wyrazem jest jego nieadekwatność i niewytłumaczalność, sprowadzałaby się do zerwania z nią interakcji (bleulerowski autyzm). Jest to objaw autyzmu najbardziej zasadniczy i najbardziej subtelny, bo zdarza się, że świat chorego jest jeszcze światem rzeczywistym, tematycznie i strukturalnie zbliżonym do świata ludzi zdrowych psychicznie, ale pod względem kolorytu jest już „innym" światem wewnętrznym, co wyraża się niezwykłością reakcji uczuciowych. Z punktu widzenia diagnostycznego niezwykłość ta jest objawem pozwalającym niejednokrotnie z miejsca postawić rozpoznanie. Są to np. jakiś dziwny wyraz twarzy, brak rezonansu mimicznego w trakcie rozmowy, zbyt uporczywe trwanie określonej ekspresji emocjonalnej, np. miłości, nienawiści, lęku itd. lub jej zbytnia zmienność, rozkojarzenie mimiczne wyrażające się tym, że jednocześnie sprzeczne uczucia malują się na twarzy i tym podobne cechy ekspresji uczuciowej, przede wszystkim mimicznej, ujmowane globalnie mianem nieadekwatności i niewytłumaczalności reakcji uczuciowych, nasuwającej często podejrzenie schizofrenii, zanim dysponuje się jeszcze innymi danymi. Zdarza się nawet, że początkowo dane uzyskane od otoczenia i od chorego nie zgadzają się z pierwszym wrażeniem, a jednak dalsza obserwacja potwierdza jego trafność.

By zrozumieć odmienność kolorytu schizofrenicznego, najlepiej jest połączyć oba wspomniane rytmy: czuwania i życia uczuciowego w jeden. Normalnie oddzielamy je, i uczuć, i nastrojów przeżywanych we śnie czy w marzeniach na jawie nie traktujemy na serio, mimo że mogą być znacznie silniejsze od przeżywanych w rzeczywistości. Kontakt z rzeczywistością łagodzi zazwyczaj uczucia i nastroje samotności, gdy rytm ich staje się bardziej spontaniczny i niezależny od bodźców zewnętrznych. Oderwanie się od rzeczywistości zwiększa swobodę oscylacji uczuciowych, zarówno w dodatnim, jak ujemnym kierunku. By o tym się przekonać, wystarczy uprzytomnić sobie uczucia miłości, nienawiści, szarej pustki itp., przeżywane w chwilach oderwania się od otoczenia i ocenić, w jakim stopniu uczucia te dochodzą czasem do zenitu w marzeniach sennych.

Interakcja z otoczeniem, wywołując spięcia uczuciowe, stwarza wprawdzie materiał do coraz to nowych przeżyć uczuciowych, z drugiej jednak strony zmniejsza ich amplitudę — uczucia nie hamowane przez rzeczywistość zazwyczaj oscylują między swymi pierwotnymi biologicznymi biegunami — punktami szczytowymi postawy „do” lub „od”. Wiadomo, że urzeczywistnienie naszych marzeń na jawie, a tym bardziej marzeń sennych, zmieniłoby nas niejednokrotnie nie tylko w bohaterów, szczęśliwych kochanków, lecz też w samobójców i morderców. Podobnie jak ból wzrasta zazwyczaj w nocy, gdy nie przygłuszają go inne bodźce, tak i wzrasta amplituda nastrojów i uczuć, gdy interakcja z otoczeniem zostaje przerwana. Uczucie miłości, nienawiści czy lęku zwykle rozładowuje się częściowo przynajmniej w bezpośrednim kontakcie z osobą czy przedmiotem uczucie to wywołującym.

Niezwykła nieraz siła uczuć w schizofrenii — ekstatyczna miłość, nienawiść do siebie lub otoczenia, lęk, groza itd. zniekształcająca rzeczywistość w urojeniowo-omamową strukturę, jest w pewnej przynajmniej mierze następstwem oderwania się od interakcji uczuciowej z otoczeniem i przejściem na rytm emocjonalny bardziej endogenny, bliższy marzeniu sennemu niż jasnej świadomości. Z przestrzeni jasnej, jak mówi Minkowski[1], chory na schizofrenię wchodzi w przestrzeń ciemną. W niej życie uczuciowe przybiera patologiczne wymiary. Ten mrok, wynikający z zerwania kontaktu z otoczeniem, sprawia, że koloryt emocjonalny staje się tajemniczy, a nawet niesamowity.

Najczęstsze elementy kolorytu schizofrenicznego

Lęk

Uczuciem najczęściej spotykanym w schizofrenii jest lęk. Jego nasilenie przekracza niejednokrotnie granice ludzkiej wyobraźni. Zewnętrznym jego objawem jest najczęściej zahamowanie lub podniecenie katatoniczne, a wewnątrz ustroju zachwianie równowagi wegetatywno-endokrynnej, które — co prawda rzadko — może być nawet przyczyną zejścia śmiertelnego.

[1] E. Minkowski: *op. cit.*

Ustalenie kolejności wydarzeń: czy najpierw rodzi się lęk i on wywołuje zaburzenia wegetatywno-endokrynne, czy odwrotnie, jest, jak się zdaje, niemożliwe. Psychiatrzy nastawieni psychologicznie przyjmują pierwszą możliwość, a nastawieni organicznie — drugą. Problem ten znika, gdy odejdzie się od dualistycznej koncepcji natury ludzkiej. Podobne trudności napotyka się w ustaleniu kolejności w czasie poszczególnych składowych przeżyć schizofrenicznych, mianowicie określenie, czy lęk rodzi się samoistnie, czy jest wywołany destrukcją dotychczasowego świata i chaotycznym tworzeniem się świata psychotycznego, w którym potworne obrazy bądź myśli mogą same doprowadzić jak koszmar senny do paroksyzmów lęku. W tym wypadku nie chodzi już o dzielenie na „duszę" i „ciało", ale samej „duszy" na poszczególne jej elementy.

Odróżniając cztery rodzaje lęku[1], zwrócono uwagę, że lęk typu dezintegracyjnego osiąga swój szczyt w schizofrenii. W niej bowiem struktura świata ulega rozbiciu. Wszystko staje się inne, nowe i nieznane — zarówno sam chory dla siebie, jak i jego otoczenie. Rozpatrując uczucie lęku w aspekcie czasowym, należy podkreślić, że dezintegracja go nie wyprzedza. Uczucie lęku narasta z nią równolegle (zjawisko błędnego koła).

Proponując genetyczny podział uczucia lęku na lęk biologiczny, społeczny, moralny i dezintegracyjny, można bliżej określić zasadniczy mechanizm jego powstawania, co nie zawsze oznacza, że sytuacja wyzwalająca: zagrożenie biologiczne czy społeczne, czy konflikt moralny, czy też rozbicie struktury metabolizmu informacyjnego, wyprzedza uczucie lęku. Lęk może też powstać spontanicznie — np. w endogennym rytmie wahań kolorytu emocjonalnego — i wywołać poczucie zagrożenia biologicznego, społecznego itd. w zależności od tego, jaki mechanizm lękowych reakcji utrwalił się w ciągu życia osobniczego. Np. człowiek, u którego jednym z osiowych przeżyć jest lęk przed ludźmi i ich oceną — niezależnie od tego, skąd lęk przychodzi — pod jego wpływem czuje się społecznie zagrożony.

---

[1] A. Kępiński: *Uwagi o psychopatologii lęku: zasadnicze postawy uczuciowe.* „Polski Tygodnik Lekarski, 1966, nr 10, str. 366–368. — A. Kępiński: *Cztery rodzaje lęku.* Tamże, 1966, nr 12, str. 443–445.

Mimo że lęk schizofreniczny ma przede wszystkim charakter dezintegracyjny, nie da się jednak ustalić, co jest przyczyną, a co skutkiem, czy lęk wywołuje dezintegrację, czy dezintegracja — lęk. Prawa przyczynowości, do których każdy człowiek jest bardzo przyzwyczajony, tworzą się w związku z naszym działaniem na świat otaczający (postawa „nad": „działam i obserwuję skutki swego działania"). W działaniu ustala się sekwencja czasowa przyczyny i skutku (*post hoc ergo propter hoc*). W wypadku analizy życia uczuciowego uporządkowanie zjawisk pod względem ich czasowej sekwencji nie oznacza wcale ich łączności przyczynowej. To że jakaś sytuacja wyzwoliła uczucie lęku, w tym sensie, że je wyprzedziła, nie jest równoznaczne z ich związkiem przyczynowym. W schizofrenii można bać się halucynowanych głosów czy obrazów i pozornie mogą one wyprzedzać uczucie lęku, mimo to nie muszą być jego przyczyną. Przeciwnie, omamy mogą się zrodzić pod wpływem silnego lęku.

Próbując dociekać etiologii stanów uczuciowych, odnosi się często wrażenie nienadążania. Jedno zjawisko wywołuje drugie, nim jeszcze zdążyliśmy się w nim zorientować. Interpretacja etiologiczna powstaje najczęściej *ex post*. Przykładem dorobienia etiologii z życia codziennego jest szukanie zalet lub wad osoby, która od razu wydała się nam sympatyczna lub antypatyczna.

Określenie lęku schizofrenicznego jako dezintegracyjnego nie oznacza, że jego tematyka ma zawsze charakter rozbicia istniejącej struktury, że następuje chaos, że wszystko jest inne niż dotychczas, że chorego otaczają koszmary, niepodobne do dotychczasowej rzeczywistości, że sam wreszcie zmienia się w zupełnie inną istotę. Przeżycia tego typu — gwałtownej zmiany dotychczasowego świata — są wprawdzie częste w schizofrenii, zwłaszcza w jej ostrym przebiegu, ale nie stanowią jedynego wątku tematycznego lęków schizofrenicznych.

Równie częsty jest lęk typu społecznego i moralnego. Chory boi się ludzi, czuje się przez nich zagrożony, jest śledzony, ścigany, niszczony. Lęk społeczny jest osiowym objawem urojeń prześladowczych. Lęk moralny jest najczęściej spotykany w urojeniach typu posłanniczego, gdy chory ugina się pod brzemieniem swej misji (*charisma*) i z lękiem ocenia każdy swój krok jako zgodny lub niezgodny z wielkim i jedynym celem życia.

Lęk biologiczny występuje w postaci nagłych ataków paniki lub stałego poczucia śmierci zagrażającej z zewnątrz, np. z powodu działania urojonych wrogów, lub od wewnątrz, z tajemniczo zmieniającego się ciała. Jawić się może lęk seksualny, który stanowi odmianę lęku biologicznego, np. przybiera postać lęku przed kobietami, zwłaszcza przed rzeczywistą lub potencjalną partnerką (urojenia trucia).

Pod względem tematycznym lęk schizofreniczny różnie się więc przedstawia. W każdym jednak przypadku doszukać się w nim można elementu rozbicia dotychczasowej struktury, czyli dezintegracji. Lęk przed ludźmi jest lękiem przed ludźmi zmienionymi, innymi, niż byli dotychczas. Lęk przed własnym sumieniem jest lękiem przed sumieniem przekształconym. Lęk biologiczny wiąże się ze zmianą poczucia własnego ciała i z jego subiektywną metamorfozą itp. Istotna jest zmiana, tak niezwykła, że łączy się z uczuciem lęku.

„Strach ma wielkie oczy". Pod wpływem lęku to, co nam zagraża, nabiera nieraz niezwykłej wyrazistości, jakby oświetlone intensywnym snopem światła, a reszta jakby tonie w ciemności. To oświetlenie szczegółu wyolbrzymia go na tle otaczającej ciemności. Przedmiot, o który uczucie lęku się zahacza i który staje się jego przyczyną, skupia na sobie całą interakcję z otoczeniem. Staje się jej punktem środkowym. Stąd jego wyolbrzymienie.

Nie analizując dalej zawiłego zagadnienia przyczyny i skutku w życiu uczuciowym, należy jeszcze raz przypomnieć, że przedmiot uczucia nie zawsze jest przyczyną lęku. Znany jest stan nieokreślonego niepokoju (*free floating anxiety*[1]), który może jakby uczepić się jakiegoś przedmiotu w zasadzie obojętnego, ale który odtąd staje się przyczyną niepokoju. W schizofrenii, w której uczucie lęku narasta do rozmiarów niespotykanych nigdy w życiu codziennym, przedmiot, który zostaje często zupełnie przypadkowo wybrany za przyczynę tego uczucia, staje się tym bardziej niewspółmierny w porównaniu z siłą wyzwolo-

---

[1] Spośród bardzo licznych pozycji można wskazać na pracę: R. R. Grinker, M. Sabshin, D. A. Hamburg, F. A. Board, H. Basowitz, S. J. Korchin, H. Persky, J. A. Chevalier: *The use of an anxietyproducing interview and its meaning to the subject.* „Archives of Neurology and Psychiatry", 1957, nr 77, str. 406–419.

nego przezeń lęku. Stąd między innymi pochodzi dziwność reakcji uczuciowych w schizofrenii. Bodziec może być niewspółmiernie nikły w stosunku do reakcji. Czyjeś spojrzenie, gest, słowo bez znaczenia, drobna niedyspozycja fizyczna itd. mogą wyzwolić silne uczucie lęku. Te błahe dla otoczenia szczegóły narastają pod wpływem lęku do spraw zasadniczych, wokół których ześrodkowują się uczucia i myśli chorego. Jest to w zasadzie zjawisko analogiczne do spotykanego u każdego człowieka, gdy znajdzie sobie przedmiot dla wyładowania swego uczucia, tylko na skutek siły uczuć w schizofrenii niewspółmierność między przedmiotem uczucia a samym uczuciem występuje znacznie jaskrawiej.

Uczucie lęku w schizofrenii ma różne nasilenia. U jednych chorych występuje niezwykle gwałtownie; zwykle łączy się wówczas z całkowitym przekształceniem rzeczywistości, która wypełnia się potwornymi zjawami, katastroficznymi obrazami rzeczywistości itp., ale też może lękowi tylko towarzyszyć uczucie pustki— jakby ogromnej otchłani pochłaniającej chorego. U innych lęk narasta stopniowo — od niepokoju oczekiwania na coś nieuniknionego, co ma nastąpić, do uczucia bezpośredniego zagrożenia, gdy „nieuniknione" jest już bardzo blisko. Stopniowe narastanie lęku jest charakterystyczne dla nastroju urojeniowego (*Wahnstimmung*)[1].

Nasilenie lęku jest największe w pierwszej fazie schizofrenii (faza owładnięcia). Później uczucie to zwykle słabnie; chory przyzwyczaja się do zmiany siebie i otaczającego świata.

Skrystalizowanie się urojeniowej struktury zmniejsza niepewność, a tym samym uczucie lęku. Jest to zagadnienie dość istotne z leczniczego punktu widzenia. W późniejszych okresach choroby, gdy pojawia się już podwójna orientacja, choremu czasem łatwiej żyć w świecie urojonym niż rzeczywistym, gdyż w tym ostatnim czuje się mniej pewnie; rzeczywistość nieraz nasila jego lęk. Nawet gdy w przeżyciach schizofrenicznych dominują inne uczucia niż lęk, np. radość na skutek wyzwolenia

---

[1] Tym motywem, w psychopatologii niejednokrotnie poruszanym, zajmował się m.in. K. Jaspers w cytowanym już dziele pt. *Allgemeine Psychopathologie*, ukazującym się co jakiś czas w kolejnych wydaniach. Zob. nadto m.in.: K. Conrad: *Die beginnende Schizophrenie. Versuch einer Gestaltanalyse des Wahns*. Georg Thieme, Stuttgart 1958.

się z dotychczasowych form życia lub na skutek odkrycia swego posłannictwa czy uczucia beznadziejnej pustki, nienawiści, ekstatycznej idealnej miłości itp., to zawsze można się w nich doszukać domieszki lęku. W uczuciach negatywnych, jak smutek, nienawiść itp., nie jest to dziwne, gdyż lęk zwykle im towarzyszy, natomiast w uczuciach pozytywnych: radości, miłości, lęk, który pod nimi w schizofrenii się tai i który łatwo wybucha, niszcząc walory uczuć pozytywnych, stanowi jakby główną tonację kolorytu schizofrenicznego.

Można by przypuszczać, że samo zerwanie kontaktu uczuciowego z konkretnym otoczeniem jest związane z uczuciem lęku. Przy tym, jak zwykle w sprawach uczuciowych, zależność jest kolista: przerwanie interakcji z otoczeniem zwiększa lęk, a lęk znów zwiększa izolację. Człowiek odizolowany od otoczenia łatwiej podlega uczuciom lęku niż będąc razem z innymi. Z drugiej strony lęk przed otoczeniem wzmaga chęć ucieczki od niego.

Lęk w schizofrenii łączy się z jej osiowymi objawami, tj. z autyzmem i rozszczepieniem.

Inne uczucia negatywne

Pozostałe uczucia, które chaotycznie i burzliwie kształtują się w schizofrenii, najłatwiej jest podzielić na jasne i ciemne. Z tym zastrzeżeniem, że nawet przy jasnym kolorycie dyskretny nieraz, ale głęboko przenikający cień lęku nadaje światu schizofrenicznemu niezwykłości i grozy.

Z uczuć negatywnych (koloryt „ciemny") poza lękiem należy wymienić smutek i nienawiść.

Smutek

Smutek schizofreniczny jest inny niż smutek cyklofreniczny. Trudno różnicę tę oddać dokładnie w słownym opisie, ale jest ona wyczuwalna i pozwala zwykle z łatwością odróżnić depresję endogenną od schizofrenicznej.

W depresji chory jakby zapada się w ciemności. Jak w czeluści oddziela go od świata czarna ściana. Czarna jest przeszłość, teraźniejszość i przyszłość. Chory, patrząc na ludzi pracujących, bawiących się i śmiejących, ma uczucie, jakby patrzał na nich z głębi studni; gdzieś wysoko jest słoneczny dzień, który go tylko drażni kontrastem z beznadziejnością jego egzystencji.

W schizofrenii smutek łączy się z pustką. Nie jest to smutek czarnej czeluści, lecz spalonego stepu, wymarłego miasta, pozbawionej życia planety. W pustce tej może nic się nie dziać, jak w schizofrenii prostej, lub może ona zapełnić się mniej lub więcej fantastycznymi postaciami i scenami, jak w schizofrenii urojeniowej, mogą w niej występować wybuchy lęku, gniewu, ekstazy, jak prawdopodobnie w fazie katatonicznej, niemniej pozostaje ona zawsze pustą przestrzenią. Świat rzeczywisty z jego radościami, smutkami i grą różnorodnych kolorów związanych z realną sytuacją uczuciową jest jakby poza horyzontem tej pustej przestrzeni. Chory nie może już go uchwycić, jest od niego zbyt daleko.

Zerwanie kontaktu z rzeczywistością występuje też w głębokiej depresji. Autyzm depresyjny jest jednak wynikiem pogrążenia się w smutku; głębokość jest w nim istotnym wymiarem. Natomiast autyzm schizofreniczny i smutek z nim związany wynika z samego rozmiaru przestrzeni pustej, oddzielającej od życia, które określamy jako normalne. Nie głębokość, ale rozległość jest tu decydująca.

Różnica między smutkiem schizofrenicznym a cyklofrenicznym, którą tu określono za pomocą porównania do pustej przestrzeni i głębokiej czeluści, przejawia się w ekspresji obu rodzajów smutku, a także w odmienności reagowania na sposoby podejścia psychoterapeutycznego. Mimika, gestykulacja, postawa ciała, ruchy, ekspresja słowna w smutku cyklofrenicznym są zacieśnione do dominującego nastroju; można z nich tylko odczytywać jego głębokość. Natomiast w smutku schizofrenicznym są one jakby rozlane na szerokiej powierzchni — prócz smutku wyrażają inne, nieraz sprzeczne uczucia.

Podejście do chorego w depresji endogennej wymaga zagłębienia się w jego smutku. Nie można chorego na siłę „ciągnąć w górę", do zabawy, rozrywki itp. Wesołe twarze drażnią go, lepiej czuje się on wśród smutnych. Natomiast w depresji schizofrenicznej trzeba choremu stwarzać jak największe możliwości kontaktów z otoczeniem. Dlatego metoda „otwartych drzwi" w psychiatrii ma szczególnie w schizofrenii duże znaczenie. Zostawienie choremu maksimum swobody i ułatwienie mu kontaktów z innymi ludźmi może zmniejszyć dystans dzielący go od świata zewnętrznego, a tym samym zmniejszyć jego depresję. Smutek schizofreniczny ma różne odcienie: nienawiści do siebie i całego świata, braku chęci i sił do życia, pustki pierwotnej lub wtórnej, tj. trwającej od początku choroby lub powstałej po jej ostrej fazie.

W każdym wypadku chory wymaga trochę innego podejścia; np. drobne sukcesy mogą zmniejszyć niechęć do samego siebie, a życzliwość — niechęć do otoczenia. Wysiłek w pracy może przywrócić siły i chęć do życia, pobudzenie zainteresowań, np. artystycznych, może zmniejszyć uczucie pustki. Zwrotnym momentem jest zawsze nawiązanie kontaktu uczuciowego z otoczeniem.

Nienawiść

Nienawiść schizofreniczna może być albo skoncentrowana i np. dotyczyć wybranych osób lub sytuacji, albo rozlana, tj. obejmować cały świat.

W pierwszym wypadku jest ona najczęściej wynikiem normalnej oscylacji uczucia między przeciwnymi biegunami miłości i nienawiści, której amplituda w schizofrenii niesłychanie wzrasta albo też wiąże się z postawą lękową. Sytuacja prawdziwa, czy urojona, wywołująca lęk, budzi też nienawiść.

W drugim wypadku świat zewnętrzny, który niejednokrotnie przez całe życie chorego był dla niego przykry, staje się nienawistny i zasługuje tylko na zniszczenie. W myśl zasady o dwukierunkowości uczuć nienawiść do otoczenia łączy się z nienawiścią do siebie. Nienawiść ta nabiera w schizofrenii często szczególnej siły, doprowadzając chorego do okrutnych aktów agresji w stosunku do samego siebie i do samobójstwa.

Uczucia pozytywne

Radość

Radość schizofreniczna rzadko dotyczy konkretnych spraw życiowych: sukcesów, zaspokajania potrzeb biologicznych itp. Jest ona zwykle radością abstrakcyjną, nie związaną z konkretami życia, z aktywnością, z przyjemnościami, zabawą. Nie jest to radość zwykłego codziennego życia, lecz radość niezwykła, „nieziemska". Najczęściej spotyka się trzy typy radości schizofrenicznej: wyzwolenie, olśnienie i poświęcenie.

Radość z wyzwolenia jest wywołana przez poczucie wolności i zrzucenie dotychczasowej maski, więzów społecznych, związków uczuciowych, nieraz fałszywych i przykrych. Jest w niej lekkość oderwania się od rzeczywistości. Pewne cechy tego typu radości spotyka się w hebefrenii. Radość z olśnienia wynika z ujrzenia nowego porządku rzeczy; jest w niej zachwycenie się nowym światem i nowym sobą. Radość z poświęcenia wiąże się z odczuciem posłannictwa, w którym odnajduje się cel i sens życia.

Podobnie jak smutek, tak i radość schizofreniczna różni się zasadniczo od cyklofrenicznej. Nie jest to maniakalna aktywność, pogrążenie się w wirze życia, który samemu się wytwarza, żaden to wielki karnawał, ale zachwycenie się światem, który w nowej postaci się objawia. Radość cyklofreniczna jest „ziemska", a schizofreniczna „nieziemska".

Miłość

Miłość schizofreniczna jest miłością absolutu — idealnej kobiety, Boga, ludzkości, idei.

W każdym uczuciu istnieje urojeniowe zniekształcenie rzeczywistości, polegające na tym, że przedmiot uczucia bardziej odpowiada obrazowi wytworzonemu przez samo uczucie niż rzeczywistości. Może dlatego, że chory na schizofrenię jest w swym życiu często pozbawiony miłości („schizofrenogenna" matka, pustka uczuciowa w dzieciństwie, trudności w nawiązaniu kontaktów zabawowych, a później erotycznych, nieśmiałość itd.); potrzeba miłości jest u niego tym większa, im większe są trudności w jej znalezieniu. Podobnie jak radość, tak i miłość staje się „nieziemska", czysta, idealna. W odczuciu chorego wszelki kontakt z rzeczywistością ją bruka. Złączenie seksualne, zamiast być jej spełnieniem, staje się jej zniszczeniem; im dalej oscyluje ona od rzeczywistości, tym pełniej rozkwita. W poszukiwaniu miłości kontakt z rzeczywistością nabiera znaku ujemnego, a oderwanie od rzeczywistości — znaku dodatniego. Pierwszy ją niszczy, a drugi wzmacnia.

Patrząc pod tym kątem na schizofrenię, można by ją uznać za wielkie spełnienie miłości, której chory był w ciągu swego życia pozbawiony, a która odsłania mu się w chorobie, w świecie rzeczywistym dla niego, choć nierealnym dla otoczenia. W tym odsłonięciu nabiera ona niezwykłej siły, której w życiu normalnym doznać nie można, gdyż siła uczucia słabnie, zderzając się z rzeczywistością.

Miłość w schizofrenii idzie w parze z autyzmem. Kontakt z rzeczywistością jest tylko źródłem cierpienia, a spełnienie miłości dać może tylko świat nierzeczywisty, który pod samym tylko wpływem uczucia przemienia się w rzeczywisty (rzeczywistość psychotyczna). Sukces terapeutyczny w schizofrenii zależy w dużej mierze od tego, czy uda się choremu znaleźć w otaczającej rzeczywistości przedmiot miłości. Może to stać się punktem zwrotnym w jego stosunku do rzeczywistości; zacznie go ona przyciągać zamiast odpychać.

Ambiwalencja i dwukierunkowość uczuć

Ambiwalencja a siła uczuć

Oscylowanie uczuć między pozytywnym a negatywnym biegunem w stosunku do tego samego przedmiotu (ambiwalencja) i żywienie takich samych uczuć do siebie, jakie się ma w stosunku do przedmiotu — dwukierunkowość — należy uznać za objawy normalnie występujące. Stopień oscylacji uczuciowej — „kocham i nienawidzę" — zależy od typu osobowości; jest np. większy u schizotymików niż u cyklotymików; zależy także od siły samego uczucia — amplituda oscylacji wzrasta, gdy uczucia stają się silniejsze. U jednych uczucia zaczynają oscylować już przy słabym ich nasileniu, np. u histeryków lub nieraz u psychasteników, nie zawsze u schizotymików. U innych oscylacje występują dopiero przy bardzo silnych uczuciach, np. u cyklotymików czy epileptoidów. Amplituda oscylacji jest mała u cyklotymików, a duża u schizotymików. Oscylowanie uczuć wiąże się z zasadniczą cechą kolorytu świata schizofrenicznego, mianowicie z jego zmiennością.

Dwukierunkowość a jedność świata wewnętrznego i zewnętrznego

Natomiast dwukierunkowość wskazuje na jedność świata własnego i otaczającego. Jest ona jakby pozostałością wczesnego okresu życia, w którym jeszcze nie wytworzyła się granica między „mną" a światem zewnętrznym. Fakt, że wektor uczuciowy prócz strzałki zasadniczej skierowanej do przedmiotu uczucia, ma strzałkę dodatkową, o tym samym znaku, skierowaną do podmiotu, czyli że kochając kogoś, kocha się też siebie, a nienawidząc kogoś — nienawidzi się też siebie — przemawia za tym, że w związkach uczuciowych przedmiot od podmiotu nie jest całkowicie oddzielony. Granica między nimi jest bardzo wyraźna w innych formach aktywności, w których podmiot ostro przeciwstawia się przedmiotowi. Pierwotność życia uczuciowego w sensie filogenetycznym i ontogenetycznym miałaby swój wyraz w zachowaniu stanu zbliżonego do wczesnego okresu rozwoju, gdy dopiero tworzy się granica między światem własnym a otaczającym.

Autyzm a ambiwalencja

W schizofrenii oba objawy nabierają szczególnej ostrości. Przez niektórych autorów (Manfred Bleuler[1]) ambiwalencja jest traktowana jako objaw osiowy tej choroby. Stanowisko może nie całkiem słuszne, gdyż ambiwalencja jest jednym z elementów rozszczepienia. Nie ma więc powodu uważać jej za oddzielny objaw osiowy. Świadczy to jednak o jej częstości i wyrazistości w schizofrenii. „Kocham i nienawidzę" jest jednym z najczęstszych przeżyć schizofrenicznych. Utrudnia to, a często uniemożliwia choremu związki uczuciowe z otoczeniem. Gdziekolwiek uczuciowo się on zaangażuje, uczucia jego zaczynają oscylować. Oscylacja ich staje się tak męcząca, że w końcu wycofuje się on z kontaktu uczuciowego z otoczeniem. Większą stabilizację znajduje on w związkach uczuciowych nierealnych.

[1] Po śmierci cytowanego już słynnego psychiatry szwajcarskiego Eugeniusza Bleulera (żył w latach 1857–1939), autora dzieła pt. *Lehrbuch der Psychiatrie*, kolejne jego wydania opracowywał i modyfikował Manfred Bleuler (wyd. dziewiąte ukazało się w r. 1955).

Stabilizacja uczuć dzięki zniekształceniu obrazu rzeczywistości

Zjawisko stabilizacji uczuć pod wpływem tworzenia się struktur nierealnych nie należy do rzadkości. U każdego człowieka wielka miłość czy wielka nienawiść nie wiąże się z rzeczywistym przedmiotem, ale z przekształconym lub nawet całkowicie stworzonym pod wpływem tegoż uczucia. W tym sensie każde silne uczucie jest po trosze obłędem, przekształca bowiem obraz rzeczywistości i pod wpływem tego przekształcenia się utrwala.

W wypadku słabszych uczuć nie ma potrzeby stwarzania fikcyjnego obrazu, gdyż stwierdzenie ujemnych cech w przedmiocie pozytywnych uczuć czy cech dodatnich w przedmiocie uczuć negatywnych, wywołuje tylko drobne oscylacje, wyrażające się wątpliwościami typu: „on znów nie jest taki dobry, piękny", lub, odwrotnie, „zły", „straszny", które jeśli się powtarzają, mogą zmieniać nastawienie uczuciowe z pozytywnego na negatywne, lub odwrotnie, co przy słabych uczuciach nie jest trudne. Tam natomiast, gdzie uczucie jest bardzo silne, zmiana taka staje się trudna, a niekiedy wręcz niemożliwa.

Istnieje pewna proporcjonalność uczuć — uczucie o znaku przeciwnym do pierwotnego ma siłę do niego zbliżoną. Toteż gdy przedmiot naszego uczucia nagle obudzi w nas sprzeczne uczucie, staje się ono tak silne, jak pierwotne. Wielka miłość zmienia się w wielką nienawiść i odwrotnie. To, co budzi silny lęk, ma jednocześnie siłę niezwykłego przyciągania.

Przed bolesną zmianą znaku wektora uczuciowego bronimy się zafałszowaniem rzeczywistości. Przedmiot silnego uczucia nabiera cech stworzonych przez nasze uczucia, cechy przeciwne, które mogłyby zmienić nastawienie uczuciowe, są pomniejszone lub nie dostrzegane.

Stabilizację uczuciową osiąga się więc przez osłabienie uczuć lub przez zafałszowanie obrazu rzeczywistości. Stabilizacja taka jest konieczna z punktu widzenia ekonomii wysiłku w stosunkach między ludźmi. Nie można poruszać się w przestrzeni emocjonalnie niepewnej, nie widząc, czy dana osoba, z którą stale się stykamy, będzie wyzwalać lęk, nienawiść, czy miłość. W ogniu silnego uczucia jak gdyby przekształca się obraz osoby, z którą się jest emocjonalnie związanym. Obraz ten jest piękny w doznawaniu uczuć pozytywnych, a odpychający — w negatywnych; w obu wypadkach tym mniej prawdziwy, im uczucie silniejsze.

Sullivan[1] słusznie podkreśla, że dziecko, stykając się ze złym traktowaniem przez rodziców, łatwiej przyjmuje koncepcję, że samo jest złe (*bad me*), niż że oni są źli. Gdyby rodzice w jego oczach stali się źli, runęłoby najsilniejsze i najwcześniejsze uczucie (postawa „do") i zbudowany na nim porządek otaczającego świata. Wiadomo, jak ciężki bywa dla starszych już dzieci kryzys ich uczuć do rodziców, gdy wyidealizowany obraz rodziców ulega przewartościowaniu, kryzys w pewnej mierze konieczny dla wyrwania się z kręgu rodzinnego. W związkach erotycznych idealizowanie obrazu przedmiotu miłości, po którym przychodzi nierzadko jego diametralnie przeciwna ocena, gdy uczucie wygaśnie lub zmieni swój znak, jest sprawą tak powszechną, że już banalną.

Podobnie sprawa się przedstawia, gdy obiektem uczuć są przedmioty, zwierzęta, ideały, grupy społeczne itp. Obraz ich odbiega od rzeczywistości tym bardziej, im silniejsze są uczucia. Dzięki temu żyje się w świecie w istocie nieprawdziwym, ale stabilnym, w którym nie jest się narażonym na to, że to, co niedawno budziło miłość, wywołuje lęk czy nienawiść lub odwrotnie.

Stereotypy uczuciowe

Do stabilizacji życia uczuciowego, które przeciwstawia się jego naturalnej zmienności, przyczynia się wytwarzanie się już we wczesnym okresie życia stereotypów uczuciowych, tj. zasadniczego schematu powiązań uczuciowych ze światem otaczającym. W dalszych kolejach życia nowe osoby, przedmioty, sytuacje zajmowałyby tylko określone miejsce w tym schemacie. W ten sposób postawa uczuciowa dziecka w stosunku do matki, ojca, rodzeństwa, ważnych osób i sytuacji powielałaby się wielo-

[1] H. S. Sullivan: *Conceptions of modern psychiatry*. W. W. Norton and Co., New York 1953. — Tegoż autora: *The interpersonal theory of psychiatry* W. W. Norton and Co., New York 1953.

krotnie na stosunku do innych już osób, które zajęły miejsce ważnych postaci i sytuacji dzieciństwa. Dzięki temu ma się jakby gotową strukturę uczuciową otaczającej przestrzeni; zmieniają się w niej osoby i sytuacje zajmujące punkty węzłowe, ale stosunek uczuciowy jest już z góry ustalony.

Przyjęcie takiej czy innej postawy uczuciowej wobec otoczenia wymaga natychmiastowej decyzji; moment wahania, czy zbliżyć się, czy uciekać, musi być bardzo krótki. W przeciwnym bowiem wypadku zamiast działania i takiej czy innej formy interakcji z otoczeniem byłoby tylko wahanie — oscylacja postaw uczuciowych między przeciwnymi biegunami. Stereotyp uczuciowy ułatwia przyjęcie z miejsca określonej postawy na zasadzie identyfikacji aktualnych postaci i sytuacji otoczenia z zaszłymi już dawniej.

Dzięki temu nie ma się nigdy do czynienia z pustą przestrzenią. Wypełnia się ona od razu gotową strukturą emocjonalną. W stosunku do nowych elementów otoczenia odtwarza się stare wzory uczuciowe, co wprawdzie zafałszowuje ich obraz, bo pod wpływem dawnych uczuć widzi się je w zniekształcony sposób, ale za to zwiększa pewność poruszania się w nowej przestrzeni. Występowanie ambiwalencji wskazuje na niedostateczność utrwalonej w dzieciństwie struktury uczuciowej. Zdarza się to, gdy wyzwolone nową sytuacją uczucia są zbyt silne i nie mieszczą się w dotychczasowych wzorach lub gdy wzorzec jest nieudały.

We współczesnej psychopatologii schizofrenii wiele uwagi poświęca się wczesnemu dzieciństwu, szukając w tym okresie zawiązków przyszłej choroby. Pustka uczuciowa, jaka wokół dziecka tworzy się na skutek patologicznej atmosfery uczuciowej rodziny (dziecko nie chciane, matka pokrywająca swój brak uczuć macierzyńskich przesadną troskliwością, tendencją do dominowania, lub objawiająca go swoją niepewnością, obojętnością lub wręcz wrogością; ojciec wrogi, despotyczny lub jak w wypadku małżeństwa odwróconego słaby, uległy, spełniający rolę matki; oderwanie dziecka w pierwszym roku życia na kilka miesięcy spod opieki matki itd.) uniemożliwia wytworzenie się ostatecznie silnego stereotypu uczuciowego. Dziecko takie wyrasta na człowieka uczuciowo niepewnego, który w nowych sytuacjach nie ma wzoru, na jakim mógłby się oprzeć; decyzja uczuciowa przychodzi u niego z opóźnieniem po krótszych lub dłuższych oscylacjach.

Autorzy zorientowani organicznie[1] szukają przyczyny schizofrenicznych zaburzeń życia uczuciowego w wadliwej budowie węchomózgowia i międzymózgowia, a więc tych struktur anatomicznych, od których życie uczuciowe zależy w dużym stopniu, lub w wadliwym przebiegu procesów biochemicznych na nie wpływających.

Decyzja uczuciowa

Niezdolność uczuciowej decyzji (przyjęcia postawy „do" lub „od") jest zewnętrznie najłatwiej rozpoznawalna w mimice i w gestykulacji (ambimimia, ambigestia). Na twarzy chorego mogą przejawiać się w bardzo krótkich odstępach czasu lub nawet jednocześnie dwa sprzeczne uczucia: miłości i nienawiści, radości i smutku itp. Czasem gra mimiczna twarzy staje się tak „rozkojarzona", że trudno opisać, jakie uczucia wyraża. To samo dotyczy gestów; wyrażają one przeciwstawne uczucia i tendencje. Chory przyjaźnie wyciąga rękę do powitania i w tej samej chwili trwożliwie ją cofa; kogoś bliskiego z radością ściska i nagle w objęciu tym sztywnieje, a tę samą osobę odpycha; chce wyjść, ale nadal siedzi itp.

W wypadku sprzecznych aktów woli lub myśli mówimy o ambitendencji lub ambisentencji[2].

Ekspresja uczuciowa — z wyjątkiem narzuconej sobie maski — nie jest zależna od woli; rozgrywa się automatycznie poza udziałem naszej świadomości; nie wiemy nawet, jaki mamy wyraz twarzy, chyba że siłą go sobie narzucimy; można więc tę wyrazistość uczuć traktować jako formę ruchu bardziej pierwotną, nie angażującą całościowo ośrodkowego układu nerwowego. „Decyzja" emocjonalna, tj. przyjęcie określonej postawy uczuciowej, nie jest rozstrzygnięciem w sensie świadomego wyboru wobec danej alternatywy. Jest wyborem, ale automatycznym, bez udziału naszej świadomości, analogicznym do tego, jaki doko-

---

[1] J. Mazurkiewicz: *op. cit.*

[2] K. Spett: *Objawy z grupy ambiwalencji.* „Przegląd Lekarski", 1949, nr 6, str. 195–200.

nuje się w czynnościach zautomatyzowanych lub autonomicznych (wegetatywnych). Uważając uczucie za subiektywną kompensatę zasadniczego ruchu w otaczającej przestrzeni („do" i „od"), a nastrój — za subiektywny wyraz ogólnej dynamiki życiowej, czyli gotowości do działania, musimy przyjąć pierwotność ekspresji uczuciowej. Traktować ją trzeba jako tło, na którym rozgrywają się już bardziej skomplikowane formy aktywności, bardziej całościowo angażujące układ nerwowy, a tym samym przeżywane jako świadomy akt wyboru.

Zagadnienie wyboru między przeciwstawnymi tendencjami tkwi, jak się zdaje, w naturze każdego żywego organizmu. W najprostszym schemacie byłby to wybór między akceptacją a odrzuceniem świata otaczającego, wejściem lub wycofaniem się z procesu wymiany energetyczno-informacyjnej ze światem otaczającym. W poszczególnej komórce wyrażałby się on zwiększeniem lub zmniejszeniem przepuszczalności błony komórkowej. W komórce nerwowej od tej „decyzji" zależy powstanie impulsu nerwowego. Proces wymiany ze środowiskiem przybiera najrozmaitsze formy i poza wyborem zasadniczej postawy („do" lub „od") powstaje konieczność wyboru pomiędzy poszczególnymi postaciami zachowania się, tj. tzw. strukturami czynnościowymi.

Zagadnienie świadomego wyboru, tj. aktu woli, jest możliwe do oceny tylko u człowieka, gdyż tylko on dysponuje możliwościami introspekcji i komunikowania się.

Obserwując u zwierząt pewne formy zachowania się, przypominające ludzkie wahanie się przed podjęciem decyzji, a po jej podjęciu widząc uparte trzymanie się jednego rodzaju aktywności, nawet wbrew przeszkodom, można by przyjąć istnienie — przynajmniej u zwierząt wyższych — w pewnym stopniu przeżyć podobnych do ludzkiego aktu woli. Oczywiście można też przyjąć, że u zwierząt wybór między alternatywnymi formami zachowania dokonuje się automatycznie. Zresztą u człowieka także wiele z ważnych decyzji (jak np. wybór zasadniczej postawy uczuciowej) dokonuje się poza świadomością. Nieświadome decyzje można podzielić na te, które były nieświadome od początku, i na te, które stały się nieświadome na skutek ich częstego podejmowania.

Decyzje nieświadome

Do nich należą te formy aktywności, od których w sposób bezwzględny zależy zachowanie dwóch podstawowych praw biologicznych: zachowania własnego życia i życia gatunku. Człowiek może wprawdzie wstrzymać swój oddech, przestać pić i jeść, żyć w abstynencji seksualnej, może w końcu sam odebrać sobie życie, tzn. swoją świadomą decyzją przeciwstawić się prawu zachowania życia własnego i gatunku, niemniej jednak, gdy decyzji takiej nie podjął, czynności te dokonują się autonomicznie. Bez udziału jego woli zapada decyzja, czy oddech ma być szybszy, czy wolniejszy, płytszy, czy głębszy, czy trawić pokarm, czy go odrzucić itp. Bez udziału woli występują owulacje i polucje. Im potrzeba pilniejsza, tym ingerencja świadomej decyzji mniejsza. Nie można popełnić samobójstwa przez wstrzymanie oddechu, ale można już dokonać go, wstrzymując się od przyjmowania płynów i pokarmów. Potrzeba tlenu jest pilniejsza niż potrzeba pokarmu lub płynu.

Czynniki o charakterze społecznym w mniejszym stopniu wpływają na sposób oddychania (choć i tu pewne wpływy istnieją, np. nie wypada oddychać głośno przez usta), a już wyraźnie wpływają na sposób odżywiania się, jeszcze wyraźniej — na życie seksualne.

W świadomym akcie wyboru ostatecznie zwycięża zwykle struktura czynnościowa odpowiadająca dwom zasadniczym prawom biologicznym; wolność woli tam, gdzie są one naprawdę zaangażowane, przedstawia się dość problematycznie. Decyzje świadome są wówczas zdeterminowane wcześniejszymi od nich decyzjami nieświadomymi.

Druga grupa decyzji nieświadomych — to te, które na skutek powtarzania uległy automatyzacji. Automatyzacja jest przykładem ekonomii pracy układu nerwowego. Aktywność, która początkowo angażowała cały układ nerwowy, w miarę powtarzania angażuje coraz mniejszą jego część, aż w końcu znika z pola świadomości. Ucząc się np. pisać na maszynie, zastanawiamy się nad każdym ruchem, nim podejmiemy decyzję, w który klawisz uderzyć; w miarę zdobywania wprawy w pisaniu na maszynie lub, jak zecer na linotypie, dowodzimy, że chwile wahania są coraz krótsze i rzadsze, i w końcu redukują się do inicjalnej decyzji: pisać lub nie pisać; reszta aktywności i związanych z nią wyborów między tą czy inną strukturą czynności percepcyjno-ruchowej dokonuje się poza sferą naszej świadomości.

Dzięki automatyzacji zwiększa się poczucie władzy nad naszą aktywnością; wystarczy rozkaz: idę, piszę, tańczę, a czynność zostaje wykonana bez zarzutu. Ekonomia pracy układu nerwowego subiektywnie jest odczuwana jako unikanie wysiłku psychicznego. Dziecko, ucząc się pisać, prócz trudu włożonego w słowne sformułowanie swojej myśli często znacznie większy trud musi włożyć w sam akt pisania, od którego jest już wolny człowiek umiejący pisać.

Automatyzacja przynajmniej w pewnym stopniu dotyczy wszelkich rodzajów aktywności. Spostrzegamy, myślimy, postępujemy tak, jak się tego nauczyliśmy; nie ma już wahania przed wyborem takiej czy innej formy aktywności. Wyboru dokonuje się automatycznie, gdyż struktura czynnościowa wielokrotnie powtarzana zwycięża nad tą, która jest nowa i niezwykła.

Gdy widzimy jakiś przedmiot, na ogół nie odczuwamy wątpliwości, rozpoznając go. Decyzja zapada automatycznie, bez udziału naszej świadomości. Wahania i poczucie świadomej konieczności decyzji powstają wówczas, gdy widzimy przedmiot niewyraźnie lub nie wiemy, z czym go zidentyfikować. Niemożność podjęcia decyzji wywołuje niepokój, który eksperymentalnie można wykazać np. na podstawie rysunków ambipercepcyjnych[1].

Podobnie w postępowaniu człowieka wiele decyzji zapada automatycznie, bez udziału świadomości. Na ogół nie zastanawiamy się, czy podać komuś rękę przy powitaniu, czy odpowiedzieć na czyjeś pytanie. Wahanie pojawia się wówczas, gdy sytuacja staje się konfliktowa, tj. gdy struktura czynnościowa antagonistyczna, np. niepodanie ręki, nieodpowiedzenie na czyjeś pytanie itp., jest zbyt silna, by ulec strukturze dominującej bez udziału świadomości, tj. bez całościowego zaangażowania układu nerwowego. Można w sensie pawłowowskim ocenić ten konflikt jako zderzenie między pobudzeniem a hamowaniem.

[1] Rysunki ambipercepcyjne polegają na tym, że można je spostrzegać dwojako, np. widzieć wazę lub profil człowieka.

Jedna struktura czynnościowa jest pobudzona, a druga — hamowana.

Zderzenie między obu przeciwstawnymi procesami następuje wówczas, gdy nie może zapaść decyzja, która struktura ma być pobudzona, a która zahamowana.

Słowo „decyzja" jest tu oczywiście użyte tylko w sensie wyboru między dwiema możliwościami, a nie w znaczeniu psychologicznym. Komórka nerwowa, bombardowana z różnych stron impulsami nerwowymi zwiększającymi i zmniejszającymi przepuszczalność jej błony, tj. działającymi pobudzająco lub hamująco, w pewnym momencie, gdy suma pobudzeń osiągnęła określony „próg", „podejmuje decyzję" całościowego wyładowania pobudzającego lub hamującego. W ogólnym zarysie praca komórki nerwowej przypomina świadome podjęcie decyzji — najpierw sumują się bodźce *pro* i *contra* (impulsy podprogowe działają na zasadzie maszyn analogowych), aż dochodzi do szczytowego ich spiętrzenia, zwycięża „tak" lub „nie", decyzja zostaje podjęta, następuje wyładowanie całej komórki (potencjały czynnościowe pracujące na zasadzie maszyn cyfrowych), a po wyładowaniu — stan odprężenia, analogiczny do odprężenia odczuwanego po świadomej decyzji, w którym pobudliwość komórki nerwowej jest początkowo zniesiona, a później zmniejszona.

Możemy wyobrazić sobie taką sytuację, w której decyzje związane z zaspokojeniem podstawowych potrzeb biologicznych stoją w sprzeczności z decyzjami utorowanymi dzięki doświadczeniom życiowym. Są to decyzje nieświadome, jedne autonomiczne, drugie zautomatyzowane. Byłby to konflikt zbliżony do freudowskiej walki między *id* i *superego,* który rozgrywa się poza świadomością. Przykład inny też ilustruje to zagadnienie. Decyzja autonomiczna, dotycząca potrzeby lub braku potrzeby pokarmu, zależy od sygnałów interoceptywnych, informujących o poziomie cukru we krwi, napięciu mięśniówki żołądka i jelit itp., natomiast decyzja zautomatyzowana zależy od ustalonych pór przyjmowania pokarmów, od sygnałów eksteroceptywnych, jak zapach, smak, widok smakołyków itp.

Może się zdarzyć decyzja autonomiczna: „nie jeść", a zautomatyzowana: „jeść". Można się czuć głodnym w porze posiłków lub na widok smakołyków, mimo że nie zachodzi biologiczna potrzeba pokarmu; odwrotnie, mimo tej potrzeby można nie odczuwać głodu, gdyż nie jest to pora posiłku, a dominuje intensywne zainteresowanie czym innym. W obu wypadkach zwyciężyła decyzja zautomatyzowana, ale gdy jest się bardzo głodnym, wówczas różnego rodzaju decyzje zautomatyzowane w rodzaju zachowania odpowiednich form i pór jedzenia, niezabierania cudzej własności itp. — mogą być przełamane. W świadomości może nawet nie istnieć ślad tej walki. Człowiek głodny je łapczywie. Decyzja odrzucenia form jedzenia, których się w ciągu życia nauczyło, na rzecz bardziej prymitywnych, ale szybciej zaspokajających głód, dotychczas nie używanych, zapada poza świadomością.

Fakt, że wiele spraw dotyczących naszego spostrzegania, myślenia i działania rozstrzyga się poza naszą świadomością, bardzo ułatwia życie. Inaczej wahalibyśmy się przed każdą najbłahszą nawet decyzją. Wtedy powstałby chaos niezdecydowania.

Rozszerzenie pola świadomości dla decyzji nieświadomych w schizofrenii

W schizofrenii obserwujemy przesunięcie decyzji normalnie nieświadomych do świadomości, lub formułując odwrotnie, obserwujemy rozszerzenie pola świadomości na decyzje nieświadome — autonomiczne i zautomatyzowane. Aktywności, które normalnie wykonujemy bez zastanowienia się, nabierają u chorego znaczenia wskutek samego faktu, że waha się on między sprzecznymi możliwościami ich wykonania; co więcej, obie sprzeczne struktury czynnościowe, z których normalnie jedna zostaje odrzucona w chwili decyzji, w schizofrenii prawdopodobnie na skutek przedłużenia się procesu decyzji, realizują się w aktywności ruchowej, toteż dwie sprzeczne aktywności występują naraz.

Przed każdym działaniem świadomym występuje wahanie się, którą formę aktywności wybrać; jak starano się uzasadnić, prawdopodobnie to wahanie występuje we wszystkich aktywnościach, nawet najprostszych, a tylko trudniejsze decyzje, wyzwalające zaangażowanie całego układu nerwowego, docierają do świadomości. To wahanie się jest jakby „wewnętrzną sprawą” danego układu; aktywność manifestująca się na zewnątrz, musi być jednoznaczna — nie może zawierać w sobie „tak" i „nie", może ona wystąpić tylko po zapadnięciu decyzji.

Komórka nerwowa może „wahać się", czy zareagować na działające na nią sygnały; pod ich wpływem występują miejscowe zmiany potencjału błony komórkowej i jej przepuszczalności. Zmiany te są dwukierunkowe; w jednym miejscu pod wpływem dochodzącego impulsu wystąpi zwiększenie przepuszczalności błony komórkowej, a w drugim — jej zmniejszenie. Zmiany te jednak nie manifestują się na zewnątrz w tym sensie, że nie mogą stać się sygnałem dla innych komórek nerwowych lub narządów efektorycznych; są „sprawą wewnętrzną", „prywatną" tejże komórki. Reakcja w formie całościowego wyładowania się komórki, które staje się sygnałem dla otoczenia, tj. innych komórek nerwowych lub efektorów, jest już jednoznaczna — „tak" lub „nie" (system dwuwartościowy maszyn cyfrowych).

Zasada jednoznacznej aktywności może być zachwiana w sytuacjach trudnych; wówczas próbuje się realizować struktury przeciwstawne. Decyzję wystawia się na próbę rzeczywistości i zależnie od wyniku próby zmienia się ją. Jest to metoda prób i błędów. Decyzja podania ręki przy powitaniu na ogół nie sprawia trudności i może być, jak wspomniano, zautomatyzowana — nie zaprząta świadomości. Zdarza się jednak, że staje się ona decyzją trudną; człowiek walczy z sobą, czy wyciągnąć rękę na powitanie, czy też nie — i to wahanie może się przenieść na aktywność zewnętrzną. Wówczas wyciągamy rękę i prawie natychmiast ją cofamy. Proces tworzenia się decyzji nie został zakończony przed rozpoczęciem aktywności. Jedna struktura czynnościowa — wyciągnięcie ręki — nie zwyciężyła w pełni nad drugą — cofnięciem jej, raz jedna, raz druga jest realizowana.

Jeśli omawia się tu jednocześnie zagadnienia ambiwalencji i ambitendencji, a więc zaburzenia w sferze uczucia i woli, to dlatego, że w obu zjawiskach istotna jest niemożność podjęcia decyzji. W życiu uczuciowym decyzja ta zapada poza zasięgiem naszej świadomości. Nie możemy zmusić się do kochania kogoś lub nienawidzenia, do radości, smutku czy lęku. Świadome jest samo uczucie, ale nieświadoma jest decyzja; stąd wynika wrażenie, że uczucie przychodzi samo, że nie jest zależne od naszej woli. Wola polega bowiem na możności wyboru, na świadomej decyzji. Jej zakres jednak nie może być zbyt wielki, musi obejmować te elementy pola interakcji z otoczeniem, które są najważniejsze i najtrudniejsze.

W interakcji tej wytwarzają się swoiste gradienty ważności: to co stare, wielokrotnie stosowane, lub co konieczne, jak podstawowe potrzeby biologiczne, schodzi na plan dalszy, nie angażuje wysiłku koniecznego z podjęciem decyzji, gdyż decyzja dokonuje się automatycznie poza świadomością, natomiast sytuacje nowe, wymagające wypracowania i wypróbowania nowych struktur czynnościowych, zajmują w tej hierarchii pierwsze miejsce. W ten sposób wysiłek związany ze świadomą decyzją staje się wysiłkiem związanym z rozwojem, a mianowicie z tworzeniem nowych struktur czynnościowych.

U chorego na schizofrenię przedstawiona hierarchia wartości zostaje rozbita; wszystko staje się dla niego problemem, byle drobiazg wymaga decyzji i natężenia woli. Obroną przed przeciążeniem woli jest wycofanie się z kontaktów z otoczeniem i wytworzenie się patologicznych automatyzmów polegających na tym, że znika poczucie kierowania tymi czynnościami, które normalnie są zależne od woli.

Schizofreniczna ambiwalencja odsłania nam mechanizm wahania i decyzji, który, normalnie ukryty, podobnie jak ambitendencja, uwypukla się w aktywnościach, w których zwykle już świadoma decyzja nie jest potrzebna. Ambitendencję łatwiej zrozumieć niż ambiwalencję, gdyż przeżycie wahania się, trudności wyboru między różnymi możliwościami aktywności, jest tak powszechne, iż łatwo zrozumieć je w sytuacjach, które normalnie tego wahania nie wywołują. Gdy widzimy, jak chory na schizofrenię wyciąga i cofa rękę przy powitaniu, jak wstaje z krzesła i w połowie ruch ten przerywa, by usiąść z powrotem, jak wypowiada dwa przeczące sobie sądy, nie dziwi nas to tak dalece, jak gdy na twarzy jego widzimy dwa sprzeczne wyrazy uczuciowe. Każda czynność związana z wolą jest bowiem poprzedzona wahaniem i wyborem; dla tych chorych wybór ten jest trudniejszy, a często wręcz niemożliwy, natomiast stan uczuciowy i jego ekspresja (z wyjątkiem narzuconego sobie wyrazu twarzy) nie są od woli zależne.

Ambitendencja jest w pewnej mierze następstwem ambiwalencji. By jakaś aktywność mogła zaistnieć, musi najpierw zapaść pierwsza i zasadnicza decyzja: jaką postawę przyjąć wobec danej sytuacji, czy działać, czy odpoczywać, czy zbliżyć się do niej, czy oddalić. Decyzja wynikająca z pierwszego pytania jest przeżywana jako nastrój, a spowodowana drugim — jako nastawienie uczuciowe. Na tym tle dopiero rozwija się interakcja z otoczeniem, wymagająca świadomej decyzji. Jeśli nie może zapaść decyzja dotycząca tła i jeśli waha się ona między przeciwnymi biegunami (ambiwalencja), to nie może też uformować się akt woli — decyzja wyboru jednej z przeciwstawnych aktywności (ambitendencja).

Sytuacja jest w zasadzie podobna do tej, jaka istnieje w fizjologii ruchu. Ruch podporządkowany woli rozwija się na tle ruchów przeciwdziałających sile ciężkości, zapewniających odpowiednią postawę części ciała bezpośrednio w danej aktywności nie zaangażowanych, wreszcie — ruchów wyrażających stan emocjonalny. Ruch zaplanowany nie może przebiegać sprawnie bez odpowiedniego tła ruchowego, co uwydatnia się przy uszkodzeniu dróg nerwowych z nim związanych (układ pozapiramidowy).

Zarówno ambiwalencja, jak ambitendencja, należą do objawów rozszczepiennych (*schizis*). Starano się uprzednio wykazać, że rozszczepienie aktu woli (ambitendencja) jest konsekwencją rozszczepienia uczuciowego, tj. ambiwalencji. Pytaniem otwartym pozostaje, skąd to rozszczepienie uczuciowe powstaje, lub — formułując pytanie inaczej — dlaczego trudno tworzy się decyzja wyboru zasadniczej postawy uczuciowej?

Zasada prawdopodobieństwa

Trudność wyboru jest proporcjonalna do trudności sytuacji; idąc po równej drodze, nie zastanawiamy się, jak nogę postawić, chód jest automatyczny; spontaniczna swoboda ustępuje i dalsza aktywność wymaga świadomej decyzji, gdy droga staje się trudna.

W pierwszym wypadku decyzja, jaki ruch wykonać, następuje szybko; tylko część układu nerwowego jest w niej zaangażowana, gdyż struktury czynnościowe wchodzące w rachubę zostały wskutek powtarzania tej samej czynności zredukowane do niezbędnych. Łuk odruchowy skraca się do koniecznego minimum. Skrócenie takie jest możliwe tylko wtedy, gdy interakcja z otoczeniem opiera się na zasadzie pewności, tzn. że istnieje prawie całkowite prawdopodobieństwo, iż określone działanie wywoła określoną reakcję otoczenia. W przykładzie z chodzeniem taką hipotezą jest, że określony ruch nogi wywoła zetknięcie stopy z ziemią, które jest sygnalizowane przez odpowiednie receptory czucia powierzchniowego i głębokiego. Gdy hipoteza się nie sprawdzi, gdy stopa nie trafi na twardy grunt, wtedy automatyzm zostaje przerwany; decyzja musi zapaść na wyższym poziomie integracji. Chód z pewnego zmienia się w niepewny, w którym każdy krok wymaga wahania i świadomej decyzji. Na ogół jednak chód można uznać za tę formę interakcji z otoczeniem, która opiera się na zasadzie pewności; reakcja otoczenia jest zgodna z przewidywaniem; niespodzianki są tak rzadkie, że można je wykluczyć.

Zasada pewności umożliwia ekonomię czynności ustroju ludzkiego, gdyż zamiast wielu sposobów interakcji z otoczeniem pozostają tylko nieliczne, natomiast stopień prawdopodobieństwa ich skutecznej realizacji jest znacznie większy, niż gdy w otoczeniu zasada pewności nie obowiązuje (np. idąc po wąskiej ścieżce nad przepaścią). Decyzja w tych wypadkach jest łatwa, gdyż różnica w stopniu prawdopodobieństwa realizacji między poszczególnymi strukturami jest tak duża, że struktura inna niż ta, która się utrwaliła przez używanie, ma minimalne szanse wyboru.

Przykład z automatyzacją chodu został wybrany ze względu na jego prostotę. Warto jednak wspomnieć, że w schizofrenii obserwuje się nawet w tak prostej i, zdawałoby się, obojętnej czynności dziwactwo, wynikające bądź to z ambitendencji, gdy chory waha się przy wykonaniu każdego kroku, bądź też z wyboru ruchów niezwykłych, które normalnie nie miałyby żadnych możliwości realizacji. Wskutek przesunięcia zautomatyzowanej czynności chodzenia w sferę świadomej decyzji nabiera ona znaczenia, które zwykle nie istnieje i którego zasadniczo nie potrzeba. Wahanie bądź niemożność podjęcia decyzji prowadzą do szukania przyczyn i celów. We wspinaczce wysokogórskiej każdy krok ma swoje opracowanie celowe, przyczynowe. Gdy chory na schizofrenię waha się, jak nogę postawić, jego wahanie wypełnia się myślami. Nasuwają się mu wątpliwości, że np. gdy postawi nogę w określony sposób, to będzie znaczyć coś innego, niż gdy postawi ją odmiennie, a jeśli w końcu wybierze jakąś formę ruchu, to w jego pojęciu nabiera ona specjalnego znaczenia. Kroki stawiane przez chorego nie są chodem automatycznym, ale krokami prześladowanego, potępionego, bohatera, boga itp.

Gdyby chodzenie nie uległo zautomatyzowaniu, gdyby trzeba w nie było wkładać zawsze tyle wysiłku, ile wkłada w nie małe dziecko, gdyby wykonanie każdego ruchu wymagało świadomej decyzji, to kalectwo takie można by tłumaczyć jakimś uszkodzeniem w takich częściach i czynnościach ustroju, które są związane z odnośnym ruchem, jak narządy zmysłowe, mięśnie i łączący je łuk odruchowy, lub też — z uszkodzeniem środowiska, w tym sensie, że nie zapewniałoby ono stabilności potrzebnej do wytworzenia automatyzmów. Np. człowiek, który nigdy nie miał możności stąpania po twardym gruncie, nie nauczyłby się chodzić w sposób zautomatyzowany i aktywność taka wymagałaby z jego strony bardzo dużego wysiłku.

Zasada pewności obowiązuje bowiem w równej mierze oba układy, będące w interakcji: żywy ustrój i jego środowisko. Środowisko daje pewność, że na określoną aktywność ustroju zareaguje w określony sposób, a organizm na określony bodziec otoczenia zareaguje tą samą strukturą czynnościową. Oba układy są w tej formie interakcji ściśle ze sobą zespolone, tworzą jedną całość, która stanowi konkretność życia (*concrescere* — razem wzrastać, rozwijać się). Reakcje uczuciowe są prawdopodobnie pierwszym subiektywnym odpowiednikiem interakcji żywego ustroju z otoczeniem. Niestety, można snuć tylko przypuszczenia, w którym momencie rozwoju filogenetycznego i ontogenetycznego pojawiają się one jako zwiastuny przyszłej ludzkiej świadomości. Ponieważ pojawiają się najwcześniej spośród innych postaci przeżyć i prawdopodobnie przez długi okres rozwoju filogenetycznego i ontogenetycznego są jedynymi formami życia psychicznego, towarzyszą one pierwszym postaciom interakcji z otoczeniem. Łuk odruchowy we wczesnym okresie rozwoju ontogenetycznego u człowieka jest jeszcze krótki, nie zaangażowały się tam części mózgu najmłodsze (*neocortex*). Wypustki komórek nerwowych *neocortex* dopiero w pierwszych latach życia pozapłodowego pokrywają się osłonką mielinową.

Mielinizacja jest oznaką czynnościowej dojrzałości danych dróg nerwowych. Krótkość łuku odruchowego w okresie wczesnego dzieciństwa w porównaniu z dojrzałym łukiem odruchowym zbudowanym z miliardów komórek nerwowych skraca odległość między receptorem a efektorem. Odległość ta jest miarą oderwania się od nacisku otoczenia i zwiększa możliwości tworzenia różnych struktur czynnościowych.

Ambiwalencja, czyli niezdolność podjęcia emocjonalnej decyzji, jest, jak się zdaje, tym czynnikiem, który sprawia, że koloryt schizofrenii ma charakter oscylujący (oscylacja między postawą „do" a „od) i to jest jedną z przyczyn jego niezwykłości, a nawet niesamowitości.

Leczenie

Uwagi historyczne

Zapewne w żadnym zespole chorobowym nie stosowano tylu różnorodnych metod leczenia co w schizofrenii. Prawie każde większe odkrycie w dziedzinie medycyny pobudzało do wypróbowania nowych metod leczniczych, opartych na stworzonych *ad hoc* hipotezach etiologicznych. Gdy na przełomie wieków XVIII i XIX zajęto się badaniem krążenia mózgowego, szukano wówczas przyczyny schizofrenii w zaburzeniach tego krążenia, w niedokrwieniu lub przekrwieniu. W związku z tym stosowano różne środki, które by miały krążenie poprawić, np. upuszczanie krwi, przykładanie pijawek czy baniek do głowy (ten środek jest jeszcze niekiedy stosowany w środowiskach wiejskich w Polsce), nacieranie głowy maściami drażniącymi i wywołującymi stan zapalny, umieszczanie chorego na krześle wirującym (stosowano przy tym tak szybkie obroty, że chorzy dostawali krwotoków z nosa i uszu)[1].

Wprowadzenie przez Wagnera Jauregga na początku bieżącego stulecia zimnicy (malarii) do leczenia psychiatrycznego (leczenie porażenia postępującego) było dużym wydarzeniem ze względu na stworzenie bardziej optymistycznej atmosfery wokół chorób psychicznych. Z końcem wieku XIX i na począt-

[1] Dawne metody leczenia, zarzucone dzięki postępowi psychiatrii, a często szokujące obecnego czytelnika, są opisane w historycznym już piśmiennictwie, np. J. Rolle: *Choroby umysłowe*. Petersburg 1863–1864. Zob. też T. Bilikiewicz, J. Gallus: *Psychiatria polska na tle dziejowym*. PZWL, Warszawa 1962.

ku XX panował duży pesymizm pod tym względem; gdy ktoś raz wyłamał się z kręgu normalności, był skazany zwykle na pobyt w szpitalu psychiatrycznym aż do swojej śmierci. Pesymizm ten przejawiał się w kraepelinowskim określeniu schizofrenii jako *dementia praecox*.

Mimo upływu lat i lepszego poznania schizofrenii dotychczas uczucie to nie jest obce psychiatrom. Sytuacja poprawiła się jednak znacznie, zwłaszcza od ostatniej wojny, gdy wprowadzono tzw. walkę o „otwarte drzwi" w psychiatrii i obecnie na ogół nie spotyka się chorych, którzy są dożywotnimi rezydentami szpitali psychiatrycznych, natomiast częsty jest typ „chorego nawracającego", który często powraca do szpitala. Wprawdzie leczenie malarią było specyficzne dla kiły mózgowej, to jednak stosowano je także, choć z różnym efektem, nieraz niezłym, w schizofrenii. W razie braku malarii zastępowano je innymi metodami leczenia gorączkowego.

Zainteresowanie gruczołami dokrewnymi i rewelacyjne odkrycia w dziedzinie endokrynologii pobudziły psychiatrów do szukania przyczyn schizofrenii w zaburzeniach hormonalnych. Prawie równolegle z postępami endokrynologii interesowano się raz tym, a raz innym gruczołem dokrewnym, jego dysfunkcję przyjmowano za istotny czynnik etiologiczny i próbowano stosować odpowiednie preparaty hormonalne. I tak kolejno „modne" były gonady, tarczyca, nadnercza. Zagorzali wyznawcy endokrynologicznej etiologii schizofrenii próbowali jeszcze nawet w połowie bieżącego stulecia stosować wycięcie kory nadnerczy, uważając jej nadczynność za przyczynę zaburzeń psychicznych.

Nie można oczywiście negować istnienia korelacji, i to dość ścisłej, między życiem psychicznym a czynnościami układu sterującego endokrynnego (filogenetycznie starszego od układu sterującego nerwowego). W wielu też dysfunkcjach gruczołów dokrewnych obserwuje się niekiedy dość określone typy zaburzeń psychicznych. Niemniej jednak sprowadzenie etiologii schizofrenii wyłącznie do czynników endokrynnych wydaje się bardzo przesadne.

Również wprowadzenie antybiotyków znalazło swój wyraz w lecznictwie psychiatrycznym. Zwolennicy wirusowej etiologii schizofrenii zaczęli antybiotyki stosować *larga manu* u swych chorych, osiągając także niezłe nieraz wyniki lecznicze.

Wkrótce po odkryciu insuliny i wprowadzeniu jej do leczenia cukrzycy zastosowano ją też w leczeniu schizofrenii. Metoda ta, którą zapoczątkował Sakel w r. 1927, dotychczas ma swoich zwolenników.

Podobnie wstrząsy kardiozolowe, a później elektryczne, wprowadzone do lecznictwa psychiatrycznego w czwartej dekadzie bieżącego stulecia (kardiozolowe przez Medunę, elektryczne przez Cerlettiego i Biniego), dotychczas są szeroko stosowane w leczeniu schizofrenii.

Pod koniec pierwszej połowy bieżącego stulecia dużą popularnością, zwłaszcza w Stanach Zjednoczonych, cieszyła się w leczeniu schizofrenii leukotomia, stosowana w różnych modyfikacjach chirurgicznych. Zabieg ten, wprowadzony do lecznictwa psychiatrycznego przez Moniza, opierał się na doświadczeniach przeprowadzonych na małpach przez wybitnego neurofizjologa Fultona. Stwierdził on mianowicie, że przecięcie włókien nerwowych łączących korę przedczołową z okolicą podwzgórzową i okolicznymi ośrodkami podkorowymi wywołuje u małp zmianę zachowania się, zwłaszcza u małp obciążonych nerwicą eksperymentalną usuwa jej objawy. Uważano, że usunięcie tej najmłodszej filogenetycznie części kory mózgowej, której hipotetyczna dysfunkcja miała być przyczyną schizofrenii, wpłynie korzystnie na zachowanie się chorych. Rzeczywiście, zabieg w wielu wypadkach zmieniał ich zachowanie się, ale najczęściej na niekorzyść. W Polsce na szczęście metoda ta nie spotkała się z entuzjastycznym przyjęciem, a wielu psychiatrów, jak np. Maurycy Bornsztajn, ostro się jej sprzeciwiło; dokładne badania nad chorymi zleukotomizowanymi, przeprowadzone przez Ewę Broszkiewicz, wykazały jej szkodliwość[1].

Medycyna współczesna rozwija się pod znakiem biochemii. Zjawisko uważa się za zbadane, gdy uda się je sprowadzić do określonego porządku chemicznego. Zachowując pełnię uznania dla tych tendencji, gdyż im zawdzięcza się w głównej mierze rozkwit medycyny, nie można jednak oprzeć się wątpliwościom, jakie budzi fakt, że starano się zredukować tak skomplikowany

[1] E. Broszkiewicz: *Przeciw teorii i praktyce leukotomii przedczołowej. Ocena kliniczna i patofizjologiczna wyników operacji wykonanych w Polsce.* „Postępy Wiedzy Medycznej", 1954, z. 1, str. 37–51.

układ, jakim jest człowiek, do najniższego poziomu integracyjnego, jakim jest poziom biochemiczny. Niższym jeszcze poziomem byłby poziom fizyczny, ale do niego medycyna jeszcze nie doszła, choć już nawet w tym kierunku czynione są wysiłki.

Wspomniane tendencje znalazły oczywiście swój oddźwięk w psychiatrii. Rokrocznie dosłownie tysiące prac naukowych poświęcane są badaniom biochemicznym w schizofrenii[1]. Trudno na razie pokusić się nawet o ich najbardziej powierzchowną syntezę. Wydaje się, że nie będzie to możliwe wcześniej, niż nasze wiadomości w dziedzinie neurochemii staną się mniej hipotetyczne niż dotychczas.

Zgodnie z nastawieniem współczesnej medycyny leczenie w psychiatrii skoncentrowało się na podawaniu środków chemicznych. Wprawdzie dawniej też różnego rodzaju środki uspokajające były stosowane, ale nie stanowiły one istoty leczenia. Wprowadzenie w początkach drugiej połowy naszego stulecia leków psychotropowych, w szczególności neuroleptyków, stworzyło swoistą rewolucję w psychiatrii[2]. Nie wdając się w dyskusję, raczej jałową, czy leki te leczą samą chorobę, czy usuwają bądź zmniejszają jej objawy, należy stwierdzić, że zmieniły one atmosferę w psychiatrii. Można by nawet powiedzieć, że pośrednio zadziałały one na personel leczący. Świadomość bowiem, że dysponuje się lekami, które mogą uspokoić najbardziej podnieconego pacjenta i które mogą poprawić nastrój w ciężkich depresjach, złagodzić najbardziej dramatyczne objawy — halucynacje, urojenia, lęki i agresję, sprawiła, że personel leczący przestał się bać chorych. Poczucie bezsilności bowiem jest częstym źródłem lęku.

Nawet zewnętrzny wygląd szpitali psychiatrycznych uległ zmianie — zniknęły różnego rodzaju urządzenia służące do

---

[1] Obszerny wybór piśmiennictwa dotyczącego tej problematyki znajduje się w pracy S. Słowika: *Zespołowe badania biochemiczne u chorych na przewlekłą schizofrenię*. „Folia Medica Cracoviensia", 1968, nr 2, str. 366 i nast.

[2] J. Thuillier: *Perspektywy doświadczalne i znaczenie kliniczne psychofarmakologii*. W książce: *Pamiętnik XXVII Zjazdu Naukowego Psychiatrów Polskich w Krakowie 22–25 września 1961 r.* Wyd. Polskie Towarzystwo Psychiatryczne, Kraków 1963, str. 87–92.

ograniczenia swobody ruchowej chorego, w rodzaju łóżek siatkowych, kaftanów bezpieczeństwa, krat w oknach, drzwi bez klamek. Oddziały są coraz częściej otwarte. Chorym zostawia się coraz więcej swobody i zamiast hamować, zachęca się ich do spontanicznej aktywności. Atmosfera pesymizmu, która przez stulecia panowała w psychiatrii, zmieniła się w bardziej optymistyczną. Zaczęto wierzyć, że chorych na schizofrenię można wyleczyć, że nie muszą oni być dożywotnimi rezydentami szpitali psychiatrycznych. Neuroleptyki szeroko stosuje się w schizofrenii, podając dawki często bardzo duże i kontynuując leczenie nieraz latami.

W wypadku leczenia psychofarmakologicznego niewątpliwie ujawnia się ta sama zasada w leczeniu schizofrenii, jaką starano się tu przedstawić w krótkim rysie historycznym, a mianowicie, że w wypadku tej choroby nie należy żałować leczenia. Powstaje pytanie, skąd pochodzi ta przesadna nieco szczodrość terapeutyczna w wypadku schizofrenii, prowadząca do tego, że kierując się dobrymi intencjami, poddawano dotkniętych tą chorobą różnego rodzaju próbom terapeutycznym, nie zawsze przyjemnym i nieszkodliwym, w rodzaju wirujących krzeseł, upustów krwi, leczenia gorączkowego, przerażającej liczbie wstrząsów elektrycznych lub zapaści insulinowych, leukotomii, a ostatnio — olbrzymich dawek leków psychotropowych. Jak się zdaje, działa tu prawo „wspólnego świata" (*koinós kósmos*). Ponieważ chorzy na schizofrenię najbardziej i najdalej wyskakują z kręgu normalności, dlatego chęć wciągnięcia ich z powrotem choćby za wszelką cenę do „wspólnego świata" ludzi „normalnych" jest najsilniejsza (ludzie na ogół nie lubią, gdy ktoś z tego „świata" wychodzi).

Płaszczyzna biologiczna

Podobnie jak diagnostyka wraz z hipotezami etiologicznymi, tak i leczenie w psychiatrii rozgrywa się na trzech wielkich płaszczyznach: biologicznej, psychologicznej i socjologicznej. Na ogół panuje wśród psychiatrów przekonanie, że im dalej chory wyszedł z kręgu normalności, tym ważniejsze są metody biologiczne, a psychosocjologiczne odgrywają rolę tylko pomocniczą. Dlatego w nerwicach i psychopatiach za istotną metodę leczenia uważa się wszelkiego rodzaju środki oddziaływania psychologicznego i socjologicznego, a w psychozach, zwłaszcza typu schizofrenicznego, środki biologiczne.

To co mieści się jeszcze w kręgu normalności, jest na ogół dla nas zrozumiałe, łatwo stworzyć psychosocjologiczne struktury etiologiczne i odpowiednie koncepcje terapeutyczne. Natomiast to, co poza ten krąg wykracza, zaskakuje nas zazwyczaj swą niezwykłością, przestaje być zrozumiałe, przyczyn szuka się poza przyczynowością psychologiczną — w demonach, jak dawniej, lub w czynnikach organicznych, jak obecnie. Odpowiednio też planuje się leczenie w myśl zasady: psychologiczne — psychologicznymi, organiczne — organicznymi (psychologiczna etiologia — psychologiczna terapia; organiczna etiologia — organiczna terapia).

Z pewnością warto by było zastanowić się nad słusznością przedstawionego tu poglądu. Praktyka wykazuje, że nieraz w nerwicach i psychopatiach biologiczne metody leczenia dają niezłe efekty, a na odwrót, w sprawach *par excellence* organicznych, np. w otępieniu miażdżycowym czy starczym, elementy leczenia mające charakter psychologiczny i socjalny, wywierają nieraz decydujący wpływ nie tylko na stan psychiczny, ale też na stan somatyczny chorego.

Nie znając dotychczas określonej etiologii schizofrenii, najbezpieczniej jest, jak się zdaje, przyjąć etiologię wieloczynnikową. A więc w genezie schizofrenii mogą odgrywać rolę różnorodne czynniki mieszczące się w trzech wspomnianych płaszczyznach, tj. biologicznej, psychologicznej i socjologicznej. W jednym wypadku mogą przeważać jedne, a w innym — drugie, np. raz biologiczne, to znów psychologiczne. Przynajmniej tak analiza historii życia chorego może wskazywać. Tę zasadę wieloczynnikowości należy utrzymać też w programowaniu leczenia. Może się wydawać, że leczenie typu biologicznego jest najważniejsze, nie należy jednak zapominać o leczeniu psychologicznym (psychoterapia) i socjologicznym (socjoterapia).

W zakresie biologicznych metod leczenia ukazała się obszerna monografia A. i K. Jusów[1] poświęcona temu zagadnie-

---

[1] A. Jus, K. Jus: *Biologiczne metody leczenia w psychiatrii*. Wyd. II poprawione i uzupełnione. PZWL, Warszawa 1969.

niu, która szczegółowo omawia ten trudny i dyskusyjny temat. Podanie jakichś ogólnych zaleceń dotyczących biologicznych metod leczenia schizofrenii nie jest zadaniem łatwym. W ostatnich dwudziestu latach powstało tyle różnorodnych leków psychotropowych[1], że nawet zapamiętanie ich nazw przekracza pojemność przeciętnej ludzkiej pamięci. Każdy z psychiatrów ma swoje ulubione leki, które uważa za najskuteczniejsze. Na podstawie własnego doświadczenia stwarza swój „system" leczenia.

Prócz leków psychotropowych (głównie neuroleptyków, niekiedy też tymoleptyków) dwie metody leczenia biologicznego utrzymały się w leczeniu schizofrenii — wstrząsy elektryczne i zapaści insulinowe.

Wstrząsy elektryczne stosuje się przede wszystkim w stanach katatonicznych, zarówno w stuporach, jak i w podnieceniu. Tam gdzie przebieg psychozy jest bardzo ostry i zachodzi obawa, że może to być nawet przypadek schizofrenii śmiertelnej[2], istnieje wskazanie życiowe do ich stosowania. Wstrząsy elektryczne bowiem najszybciej przerywają stany katatoniczne. Również w przewlekłych schizofreniach z wyraźnym komponentem depresyjnym seria wstrząsów elektrycznych może wywołać poprawę nastroju i zwiększyć aktywność chorego; jego nastawienie do otoczenia może stać się bardziej pozytywne.

Mimo że zabiegi elektrowstrząsowe są zupełnie bezbolesne (są przykre tylko wówczas, gdy poda się zbyt małą dawkę prądu i chory nie traci przytomności, natomiast odczuwa uderzenie prądem i ma niekiedy proste omamy wzrokowe), to jednak chorzy często odczuwają przed nimi silny lęk. Z wyjątkiem wypadków, gdy istnieją wskazania życiowe do stosowania wstrząsów elekrycznych, np. głębokie stany depresyjne czy ostre zespoły katatoniczne, nie należy nigdy stosować ich na siłę, wbrew woli chorego. Przy pewnej dozie cierpliwości na ogół udaje się chorego nakłonić do tej metody leczenia.

---

[1] J. Jaroszyński: *Leki w psychiatrii*. Wiedza Powszechna (seria „Omega"), Warszawa 1969.

[2] J. Smolaga: *Próba analizy patofizjologicznego mechanizmu śmierci nagłej u psychicznie chorych na podstawie własnych spostrzeżeń*. „Polski Tygodnik Lekarski", 1955, nr 23, str. 761–764.

Seria wstrząsów elektrycznych nie powinna przekraczać 8–10 zabiegów. Zwykle daje się je dwa do trzech razy w tygodniu. W wypadku bardzo ostrej psychozy, nasuwającej podejrzenie schizofrenii śmiertelnej, można je stosować nawet po kilka razy dziennie. Często po 8 wstrząsach elektrycznych występuje ostry zespół psychoorganiczny w postaci zamącenia i silnych zaburzeń pamięci. Leczenie wstrząsowe należy wówczas przerwać. Objawy zamącenia mijają zazwyczaj po kilku dniach, zaburzenia pamięci utrzymują się przez kilka tygodni.

Dawniej stosowano wstrząsy elektryczne w schizofrenii bez ograniczeń. Dawano kilkadziesiąt wstrząsów w jednej serii, serie powtarzano co kilka czy kilkanaście miesięcy. Tak duża liczba zabiegów prowadziła niekiedy do przewlekłych zespołów psychoorganicznych (otępienie organiczne), co wprawdzie nie było regułą, niemniej jednak fakt ten skłonił psychiatrów do większej ostrożności w stosowaniu tej metody leczenia.

Najczęstszym powikłaniem przy stosowaniu wstrząsów elektrycznych są złamania kręgosłupa, zazwyczaj piersiowego. Powikłania tego można uniknąć, stosując wstrząsy elektryczne w uśpieniu i w ogólnym zwiotczeniu. Metoda ta jest kłopotliwa, gdyż wymaga współpracy doświadczonego anestezjologa. Natomiast umożliwia ona stosowanie wstrząsów elektrycznych w tych wypadkach, gdy w wypadku zwykłych wstrząsów istnieją przeciwwskazania chirurgiczne lub internistyczne (np. choroby kości i stawów, niewydolność krążenia, nadczynność tarczycy, gruźlica płuc)[1].

Zapaści insulinowe były do niedawna metodą z wyboru w leczenia dopiero co ujawnionej schizofrenii, zwłaszcza jej postaci urojeniowej. Jedno leczenie obejmowało zwykle około 20 do 30 zapaści. Rozpoczynano je od małych dawek insuliny (10 do 20 jednostek), które każdego dnia podwyższano o dalsze 10 jednostek, aż u chorego wystąpiła po jednej do dwóch godzin od podania insuliny utrata przytomności. W tym stanie trzymano chorego od kilku do kilkudziesięciu minut, zapaść przerywano

[1] M. Sych, B. Winid, J. Gątarski, A. Treter: *Stosowanie wstrząsów elektrycznych w uśpieniu i kontrolowanym zwiotczeniu mięśniowym.* „Neurologia, Neurochirurgia i Psychiatria Polska", 1960, nr 1, str. 129–140.

podaniem dożylnym glukozy lub roztworu cukru przez zgłębnik do żołądka. Następnego dnia obniżano dawkę insuliny o połowę, by otrzymać najniższą dawkę, przy której chory traci przytomność (zapada w tzw. komę).

Największym niebezpieczeństwem zapaści insulinowych są tzw. zapaści przedłużone lub nieodwracalne. Mimo podania roztworu cukru przez zgłębnik czy glukozy dożylnie chory nie budzi się z zapaści. Dalsze podawanie glukozy jest wtedy zwykle bezskuteczne; czasem jej poziom we krwi dochodzi do kilkuset miligram-procent. Metabolizm komórek nerwowych uległ tu bowiem zakłóceniu — mimo dostatecznej ilości glukozy w środowisku nie są one w stanie zużyć jej do swych procesów metabolicznych, wskutek czego umierają z powodu głodu i niedotlenienia. Różnych sposobów próbuje się w takich tragicznych wypadkach, by chorego wyprowadzić z nieodwracalnej zapaści. Podaje się dożylnie lucidril (centrophenoxin), który działa stymulująco na układ siateczkowy pnia mózgowego i tym samym pobudza korę mózgową do większej aktywności. Podaje się glukozę (40%), by zwolnić proces tworzenia się obrzęku mózgu, który zwykle towarzyszy nieodwracalnej zapaści. Skuteczne nieraz okazuje się też przetoczenie krwi.

Wprowadzenie neuroleptyków bardzo osłabiło popularność leczenia zapaściami insulinowymi, między innymi wskutek tego, że leczenie to wymaga niezwykle troskliwej opieki pielęgniarskiej i jest dość żmudne, poza tym zawsze istnieje ryzyko zapaści nieodwracalnej. Natomiast leczenie neuroleptykami jest proste — podanie tabletki lub zastrzyku. Obawa o życie pacjenta właściwie w nim nie istnieje.

W wielu szpitalach psychiatrycznych w ogóle zaniechano leczenia insulinowego. W innych leczenie to ogranicza się tylko do tzw. „insuliny subkomatycznej", w której chorego nie doprowadza się do zapaści, tylko do głębokiego stanu przymroczenia. Leczenie to oczywiście jest znacznie bezpieczniejsze, gdyż nie ma w nim groźby komy nieodwracalnej.

Przeprowadzone w niektórych ośrodkach psychiatrycznych badania porównawcze nad działaniem insuliny komatycznej i neuroleptyków wykazywały, że leczenie neuroleptykami nie jest gorsze, a nawet niekiedy pozwala na uzyskanie lepszych wyników. Wśród wielu psychiatrów panuje jednak nadal przekonanie, że leczenie insulinowe daje w schizofrenii trwalsze wyniki niż leczenie neuroleptykami; po tym ostatnim częściej następują nawroty. Mają oni nieraz poczucie winy, że chorego nie dość dokładnie leczyli, jeśli nie zastosowali u niego pełnych zapaści insulinowych.

Leczenie neuroleptykami w przeciwieństwie do leczenia wstrząsami elektrycznymi i zapaściami insulinowymi nie jest kłopotliwe. Nie grozi poważnymi powikłaniami. Nie wywołuje u chorego lęku i na ogół chorzy poddają się mu bez oporu. (Czasem tylko wypluwają tabletki, gdy uważają, że podaje się ich za dużo; wówczas personel podaje je w roztworze). Do najczęstszych powikłań, których zresztą można uniknąć, dawkując leki ostrożnie i podając duże dawki witaminy z grupy B i C, należą uczulenia, uszkodzenie wątroby, prowadzące niekiedy do żółtaczki, i polekowy parkinsonizm. Ten ostatni z miejsca ustępuje po podaniu środków przeciwparkinsonowskich (np. parkopan). Na marginesie warto wspomnieć, że ostatnio środków tych jako halucynogenów używają polscy hipisi; parkopan w dużych dawkach wywołuje omamy.

Silnie działające neuroleptyki, np. majeptil czy haloperidol, mogą dosłownie w ciągu kilkunastu minut uspokoić najbardziej podnieconego chorego. Neuroleptyki określa się też żartobliwie jako „kaftan psychiczny". Rzeczywiście, chory ma często uczucie skrępowania ruchowego, ociężałości, jego bolesne problemy oddalają się, stają się jakby obce. Dzięki neuroleptykom zmienił się zasadniczo wygląd szpitali psychiatrycznych, nie różnią się one od zwykłych szpitali; chorzy podnieceni, którzy dawniej stwarzali z oddziału psychiatrycznego obraz małego piekła, obecnie należą do rzadkości. Personel lekarski i pielęgniarski przestał się bać chorych, a wiadomo, że lęk idzie w parze z agresją, która dawniej nierzadko na chorych się wyładowywała.

Jak wspomniano, liczba neuroleptyków będących w handlu jest tak duża, że trudno kusić się o podanie ogólnych wskazań. Pacjenci różnie reagują na neuroleptyki; u jednego działa dobrze ten, a u innego znów inny neuroleptyk; leczenie trzeba zawsze indywidualizować i zmieniać je zależnie od reakcji chorego. Również dawkowanie leku należy dostosować do potrzeb chorego; jednemu choremu wystarczą małe dawki, u innego trzeba stosować bardzo wysokie. Na ogół na początku leczenia, zwłaszcza gdy objawy występują w ostrej postaci, podaje się duże dawki, potem stopniowo się je zmniejsza. Po wyjściu ze szpitala chory powinien przez dłuższy czas zażywać leki psychotropowe; nagłe przerwanie leczenia zwykle prowadzi do nawrotu. Przy istnieniu komponentu depresyjnego dobrze jest na ogół podawać tymoleptyki, choć czasem zdarza się, że aktywują one proces schizofreniczny.

W schizofrenii przewlekłej podaje się nieraz leki psychotropowe latami; chorzy zresztą chętnie się po nie zgłaszają, twierdząc, że bez nich czują się źle, cierpią na bezsenność, nachodzą ich „złe myśli", wracają urojenia i omamy. Przy tak długim stosowaniu leków psychotropowych należy starać się zmniejszyć dawkę do minimum. Wciąż bowiem nie wiemy, czy długie ich podawanie rzeczywiście jest nieszkodliwe, czy nie prowadzi do trwałego nawet uszkodzenia ośrodkowego układu nerwowego.

Konieczność długotrwałego podawania leku sprawia, że chory musi stale zgłaszać się do swego psychiatry po recepty; dzięki temu coraz bardziej się do niego przywiązuje, lekarz staje się jego powiernikiem, tworzy się prawdziwa więź psychoterapeutyczna, choć nieraz spotkanie trwa tylko kilka minut.

Niekiedy chorzy uczą się sami sobie dawkować leki; gdy czują się gorzej, podwyższają sobie dawki. Wydaje się, że ten sposób postępowania nie jest zły. Leki psychotropowe działają bowiem przede wszystkim na objawy — zmniejszają lęk, a dzięki temu urojenia i omamy, poprawiają nastrój, usuwają bezsenność itd. Chory sam najlepiej wie, co najbardziej mu dolega, a mając już doświadczenie w działaniu leku, może go odpowiednio dawkować, oczywiście za wiedzą lekarza.

Gdy objawy schizofrenii są bardzo ostre i nie ustępują po podaniu neuroleptyków lub gdy komponent depresyjny jest oporny na tymoleptyki, wówczas wskazane lub wręcz konieczne jest (jak np. w wypadku podejrzenia schizofrenii śmiertelnej) zastosowanie wstrząsów elektrycznych. W bardzo ostrych psychozach można nawet podawać je dwa razy dziennie przez kilka dni (tzw. „bloki").

Płaszczyzna psychologiczna

Płaszczyzna psychologiczna w leczeniu schizofrenii, jak się zdaje, odgrywa rolę ważniejszą niż się ogólnie przyjmuje. Wprawdzie przesadne są twierdzenia zagorzałych zwolenników psychoterapii, że schizofrenię można wyleczyć wyłącznie tą metodą i że metody leczenia somatycznego są zbyteczne, nie trzeba jednak popadać w drugą skrajność i leczenie ograniczać wyłącznie do metod biologicznych. Chory na schizofrenię jest człowiekiem, który odciął się od normalnego świata i znalazł się w świecie innym, schizofrenicznym. Zadaniem psychiatry jest sprowadzić go z powrotem do „wspólnego świata", tzw. normy psychicznej.

By to się udało, granica między obu światami nie może być zbyt wielka, muszą się one do siebie zbliżyć. Psychiatra musi przede wszystkim starać się poznać i zrozumieć świat przeżyć chorego; tylko wówczas chory staje mu się bliski, musi nabrać do niego szacunku, niektóre przeżycia chorego pozwalają mu bowiem lepiej zrozumieć istotę ludzkiej natury. Chory zawsze oceni ten wysiłek lekarza, lekarz będzie dla niego jedynym człowiekiem, który potrafi go zrozumieć, świat ludzi zdrowych tym samym nie będzie dla niego tak obcy i wrogi.

W nastawieniach uczuciowych chorego na schizofrenię uderza ich nieprzewidzialność. Niekiedy naprawdę nie wiadomo, dlaczego chory jednych ludzi lubi, a innych nie cierpi. Amplituda uczuć jest w schizofrenii duża, na ogół nie ma uczuć letnich. Trudno doradzić, jak być lubianym przez chorego. Wydaje się, że istotną rolę odgrywa bezpośredniość stosunku lekarza do chorego. Chory na schizofrenię nie znosi i boi się wszelkiej maski, jest na nią szczególnie uczulony. Świat społeczny, który budzi w nim uczucie niepewności i lęku, wobec osoby z maską staje się jeszcze bardziej odpychający. Dlatego na ogół chorzy ci bardzo lubią dzieci; dzieci są bezpośrednie i wobec nich czują się oni bezpieczni.

Drugim ważnym wymaganiem w stosunku do chorego jest atmosfera ciepła. Otoczenie społeczne jest dla chorego obce, zimne, nieraz wrogie, chory odczuwa przed nim lęk, ucieka przed kontaktami z ludźmi. Brak mu ciepła środowiska macierzyńskiego, musi jakby na nowo przeżyć swoje dzieciństwo, odczuć macierzyńskie ciepło, czego czasem mu w życiu brakowało. Dlatego ważne jest, by lekarz czy pielęgniarka naprawdę lubili swych chorych. W szczególności stworzyć atmosferę „macierzyńskiego ciepła".

Jeśli w chorobach somatycznych i w nerwicach ważną sprawą jest autorytet lekarski, to w schizofrenii, jak się zdaje, nie odgrywa on większej roli. Chory na schizofrenię ma swoją hierarchię wartości, nie ocenia ludzi wedle przyjętych norm społecznych. Nie zaimponuje mu, że ktoś jest profesorem czy docentem.

Trzecim ważnym elementem stosunku do chorego jest szacunek. Nie można go traktować tylko jako chorego, tj. jako człowieka, który zszedł ze zwykłej ludzkiej drogi. Trzeba spojrzeć na jego świat z podziwem i szacunkiem. Ten świat jest może dla nas dziwny, zaskakujący, czasem śmieszny, a jednak ma w sobie coś wielkiego, jest w nim zmaganie się człowieka z samym sobą i z własnym otoczeniem, szukanie własnej drogi, jest to świat, w którym przejawia się to, co najbardziej w człowieku ludzkie. Trzeba też pamiętać o tym, że często niewiele rozumiemy z tego, co chory przeżywa, że do naszej świadomości dochodzą tylko fragmenty jego świata, że pod ekspresją pustki czy katatonicznego zahamowania kryć się mogą niezwykle bogate przeżycia. Gdy lepiej poznamy chorego, w jego przeżyciach znajdujemy nieraz własne skryte marzenia, tłumione uczucia, pytania, na które nie umieliśmy dać odpowiedzi i które z czasem przestały nas nękać. Chory staje się nam coraz bliższy, gdyż pomaga nam poznać lepiej samych siebie.

Czwartym wreszcie czynnikiem psychoterapeutycznym jest wolność. Na psychozę schizofreniczną można patrzeć jak na wybuch wolności: chory zrywa pęta dotychczasowych norm i sposobów zachowania się, które mu nieraz doskwierały, otwiera się przed nim nowy świat, czasem czuje się w nim władcą, częściej jednak jest przez ten świat, który wydobył się z jego własnego wnętrza, pokonany i owładnięty. Nie można chorego na siłę z powrotem wprowadzać do klatki normalnego życia. Trzeba raczej starać się choremu pokazać, że w zwykłym życiu są też sprawy, które mogą go pociągać, że nie jest ono tak szare i beznadziejne, jak mu się wydaje, i że teraz, po przejściu psychozy, wchodzi on w to życie bogatszy o wewnętrzne doświadczenie, co może mu pozwolić żyć inaczej, z głębszym spojrzeniem na siebie i na świat otaczający.

Przeciwnie niż w psychoterapii nerwic, nie można tu rozmów planować; nawet wyznaczanie ścisłych terminów spotkań jest czasem niewskazane. Najlepiej jest, gdy chory może przyjść do lekarza zawsze, gdy tylko czuje tego potrzebę, gdy decyzja należy do niego. Oczywiście w początkowych fazach leczenia ambulatoryjnego jest to trudne, gdyż chory nie ma jeszcze na tyle zaufania do swego psychiatry; początkowo może przychodzić wyłącznie dla pobrania recept, później jednak przychodzenie staje się jego wewnętrzną potrzebą. Niejednokrotnie odwiedza lekarza w domu, zaczepia go na ulicy, sam chce z nim porozmawiać. Chory musi czuć, że w każdej chwili znajdzie dostęp do swego psychiatry, że nie powie mu on: „dziś nie mam czasu, porozmawiamy jutro". Jutro może być za późno, jutro już chory nie powie tego, co chciał powiedzieć dzisiaj.

Niekiedy w czasie całego spotkania z lekarzem chory nie powie ani słowa, a dopiero gdy ma już wyjść, otwiera się, zaczyna mówić, czasem rzeczy bardzo ważne. Trzeba więc mieć dużo cierpliwości zarówno w wypadku milczenia, jak i chęci wynurzania się chorego. Jeśli w psychoterapii nerwic często planuje się temat rozmowy, a niektórzy psychoterapeuci usiłują nawet „manipulować" pacjentem, tzn. rozmowę tak prowadzić, by osiągnąć u niego pożądany efekt terapeutyczny, to w psychoterapii schizofrenii postępowanie takie jest zgoła niemożliwe. Chory z miejsca wyczuje sztuczność sytuacji i chęć lekarza kierowania jego osobą. Wyczuje to jako zamach na swą wolność osobistą. Fakt, że lekarz coś planuje, a tego chory nie wie, wywoła u niego lęk i nieufność; chory zamiast zbliżać się do lekarza, będzie od niego uciekać.

Wobec chorego obowiązuje maksymalna szczerość. Nie wolno go okłamywać, używać podstępu. Gdy trzeba chorego hospitalizować i gdy on na to stanowczo się nie zgadza, lepiej choremu wprost powiedzieć, że użyje się przemocy, niż stosować najsprytniejsze nawet podstępy[1]. W rozmowach z chorym należy więc zostawić przewodnictwo choremu; niech on mówi to, co

---

[1] A. Treter: *Uwagi na temat dobrowolności i przymusu w psychiatrii.* „Psychiatria Polska", 1969, nr 4, str. 479 i nast.

chce, niech sam rozmową kieruje; swoją rolę należy ograniczyć do roli słuchacza, który w miarę możności stara się jak najlepiej chorego zrozumieć. Czasem trzeba choremu dodać wiary w siebie, zachęcić do większej aktywności. Należy to robić z umiarem, w odpowiedniej chwili i niezbyt często.

Niekiedy chory żąda, by wytłumaczyć mu jego doznania. Nie jest to dla psychiatry łatwe zadanie, gdyż w większości wypadków wytłumaczyć ich nie potrafi; nasza wiedza psychiatryczna jest wciąż bardzo skąpa i więcej oparta na hipotezach niż na naukowych pewnikach. W próbach tłumaczenia zjawisk psychopatologicznych dobrze jest wyjść od zjawisk życia „normalnego" i patologię traktować jako wyolbrzymienie zjawisk zachodzących u każdego człowieka, tj. stać na stanowisku *continuum* — braku ostrej granicy między normą a patologią. Należy też choremu dyskretnie ukazać, jaką wartość mają jego psychotyczne przeżycia, w jaki sposób wiążą się one z jego dotychczasowym życiem, w jakim stopniu są wynikiem złego doń przystosowania i w jaki sposób życie to wzbogacają.

Dodatni aspekt psychozy polega na tym, że chory może teraz jakby głębiej wejść w życie, że nie będzie żył tylko na powierzchni, ale wiele spraw, zarówno tyczących własnej osoby, jak i otaczającego świata, zobaczy w nowym świetle. To nowe spojrzenie na siebie, w którym chory widzi swoje miejsce w zwykłym świecie, może być nieraz obroną przed stopniowym wygasaniem wraz z procesem chorobowym także życia uczuciowego.

Otępienie uczuciowe jest tym, czego najbardziej boimy się w schizofrenii i przed czym chorego staramy się uchronić. Niekiedy psychiatra jest jedyną osobą, z którą chory może się porozumieć i z którą może wejść w kontakt uczuciowy, a tym samym jest jedyną osobą broniącą go przed tzw. procesem wygasania. Jest to ciężar odpowiedzialności przekraczający możliwości psychiatry. Chory niekiedy chce mieć w nim przyjaciela, który wyciągnie go z jego kłopotów, obroni przed otoczeniem traktującym go jak „wariata", pomoże mu w znalezieniu pracy, przyjmie do swego domu, o każdej porze będzie z nim gotów prowadzić długie rozmowy itd. Psychiatra może bardzo lubić swoich chorych, ale nie może spełnić pokładanych w nim nadziei. Dużą pomocą są tu możliwości lecznicze należące już do płaszczyzny socjologicznej.

Płaszczyzna socjologiczna

Lęk przed ludźmi nieraz towarzyszy choremu na schizofrenię przez całe życie. Pojawia się on wcześnie, niekiedy już w dzieciństwie, częściej w wieku pokwitania. W chorobie urasta do wymiarów patologicznych, prowadząc niejednokrotnie do urojeń i omamów. Pierwszym zadaniem psychiatry jest zmniejszenie tego lęku i dzięki temu zbliżenie chorego do świata społecznego. Działa tu przede wszystkim osobowość lekarza i pielęgniarki, ich ciepły stosunek do chorego, chęć zrozumienia go i przyjścia mu z pomocą.

W szpitalu chory styka się jednak nie tylko z lekarzami, psychologami i pielęgniarkami, kontaktuje się też z salowymi, z personelem administracyjnym, a przede wszystkim z innymi chorymi i z własną rodziną, a także z rodzinami innych pacjentów. Wszyscy ci ludzie stanowią otoczenie społeczne chorego. Przy jego uwrażliwieniu na kontakty z ludźmi, gdy wystarczy nieopatrzne słowo, skrzywienie twarzy, gest zniecierpliwienia, by chory to natychmiast wziął do siebie i jeszcze bardziej wycofał się z kontaktów z ludźmi, trudno uniknąć urazów psychicznych w stosunku do chorego.

Przyjmując nawet istnienie idealnej społeczności terapeutycznej, w której wszystkie osoby stykające się z chorym są uwrażliwione na jego problematykę, starają się mu pomóc, zrozumieć go i być dla niego dobrymi, to jednak trzeba brać pod uwagę, że ludzie są ludźmi, mają swoje własne konflikty, często nie mają czasu, spieszą się itd., co w końcu zawsze w jakiś sposób odbija się na chorym. I nawet u dobrych psychiatrów spotyka się nastawienie typu „co on mi tu będzie głowę zawracał, gdy ja mam tyle ważniejszych spraw na głowie".

Poza tym granica oddzielająca zdrowych od chorych psychicznie szczególnie ostro zaznacza się właśnie w schizofrenii. Dotyczy to zwłaszcza neurotyków i psychopatów, którzy niejednokrotnie z pogardą odnoszą się do psychotyków, a szczególnie do chorych na schizofrenię; są specjalnie wyczuleni na ich dziwności zachowania się, wzmagają bowiem one ich utajony lęk przed chorobą psychiczną. Przeważnie reagują oburzeniem, gdy na ich oddziale umieści się chorego z ostrą psychozą.

Nawet u psychiatry — mimo pięknych oświadczeń o zrozumieniu i bliskości chorego — gdzieś w głębi może drzemać przekonanie, że to jednak jest człowiek „inny" — *varius*. Współczucie dla chorego nie jest czystym współczuciem, w którym jak gdyby wspólnie się czuje z drugim człowiekiem, tzn. ma się z nim współbrzmienie uczuciowe i stara mu się pomóc w jego cierpieniu, ale uczuciem zmieszanym z litością, a nieraz z lekceważeniem. Ten lekceważący stosunek do chorego przejawia się między innymi w popularnych dowcipach o „wariatach". Psychiatra, który takie dowcipy opowiada, z miejsca się dyskwalifikuje.

W hierarchii społecznej szpitala psychiatrycznego jako instytucji chory psychicznie stoi najniżej, nawet salowe czy sprzątaczki są „kimś lepszym", musi się on z nimi liczyć.

Wielu ludzi spoza psychiatrii odczuwa lęk przed psychicznie chorymi. Jest to lęk przed niespodziewanym; nigdy nie wiadomo, co człowieka może ze strony chorego spotkać, a poza tym jest to tajony lęk nerwicowy przed chorobą psychiczną („coś tajemniczego, nieznanego tkwi we mnie i może wybuchnąć"). Lęk ten zdarzać się może u lekarzy innych specjalności.

Na ogół więc lekarze, jeśli nie poświęcili się po studiach specjalizacji psychiatrycznej, wynoszą z uczelni medycznych powierzchowne i uproszczone wiadomości o tej dziedzinie medycyny. Przyczyną jest między innymi brak systematycznych, teoretycznych ustaleń w zakresie metodologii nauczania psychiatrii, a praktyka dotycząca treści zajęć dydaktycznych z tego przedmiotu jest na ogół przypadkowa. Ten stan w efekcie odbija się ujemnie na leczeniu chorych psychicznie. O postęp w tej dziedzinie walczył już Romuald Pląskowski[1], światły pionier naszej psychiatrii.

Do niedawna psychiatrzy bali się autoagresji i agresji swych chorych. Stosując różne mniej lub bardziej przemyślne sposoby, starali się zabezpieczyć chorych przed samobójstwami i samookaleczeniami, a otoczenie chronić przed agresją chorych i ich próbami ucieczki. Wolność chorego była zredukowana do minimum. W ten sposób godzono w to, co dla chorego na schi-

[1] H. Dzikowski: *Romuald Pląskowski — pierwszy polski docent psychiatrii*. „Archiwum Historii Medycyny", 1965, nr 4, str. 361 i nast.

zofrenię bywa niejednokrotnie sprawą najważniejszą, w jego poczucie wolności. Uczucia emanują — lęk budzi lęk, agresja agresję. Nic też dziwnego, że tajona, a tym bardziej jawna postawa lękowo-agresywna w stosunku do chorego odbijała się — i to ze wzmożoną siłą — na jego stosunku do personelu. Ucieczki, ataki agresji i autoagresji były znacznie częstsze przy stosowaniu nadmiernie rygorystycznej opieki nad chorymi niż obecnie, gdy dąży się do udostępnienia im największej możliwej swobody.

Jak wspomniano, zasadniczą zmianę postaw w stosunku do chorego wywołało wprowadzenie neuroleptyków. Świadomość, że chorego można łatwo uspokoić, zredukowała do minimum nastawienie lękowe wśród personelu. Chory psychicznie niewiele różni się od chorych spotykanych w szpitalach innych specjalności. Laicy dziwią się, że na oddziałach psychiatrycznych jest spokojnie, że nie ma już „prawdziwych wariatów".

W związku z tym zmienia się model szpitalnictwa psychiatrycznego. W drugiej połowie ubiegłego stulecia, gdy zapanowała przesadna może naukowość w psychiatrii, sprowadzająca zagadnienia psychiatryczne do spraw genetyki i zmian organicznych mózgu, a w cień spychająca pinelowskie[1] zasady „leczenia moralnego", wytworzył się model wielkich szpitali (zakładów) psychiatrycznych, mieszczących od tysiąca do kilku tysięcy chorych, usytuowanych w miejscach raczej odludnych, by utrudnić chorym ucieczki i kontaktowanie się ze światem ludzi normalnych. Te *de facto* „miejsca odosobnienia", odgrodzone wysokimi murami, z pilnie strzeżonymi bramami, a nawet wieżami wartowniczymi, jak w więzieniach lub obozach koncentracyjnych, miały przede wszystkim odizolować chorych psychicznie od społeczeństwa ludzi zdrowych. Ludzie dziedzicznie obciążeni „dziedziczną skazą" lub „zepsutym" mózgiem, stanowili potencjalne niebezpieczeństwo dla ludzi zdrowych. Było to stanowisko całkowicie fałszywe, gdyż przestępczość wśród chorych psychicznie jest — jak wskazują codzienne obserwacje psychiatrów sądowych i pracowników władz wymiaru sprawiedliwości — raczej niższa niż wśród zdrowych.

---

[1] K. Spett: *Filip Pinel — reformator psychiatrii.* „Przegląd Lekarski", 1947, nr 10, str. 370–375.

Panowała też atmosfera terapeutycznego pesymizmu, niewiele bowiem można zdziałać, gdy mózg jest uszkodzony lub gen wadliwy. Dopiero wspomniane już wprowadzenie leczenia zimnicą przez Wagnera Jauregga (za co zresztą otrzymał on w r. 1927 nagrodę Nobla) tchnęło pewien optymizm w ówczesną psychiatrię. Trzeba było jednak jeszcze długo czekać na zmianę zasadniczych postaw w stosunku do chorych psychicznie. Do zmiany tej przyczyniła się bezsprzecznie druga wojna światowa, która ukazała zbyt jaskrawo, co naprawdę może tkwić w tzw. normalnym człowieku. Od niej też datuje się „walka o otwarte drzwi w psychiatrii", zapoczątkowana w Anglii.

Lęk przed szpitalem psychiatrycznym utrzymał się jednak do tej pory. Dla wielu jest on nadal miejscem izolacji ludzi niebezpiecznych dla otoczenia, którzy powinni tam przebywać do końca życia, by nie narażać spokojnych obywateli na swoje niezwykłe sposoby zachowania się. Wprawdzie obecnie pobyt w szpitalu jest znacznie krótszy i chory wraca z powrotem, to jednak w społeczeństwie panuje przekonanie, że ze szpitala nigdy się nie wychodzi, a pytanie: „czy ja stąd wyjdę", należy wśród chorych do pytań często stawianych.

Dziś wraca się do modelu szpitala z pierwszej połowy ubiegłego stulecia: szpitala małego, nie przekraczającego stu łóżek. W szpitalu takim łatwiej stworzyć „społeczność terapeutyczną"[1] — ludzie żyją w bliskim kontakcie, stale się ze sobą widują, znają swoje sprawy i kłopoty, granica między personelem a chorymi nie jest zbyt ostra. Dąży się też do przeniesienia ciężaru leczenia z lecznictwa zamkniętego na otwarte. Póki możliwe, staramy się chorego utrzymać w jego normalnym środowisku, próbując za pomocą opieki społecznej (asystenci społeczni)[2] poprawić jego warunki życia w pracy i w domu.

W razie wystąpienia ostrych objawów psychotycznych można chorego umieścić nawet w szpitalu ogólnym, jeśli jest w nim oddział psychiatryczny lub kilka łóżek psychiatrycznych.

---

[1] H. Wardaszko-Łyskowska: *Analiza roli socjoterapii we współczesnej psychiatrii*. AM, Warszawa 1966 (powielone).

[2] T. Reguła-Adolf: *Problemy pozakliniczne psychicznie chorego (uwagi asystenta społecznego)*. „Psychiatria Polska", 1969, nr 4, str. 485 i nast.

Współczesne metody farmakologiczne umożliwiają uspokojenie chorego w krótkim czasie, a samobójstwu nie zapobiegną najbardziej przemyślne metody kustodialne. Chorzy dokonują samobójstwa nawet częściej wtedy, gdy są pilnie strzeżeni, niż gdy zostawia się im więcej swobody.

Leczenie ostrych psychoz w szpitalach ogólnych stawia znak równości między chorobą psychiczną a somatyczną. Zresztą w wypadku chorób somatycznych zdarzają się nierzadko ostre epizody psychotyczne i zwykle chorego nie przenosi się wówczas do szpitala psychiatrycznego, tylko leczy się go psychiatrycznie na miejscu. Oczywiście zależy to w dużym stopniu od nastawienia lekarzy do psychiatrii; jeśli nie boją się oni psychicznie chorych, to wówczas nie mają zastrzeżeń, by chory — nawet silnie podniecony — pozostał nadal na ich oddziale.

Ideałem byłoby, gdyby każdy szpital miejski lub powiatowy dysponował łóżkami czy małym oddziałem psychiatrycznym. Wówczas stopniowo w społeczeństwie zacierałaby się różnica między chorobą somatyczną a psychiczną. Chory nie wychodziłby ze szpitala z „pieczątką" szpitala psychiatrycznego, która bardzo utrudnia mu życie. Po cofnięciu się ostrych objawów psychotycznych chory leczyłby się dalej ambulatoryjnie.

Ważne jest, by ten sam lekarz prowadził leczenie szpitalne i ambulatoryjne. W psychiatrii bowiem kwestia zaufania jest sprawą zasadniczą, a trudno mieć zaufanie do wciąż innego lekarza. W razie gdyby chory wymagał dłuższego lub intensywniejszego leczenia lub gdyby zachodziła konieczność odizolowania go na jakiś czas od traumatyzującego środowiska domowego czy od pracy, wówczas przechodziłby on leczenie we właściwym szpitalu psychiatrycznym. Przy tym hospitalizacja psychiatryczna byłaby nieraz potrzebna nie tylko psychotykom, lecz także neurotykom i psychopatom. Szpital psychiatryczny powinien więc być zawsze przewidziany zarówno dla chorych z „małej", jak „wielkiej" psychiatrii.

Wydaje się, że na ogół lepiej jest przyjmować do szpitala psychiatrycznego chorych różnego rodzaju — zarówno co do wieku, płci, klasy społecznej, jak co do rozpoznania. Oddzielanie od siebie neurotyków i psychotyków, z wyjątkiem ostrych psychoz, nie jest, jak się zdaje, słuszne. Na zasadzie mechanizmów obronnych neurotyk zamyka się w kręgu swojej pseudonormalności, odczuwa coraz większy lęk przed chorymi psychicznie. Gdy z nimi zetknie się bezpośrednio, przekona się, że nie są oni „tacy inni" niż on, poza tym może on od psychotyka nauczyć się wyjścia ze swej pozycji neurotycznego egocentryzmu.

Psychotycy, a zwłaszcza schizofrenicy, w grupie są bowiem często społecznie nastawieni do otoczenia, przejmują się losem innych chorych, starają się im pomóc, nie podkreślając swoich potrzeb i cierpień. Zachowaniem swym przeciwstawiają się więc denerwującemu egocentryzmowi neurotyków, którzy uważają się za najbardziej chorych i najnieszczęśliwszych na świecie i poza ich losem nic ich nie obchodzi. Stanowią dla nich jakby dobry przykład, pod ich wpływem neurotycy mogą wyjść z postawy egocentrycznej, co jest bardzo ważnym etapem w ich leczeniu. Natomiast psychotycy pod wpływem neurotyków uczą się przyjmować normalny styl życia, wdrażają się w normy życia społecznego, dzięki nim łatwiej im nieraz powrócić do „wspólnego świata" ludzi normalnych[1].

Chory na schizofrenię jest człowiekiem, który nie czuje się i nie czuł pewnie w otaczającym go świecie społecznym. Jego stosunek do życia ma często charakter ucieczkowy. Pierwszym zadaniem społeczności terapeutycznej jest więc dążenie do tego, by w środowisku szpitalnym czuł się on dobrze, by nie czuł w nim zagrożenia, by środowisko to było dla niego czymś w rodzaju „środowiska macierzyńskiego". Jak już podkreślano, środowisko macierzyńskie odgrywa ważną rolę w rozwoju nie tylko człowieka, ale też i zwierząt, zwłaszcza wyższych, u których zdolność do samodzielnego życia pojawia się w dłuższy czas po urodzeniu. Dzięki niemu utrwala się postawa „do", istotna dla nawiązania interakcji z otoczeniem (dla metabolizmu informacyjnego).

Trudno powiedzieć, w jakim stopniu chorzy na schizofrenię odczuwają brak tego środowiska w swym dzieciństwie i w jakim stopniu warunkuje to u nich przewagę postawy „od" i tym samym redukcję metabolizmu informacyjnego. Zwolennicy teorii schizofrenogennej rodziny podkreślają wpływ wczesnego dzieciństwa na rozwój psychozy. Ale nawet w wypadku przyjęcia

---

[1] A. Walczyńska: *Interpersonal relations among neurotic and psychotic patients*. „Acta Medica Polona", 1968, nr 3, str. 281 i nast.

koncepcji genetycznych sprawa zmiany zasadniczej postawy uczuciowej wobec otoczenia jest węzłowa w leczeniu schizofrenii.

Dla tej zmiany istotne jest, by chory poczuł „macierzyńskość środowiska", by czuł wokół siebie atmosferę ciepłą i bezpieczną. Gdy nie miał jej w dzieciństwie, pozwoli mu to jakby przeżyć swe dzieciństwo na nowo. A gdy na skutek działania czynników genetycznych miał od najmłodszych lat nastawienie „od" otoczenia, to odczucie bezpieczeństwa i serdeczności w otaczającym go środowisku pozwoli mu choć trochę osłabić to nastawienie i może postawa „do" zacznie u niego przeważać. Zacznie się nieśmiało do świata zbliżać, ludzie staną się mu bliscy, nie będzie się bał osób płci przeciwnej, zacznie nawiązywać znajomości i flirty.

Nie są to zmiany tak trudne do zrealizowania, jak by się wydawało. Nieraz na oddziale psychiatrycznym obserwuje się, jak chory najbardziej autystyczny zaczyna stopniowo przybliżać się do innych chorych, próbuje z nimi rozmawiać, niekiedy w klubie, zachęcony przez innych pacjentów, czasem pierwszy raz w życiu zaczyna tańczyć, nagle dostrzega, że może być atrakcyjny dla osób płci przeciwnej, nieśmiało zbliża się do nich, nawiązują się znajomości, a nawet miłości.

Miłość erotyczna odgrywa, jak się zdaje, bardzo ważną rolę w leczeniu schizofrenii, przywraca ona choremu wiarę w siebie, czuje się on kochany i akceptowany przez najbliższą osobę, a osoba ta dzięki działaniu miłości staje się przedstawicielem całego świata. Świat z ponurego i groźnego zmienia się w radosny i przyjazny. Należy więc dążyć do jak najbardziej koedukacyjnego prowadzenia szpitala. Chorzy i chore powinni jak najwięcej razem ze sobą przebywać — w klubie, na zebraniach oddziałowych, przy pracy, przy wspólnych posiłkach, na wspólnych wycieczkach, w czasie psychoterapii grupowej itd.[1]

W rozdziale poprzednim starano się przedstawić hipotezę, że w schizofrenii wskutek niemożności realizacji zasadniczych postaw uczuciowych („do" i „od"), co właściwie stanowi istotę autyzmu, dochodzi do przerostu postawy specyficznie ludzkiej — „nad", która nie realizuje się w świecie realnym, ale patolo-

---

[1] W. Szelenberger: *Terapia zajęciowa na psychiatrycznym oddziale dziennym*. „Psychiatria Polska", 1970, nr 6, str. 667–670.

gicznym, powstałym dzięki przerwaniu granicy między światem własnym a otaczającym (projekcja). Stąd „metafizyczny” nurt schizofrenii i dlatego jest to choroba tak bardzo ludzka. W terapii należy dążyć, by te tendencje do twórczości, do przekształcania świata, do filozofowania itp. wyprowadzić ze świata autystycznego w świat wspólny i realny.

Dlatego szczególnie ważna jest terapia zajęciowa. Nie chodzi tu o formalną terapię zajęciową w rodzaju plecenia koszyków czy robienia ozdóbek i świecidełek, ale o taką, w której chory może zrealizować swoje tendencje twórcze. Jeden chory lubi pisać, inny rysować czy malować, inny znów majsterkować itd.; należy te skłonności i zainteresowania chorego podsycać i stworzyć mu możliwości pracy w tym, co go interesuje.

Należy też dążyć do wzmocnienia wiary chorego we własne możliwości, tj. akceptować jego twórczość, urządzać wystawy, prowadzić wspólne dyskusje nad „dziełem” chorego. Kwestia akceptacji „dzieła” jest ważna dla każdego człowieka i wiadomo, jak jej brak może działać traumatyzująco. Szczególnie jednak ważna jest ona w schizofrenii, gdy chory czuje się przez świat społeczny odrzucony i niepotrzebny.

Często u chorych na schizofrenię obserwuje się wzajemne zrozumienie i chęć zbliżenia się do siebie; chorzy często łączą się na oddziale samorzutnie w małe grupy, chętniej przebywają ze sobą niż z pacjentami o innych rozpoznaniach. Łączy ich jakby wspólna więź, że oni weszli głębiej w życie niż reszta ludzi. Tworzy się swoista *societas schizophrenica*. Gdy chorzy już po wyjściu ze szpitala zgłaszają się po recepty czy do klubu byłych pacjentów, to często samorzutnie tworzą między sobą coś w rodzaju grupowej psychoterapii. W małych grupach dyskutują o swoich sprawach, czytają niekiedy swoje pamiętniki czy próby literackie lub filozoficzne, starają się sobie nawzajem pomóc w sprawach życiowych. Na ogół nie lubią, gdy ktoś spoza ich grona, choćby nawet z własnej rodziny, wtrąca się do ich spraw.

W organizowaniu życia społecznego chorych na oddziale czy też chorych ambulatoryjnych należy umiejętnie wyzyskiwać przedstawione skłonności społeczne i inicjować stosowne formy aktywności chorych. Nie należy przy tym zapominać, że w schizofrenii jest silne usiłowanie i pożądanie wolności, a chory nie znosi żadnego rodzaju nacisku. Nie można go więc zmusić do udziału w życiu społecznym, lecz raczej stworzyć takie warunki, by w grupie czuł się dobrze i bezpiecznie, by czuł, że jego wypowiedzi, jego próby twórczości są respektowane i wzbudzają zainteresowanie i dyskusję. Wtedy można się spodziewać, że chory włączy się spontanicznie do oczekiwanych u niego zajęć.

W prowadzeniu psychoterapii grupowej należy też trzymać się zasady zostawiania jak największej swobody chorym zarówno w wypowiedziach, jak i w zachowaniu się. Nie należy zbytnio przejmować się planowaniem posiedzenia terapeutycznego; chorzy zawsze mają sami wiele interesujących spraw do powiedzenia. Często też sami korygują postawy innych chorych. Niejednokrotnie uważają swoje urojenia za prawdziwe fakty, a urojenia swoich towarzyszy traktują jako chorobowe i starają się ich przekonać, że nie mają racji. Zwykle chory więcej wierzy drugiemu choremu niż lekarzowi. Dlatego rozmowy chorych w grupie na temat swych doznań łatwiej mogą wyzwolić u nich postawę krytyczną niż rozmowy z lekarzem.

Opuszczając szpital, chory zazwyczaj znajduje się w bardzo trudnej sytuacji. Otoczenie, zarówno w domu, jak i w pracy, pamięta jego psychotyczne zachowanie się i jakby z niepokojem oczekuje, kiedy na nowo ono wybuchnie. Człowiek, który wyszedł ze szpitala psychiatrycznego, nie budzi już zaufania w środowisku, które jest przekonane, że nigdy nie wiadomo, co może on zrobić. Jest to niestety dość powszechne nastawienie społeczeństwa „ludzi psychicznie zdrowych”, bardzo trudne do zwalczenia. Nie jest przyjemnie czuć na sobie baczne oko otoczenia, które wypatruje w człowieku nienormalności.

Trzeba wciąż się mieć na baczności, by znów z kręgu ludzi normalnych nie wyskoczyć.

To, co u zwykłego człowieka jest poczytywane jako objaw złego humoru, chwilowego nastroju lub rozdrażnienia, to u byłego pacjenta jest brane jako nawrót choroby. Choremu trudno wrócić na dawne stanowisko w pracy; ludzie patrzą, jak się zachowuje, najmniejsze uchybienie traktują jako objaw choroby. Kończy się zwykle tym, że chory zostaje z pracy zwolniony, przełożeni nie mają do niego zaufania, idzie na rentę, a to jest zwykle początkiem jego degradacji społecznej.

Prowadząc życie bezczynne, coraz bardziej izoluje się od ludzi, dziwaczeje, zamyka się w sobie; mówi się wówczas o otępieniu lub defekcie. Gdyby nie renta, ten sam człowiek mógłby nadal względnie sprawnie egzystować. Okazuje się bowiem, że chorzy nawet z trwającymi objawami schizofrenii (np. urojeniami i omamami) mogą nieraz zupełnie dobrze wywiązywać się ze swoich obowiązków. Są zwykle nawet bardziej obowiązkowi niż zdrowi pracownicy, mają małe wymagania, unikają konfliktów, toteż niejednokrotnie rozumni przełożeni traktują ich jako pracowników wzorowych.

Kłopoty zaczynają się dopiero wówczas, gdy w miejscu pracy rozniesie się wiadomość, że dany pracownik kiedyś chorował psychicznie; wówczas jest już otoczony aurą nieprzewidzialności. Pieczątka szpitala psychiatrycznego zawsze bowiem stwarza wokół człowieka atmosferę niepokoju: „co on to jeszcze może zrobić". Niekiedy dobrze jest, gdy chory po wyjściu ze szpitala zmieni zupełnie swoje środowisko i znajdzie się wśród ludzi, którzy nie wiedzą nic o jego chorobowej przeszłości.

W Polsce jeszcze za mało doceniana jest rola asystentów społecznych. Oni mogą bardzo wiele pomóc w ułatwieniu choremu adaptacji do pracy, mogą wpłynąć na zmianę nastawienia do chorego w jego środowisku pracy czy nawet domowym. Dzięki nim chory znajduje pomoc w załatwieniu różnych skomplikowanych nieraz spraw natury biurokratycznej.

Po wyjściu ze szpitala chory powinien pozostać nadal w leczeniu ambulatoryjnym, najlepiej u tego lekarza, który prowadził go w szpitalu, gdyż on zna go najlepiej i do niego chory ma zaufanie. Opieka taka nieraz może trwać latami. Nie należy jej jednak przeciągać na siłę. Gdy chory czuje się całkiem dobrze i w życiu daje sobie względnie nieźle radę, można choremu śmiało zostawić inicjatywę, kiedy ma do lekarza się zgłaszać. Wówczas przyjdzie do niego sam, gdy poczuje się gorzej lub gdy będzie miał jakieś życiowe kłopoty. W leczeniu ambulatoryjnym warto, jak się zdaje, większy nacisk kłaść na elementy natury socjologicznej — organizowanie klubów byłych pacjentów, psychoterapii grupowej, ośrodków twórczości i dyskusji. Korzystanie z więzów sympatii, jakie między chorymi na schizofrenię spontanicznie się zawiązują, w postaci ułatwiania organizowania się swoistej *societas schizophrenica*, może okazać się ważnym czynnikiem przeciwdziałającym schizofrenicznemu otępieniu.

Niezwykle intensywne badania nad biochemią schizofrenii, prowadzone w wielu krajach od kilkudziesięciu lat, pozwalają psychiatrom mieć nadzieję, że może nareszcie zostanie wynaleziony „cudowny" lek na schizofrenię. Nie podważając optymizmu tych przewidywań, należy pamiętać, że nawet gdyby taki lek istniał, metody leczenia psychosocjologicznego nie stracą swej aktualności. Nie można bowiem człowieka wyleczyć tylko środkiem chemicznym.

Fakt, że schizofrenia odsłania niezwykłe bogactwo ludzkiej natury, w pewnym sensie zobowiązuje lekarza do maksymalnego wysiłku w jej leczeniu.

Przyszłe pokolenia, zapoznając się po latach z historycznym już dla nich wtedy materiałem naszej współczesności psychiatrycznej, spojrzą z góry na obecne niedoskonałe i urywkowe rozumienie istoty chorób psychicznych, wśród nich schizofrenii, i niewykluczone, że z niechęcią ocenią metody leczenia, którymi dysponujemy. Rzecz w tym, aby potomność nie postawiła naszemu pokoleniu — psychiatrów i środowiska chorego — zarzutu, że nie wyzyskaliśmy wszystkich możliwości leczenia i niesienia ulgi chorym na schizofrenię.

Wskazówki bibliograficzne

Ze względu na ogrom piśmiennictwa dotyczącego schizofrenii, a narastającego dosłownie z każdym tygodniem, zrezygnowano w niniejszej książce z bezcelowej próby odwoływania się do większej liczby choćby najważniejszych pozycji w obrębie poszczególnych rozdziałów. W przypisach zostały przytoczone tylko wybrane prace, które wiążą się bezpośrednio z poruszonymi zagadnieniami szczegółowymi. Dzięki temu czytelnik może sięgnąć do niektórych prac mogących go zainteresować. Natomiast ewentualne pogłębianie analizy w celach naukowych wymaga już studiów wychodzących poza problematykę tej książki, która oczywiście nie mogła wyczerpać wszystkich zagadnień, jakie w obfitym piśmiennictwie światowym opracowywano w związku z badaniami problemu schizofrenii.

Ważniejsze publikacje naukowe na temat schizofrenii liczy się obecnie w dziesiątkach tysięcy pozycji. Próby pobieżnej nawet orientacji w tym dorobku wymagają specjalnych poszukiwań bibliograficznych. Do najlepiej opracowanych informacji tego typu należą pozycje następujące:

1) „Medicinskij Referatiwnyj Żurnał". Moskwa (w r. 1970 ukazał się rocznik XIV. Ten miesięcznik w osobnej serii pt. „Psichiatrija" zawiera dział pt. *Szyzofrienija*.

2) „Excerpta Medica". The International Medical Abstracting Service, Section VIII: Neurology and Psychiatry. Amsterdam (miesięcznik).

W ostatnich latach „Excerpta Medica" wydzieliły osobny dział przeznaczony psychiatrii.

Wymienione pomoce mają zasięg międzynarodowy i podają w wyborze bibliografię psychiatryczną, w której wyodrębniają prace poświęcone schizofrenii. Opisy bibliograficzne tych prac są tam opatrzone krótkimi notami-streszczeniami.

Kilkutysięczne wykazy publikacji na temat schizofrenii, poprzedzone krótkimi charakterystykami ogólnymi, są przedmiotem następujących opracowań:

3) G. Benedetti, H. Kind, A. S. Johansson: *Forschungen zur Schizophrenielehre 1956–1961*. „Fortschritte der Neurologie, Psychiatrie und ihrer Grenzgebiete", 1962, z. 9, str. 445–505.

4) G. Benedetti, H. Kind, V. Wenger: *Forschungen zur Schizophrenielehre 1961–1965*. Übersicht (Teil II). Tamże, 1967, z. 2, str. 41–121.

Charakter zbiorczego informatora bibliograficznego mają też pozycje, takie jak:

5) L. Bellak: *„Dementia praecox". The past decade's work and present state. A review and evaluation*. Grune, New York 1948 (i kolejne wydania).

Tego typu pomoce ułatwiają ogólną orientację w zakresie piśmiennictwa na temat schizofrenii, ale eksponują one głównie literaturę wydawaną w językach kongresowych.

W obrębie poszczególnych zagadnień składających się na problematykę dotyczącą schizofrenii można wskazać na takie opracowania, jak:

6) B. Pauleikhoff: *Die Katatonie (1868–1968)*. „Fortschritte der Neurologie, Psychiatrie und ihrer Grenzgebiete", 1969, z. 9, str. 461–496.

Wymieniona pozycja wyróżnia się tym, że jest opisową próbą syntezy 100-letniego piśmiennictwa na temat katatonii, a stosunkowo szczupły wykaz bibliografii preferuje prace, zdaniem autora, najważniejsze.

7) *Évolution de la schizophrenie. Confrontations Psychiatriques*, 1968, nr 2, (wyd. Specia w Paryżu). Jest to zbiór prac poświęconych przeglądowi zagadnień dotyczących rozwoju badań nad schizofrenią zwłaszcza w zakresie psychoterapii. Poszczególne pozycje zeszytu są opatrzone wyborem piśmiennictwa.

Prace polskie są łatwe do odszukania, ponieważ podaje je wszystkie wyróżniająca zakres schizofrenii *Polska bibliografia lekarska* pod red. S. Konopki (Warszawa, PZWL; w r. 1970 bibliografia ta została doprowadzona do roku 1963). Edycja ta ukazuje się z opóźnieniem, ale zastępczo jest wydawany prawie bieżąco „Przegląd Piśmiennictwa Lekarskiego Polskiego" (miesięcznik powielany; wyd. Główna Biblioteka Lekarska), który również wyróżnia w indeksie dział poświęcony schizofrenii (są tam uwzględnione tylko prace ogłoszone w polskich czasopismach lekarskich).

Osobnej książkowej monografii na temat schizofrenii dotychczas w Polsce nie opublikowano. Natomiast problematyka ta w swym podstawowym zakresie jest przedmiotem odrębnych rozdziałów w podręcznikach psychiatrycznych, z których należy wymienić najważniejsze:

8) T. Bilikiewicz: *Psychiatria kliniczna*. Wyd. 4, PZWL, Warszawa 1969;

9) L. Korzeniowski: *Zarys psychiatrii*. Wyd. 3, PZWL, Warszawa 1970.

Niektóre podstawowe wiadomości w zakresie schizofrenii znajdują się w podręcznikach dla specjalistów, np.:

10) M. Cieślak, K. Spett, W. Wolter: *Psychiatria w procesie karnym*. Wydawn. Prawnicze, Warszawa 1968.

W języku polskim brak specjalnego informatora bibliograficznego orientującego o treści publikacji psychiatrycznych, w związku z czym brak także podstawowej pomocy bibliograficznej dotyczącej schizofrenii.

Po trzydziestu latach...

Wojciech Eichelberger

To dobrze, że po prawie trzydziestu latach ta ważna książka ponownie się ukazuje. Chcę wierzyć, że jej nowa edycja zwiastuje rychły zwrot w powszechnym sposobie myślenia o etiologii i terapii chorób psychicznych, a zarazem wyznacza początek końca ery genetycznego determinizmu i farmaceutycznej dyktatury w psychiatrii.

Gdy *Schizofrenia* ukazała się po raz pierwszy w połowie lat siedemdziesiątych ubiegłego stulecia, świat przeżywał już schyłek dekady pełzającej rewolucji „dzieci kwiatów", która w zgodzie ze swym naczelnym przesłaniem — *make love not war* — dokonywała nie tylko głębokiej przemiany obyczajowości, ale także humanizującej transformacji myślenia o roli i sposobie uprawiania wszystkich dziedzin wiedzy i praktyki związanych z sytuacją człowieka w świecie. A więc przede wszystkim: edukacji, religii, sztuki, polityki, ekologii, socjologii, antropologii, psychologii, a także medycyny i psychiatrii.

Pierwsze zwiastuny odchodzenia od stricte biologicznego sposobu uprawiania psychiatrii pojawiają się w Europie już na samym początku lat sześćdziesiątych, kiedy wybitny angielski psychiatra Ronald David Laing (1927–1989) publikuje *The Divided Self*, w której stawia radykalną tezę, że choroba psychiczna często bywa jedyną adekwatną, a więc zdrową reakcją na zwariowany świat, w jakim przychodzi nam żyć. Pięć lat później, w roku 1965, otwiera w Londynie swoją słynną klinikę Kingsley Hall, gdzie cierpiący na schizofrenię mogą w bezpiecznych i humanitarnych warunkach przeżywać kryzys psychotyczny nie zakłócany interwencją chemiczną ani żadnymi innymi terapiami biologicznymi, takimi jak np. elektrowstrząsy.

Metoda Kingsley Hall oparta była na założeniu, że psychoza jest w istocie kluczową fazą procesu samoregulacji funkcji psychicznych organizmu w sytuacji kryzysu, zmierzającego do nowego, bardziej twórczego sposobu ułożenia sobie relacji z otoczeniem. Jeśli tak, to wszelkie biologiczne interwencje w jego przebieg nie dość, że tracą swój terapeutyczny sens to na dodatek sprawiają, że objawy psychotyczne muszą powracać, ponieważ proces ten nie może się w tych warunkach dopełnić. W rezultacie to, co mogłoby być sposobem dochodzenia do zdrowia, przekształca się w chroniczną chorobę. Stosując takie absolutnie rewolucyjne podejście do problemu schizofrenii, Laing odniósł kilka spektakularnych sukcesów, ale po pięciu latach eksperyment zarzucono ze względu na opór konserwatywnej większości w środowisku lekarskim i zbyt duże koszta leczenia.

Zdawać by się mogło, że do Polski odciętej wówczas od świata żelazną kurtyną niewiele z tego, co działo się poza nią, miało szansę dotrzeć. Ale nie mamy się czego wstydzić. Bowiem już w roku 1964 ukazuje się w Polsce praca profesora Kazimierza Dąbrowskiego (1902–1980) *O dezintegracji pozytywnej*, w której na zasadzie kongenialności (bo nic nie wskazuje na to, żeby Laing mógł ją znać) zawarte są tezy analogiczne do założeń kliniki Kingsley Hall. Według Dąbrowskiego zaburzenia psychiczne to nie choroby, lecz przejawy pozytywnego procesu rozwojowego od niższych form organizacji osobowości do wyższych. Gdy w roku 1965 profesor Dąbrowski zaczyna wykładać na kanadyjskim Uniwersytecie Alberta, a w roku 1970 wydaje swoją teorię dezintegracji pozytywnej w języku angielskim — pod tytułem *Mental Growth Trough Positive Desintegration* — jego nazwisko i jego teoria stają się znane w całym świecie.

Dopiero dziesięć lat po ukazaniu się *O dezintegracji pozytywnej*, czyli w roku 1974, pojawia się w księgarniach, niemal równolegle ze *Schizofrenią*, książka napisana przez doktora psychiatrii Kazimierza Jankowskiego pod tytułem *Od psychiatrii biologicznej do humanistycznej*, która bardzo szybko stała się ideologicznym manifestem części młodego pokolenia polskich psychiatrów, psychologów i psychoterapeutów. Podobnie jak u Lainga sprawa nie kończy się na słowach. Z inspiracji Jankowskiego powstaje niebawem wielki program środowiskowej terapii i rehabilitacji schizofreników na warszawskim

Ursynowie i związany z nim ośrodek „Synapsis", który wygenerował z siebie wiele innych, cenionych placówek terapii i psychoterapii. Projekt „Synapsis", oparty na założeniach podobnych do założeń Lainga i Dąbrowskiego, ale mniej radykalnych, przetrwał przez następne ćwierćwiecze — i okazał się bardzo skutecznym.

Na tym historycznym i ideowym tle lat sześćdziesiątych i siedemdziesiątych książka profesora Kępińskiego z jednej strony raziła nie cenionym w dobie rewolucji konserwatyzmem i podręcznikowym charakterem, z drugiej zaś, co zadecydowało zresztą o jej sukcesie, zachwycała przenikliwością i wrażliwością rozumienia świata przeżyć schizofrenicznych oraz współczuciem i szacunkiem autora dla ludzi cierpiących psychicznie. Była powszechnie czytana aż do końca lat siedemdziesiątych, przyczyniając się do humanizacji lecznictwa psychiatrycznego, oraz do zmiany społecznych postaw wobec ludzi chorych psychicznie na bardziej tolerancyjne.

Dzisiaj, gdy ponownie przeglądam *Schizofrenię*, książka budzi zasmucającą refleksję nad tym, jak niewiele zmieniło się od tamtego czasu w polskiej i nie tylko polskiej psychiatrii. Zarówno w aspekcie terapeutycznym, gdzie cały wysiłek poszedł w kierunku doskonalenia metod biologicznych, jak i w aspekcie teoretyczno-badawczym, który ograniczył się do poszukiwań biologicznej etiologii tej tajemniczej ludzkiej kondycji, jaką jest schizofrenia. Wygląda na to, że nikt nie podjął trudu rozwinięcia niezwykle interesującej próby zrozumienia schizofrenii w proponowanych przez profesora, na wskroś psychologicznych, kategoriach teorii metabolizmu informacyjnego, nie mówiąc już o konsekwentnym wyprowadzeniu z niej jakichś założeń i procedur terapeutycznych. Może dlatego, że sam autor tak niewiele uczynił w tej sprawie w swojej książce, która w swym zasadniczym przekazie wpisuje się jednak w kanon psychiatrii biologicznej. Brakuje jednoznacznego opowiedzenia się autora za którymś z opisywanych podejść terapeutycznych, ale musimy pamiętać, że w tamtym czasie w Polsce podkreślanie wątków psychologicznych w diagnozie i terapii psychiatrycznej było samo w sobie czymś niezwykłym i zagrażającym dla obowiązującego w tej dziedzinie paradygmatu. Niemniej uderzająco symptomatycznym jest fakt, że w obszernej, prawie trzystustronicowej monografii, w której tyle wysiłku, wrażliwości i wnikliwej refleksji poświęcono próbie zrozumienia i opisania fenomenu schizofrenii, rozdział pod tytułem *Leczenie* zajmuje tylko dwadzieścia sześć stron, a podrozdział *Płaszczyzna psychologiczna* — cztery.

Pozostaje mieć nadzieję, że teraz gdy po trzydziestu latach *Schizofrenia* ukazuje się ponownie, ktoś dopisze do niej niezbędny ciąg dalszy.

Spis ilustracji

Spis treści

Wydanie czwarte w tej edycji, dodruk
Printed in Poland
Wydawnictwo Literackie Sp. z o.o., 2007
ul. Długa, 131-147 Kraków
Skład i łamanie: Infomarket
Druk i oprawa: Wrocławska Drukarnia Naukowa PAN

Melancholia
OPRAWA TWARDA
CENA 39,99 zł

Rytm życia
OPRAWA TWARDA
CENA 44,00 zł

Psychopatie
OPRAWA TWARDA
CENA 34,00 zł

Autoportret Człowieka
OPRAWA TWARDA
CENA 35,00 zł
OPRAWA BROSZUROWA
CENA 29,99 zł

Psychopatologia nerwic
OPRAWA TWARDA
CENA 42,00 zł

Z psychopatologii życia seksualnego
OPRAWA TWARDA
CENA 32,99 zł

Poznanie chorego
OPRAWA TWARDA
CENA 34,00 zł

Jak leczyć i poznawać człowieka?
OPRAWA BROSZUROWA
CENA 34,99 zł

Dekalog Antoniego Kępińskiego
OPRAWA BROSZUROWA
CENA 29,99 zł

Poznaj siebie Samotność, lęk, depresja
OPRAWA BROSZUROWA
CENA 29,99 zł